Racismo em livros didáticos:
estudo sobre negros e brancos
em livros de Língua Portuguesa

Coleção Cultura Negra e Identidades

Paulo Vinicius Baptista da Silva

Racismo em livros didáticos:
estudo sobre negros e brancos em livros de Língua Portuguesa

2ª edição

autêntica

Copyright © 2008 Paulo Vinicius Baptista da Silva
Copyright © 2008 Autêntica Editora

Todos os direitos reservados pela Autêntica Editora. Nenhuma parte desta publicação poderá ser reproduzida, seja por meios mecânicos, eletrônicos, seja via cópia xerográfica, sem a autorização prévia da Editora.

COORDENADORA DA COLEÇÃO CULTURA NEGRA E IDENTIDADES
Nilma Lino Gomes

CONSELHO EDITORIAL
*Marta Araújo – Universidade de Coimbra;
Petronilha Beatriz Gonçalves e Silva – UFSCAR;
Renato Emerson dos Santos – UERJ; Maria Nazareth Soares Fonseca –
PUC Minas; Kabengele Munanga – USP.*

EDITORA RESPONSÁVEL
Rejane Dias

EDITORA ASSISTENTE
Cecília Martins

CAPA
*Patrícia De Michelis
sobre obra de Jorge dos Anjos
(técnica: chapa de aço recortada,
foto de André Burian)*

REVISÃO
Vera Lúcia de Simoni Castro

DIAGRAMAÇÃO
Conrado Esteves

**Dados Internacionais de Catalogação na Publicação (CIP)
(Câmara Brasileira do Livro, SP, Brasil)**

Silva, Paulo Vinicius Baptista da
   Racismo em livros didáticos : estudo sobre negros e brancos em livros de Língua Portuguesa / Paulo Vinicius Baptista da Silva – 2. ed. – Belo Horizonte : Autêntica Editora, 2015. – (Coleção Cultura Negra e Identidades)

   ISBN 978-85-8217-799-0

   1. Discriminação na educação - Brasil 2. Educação de ensino fundamental - Brasil 3. Livros didáticos - Brasil 4. Negros - Brasil 5. Política e educação 6. Português (Ensino Fundamental) 7. Racismo - Brasil 8. Relações raciais I. Título.

08-05938   CDD-371.320981

Índices para catálogo sistemático:
1. Relações raciais : Brasil : Livros didáticos :
Educação   371.320981

Belo Horizonte
Rua Aimorés, 981, 8º andar
Funcionários . 30140-071
Belo Horizonte . MG
Tel.: (55 31) 3214 5700

Televendas: 0800 283 13 22
www.grupoautentica.com.br

São Paulo
Av. Paulista, 2.073,
Conjunto Nacional, Horsa I
23º andar . Conj. 2301 .
Cerqueira César . 01311-940
São Paulo . SP
Tel.: (55 11) 3034 4468

Rio de Janeiro
Rua Debret, 23, sala 401
Centro . 20030-080
Rio de Janeiro . RJ
Tel.: (55 21) 3179 1975

À Gizele
Ao Vinicius
Ao Murilo

Sumário

Apresentação 13
Introdução 15

Parte I – Campo do estudo

Sobre o objeto 23
Teoria e método 41
Ideologia 41
A (re)interpretação da ideologia: o método 52

Parte II – Análise do contexto sócio-histórico

Procedimentos: revisão da literatura 59
Discursos racistas no contexto brasileiro 65
Raça: construção social e tropo 65
Racismo à brasileira 67
Estudos contemporâneos sobre desigualdades raciais no Brasil ... 78
Produção de livros didáticos no Brasil 107
Livro didático: fenômeno de mídia 107
Políticas da produção do livro didático no Brasil 109
Atores sociais envolvidos na produção 120

Parte III – Análise formal e reinterpretação das formas simbólicas

Procedimentos da análise formal 139
Interpretação e reinterpretação 153
Caracterização dos livros e unidades de leitura 154
Caracterização geral dos personagens 157
Análise diacrônica: modificações e permanências no discurso racista ... 163
Comparações com outros estudos 195
Considerações finais 199
Referências 207

ÍNDICE DE QUADROS E TABELAS

Quadro 1. Síntese de resultados de pesquisas
sobre o negro em livros didáticos brasileiros 28

Quadro 2. Modos gerais e estratégias de operação da ideologia 44

Quadro 3. Descritores utilizados para as pesquisas bibliográficas 59

Quadro 4. Bases de dados consultadas 60

Quadro 5. Síntese sobre legislação voltada
às políticas do livro didático no Brasil 111

Quadro 6. Leis Orgânicas Municipais e Constituição Estadual
que se referem ao combate ao racismo em livros didáticos 127

Quadro 7. Títulos listados e sorteados, por período, critério e fonte 142

Quadro 8. Títulos, anos de referência para sorteio
e datas de edição dos livros analisados, por períodos 144

Quadro 9. Categorias para codificação
dos dados catalográficos das unidades de leitura 150

Quadro 10. Atributos utilizados para descrever personagens no texto ... 151

Quadro 11. Características predominantes de dados catalográficos . 154

Quadro 12. Características predominantes
dos autores das 252 unidades de leitura 157

Quadro 13. Atributos predominantes
na caracterização de personagens nos textos 158

Quadro 14. Características predominantes
das unidades de leitura e percentuais, por períodos 164

Quadro 15. Descrição dos personagens
negros das unidades de leitura, primeiro período 169

Quadro 16. Descrição dos personagens
negros das unidades de leitura, segundo período 170

Quadro 17. Descrição dos personagens
negros das unidades de leitura, terceiro período 173

Tabela 1. Distribuição de frequência de obras brasileiras sobre racismo no plano simbólico, por tipo e meio discursivo, 1987-2002............ 62

Tabela 2. Indicadores selecionados de desigualdade racial, para brancos e negros, 1995-2001 88

Tabela 3. Número de exemplares de livros vendidos, por categoria e ano, Brasil, 1994-2002 (em milhões de exemplares)............................ 108

Tabela 4. Distribuição de livros didáticos, geral e de Língua Portuguesa, avaliados pelo PNLD 1997-2003... 116

Tabela 5. Variação anual de matrículas no ensino fundamental, volumes adquiridos para o PNLD e recursos aplicados no programa, 1995-1999 (1995 = 100)...................... 130

Tabela 6. Atributos ficcionais e demográficos predominantes de personagens brancos e negros, por períodos, em amostra de 252 unidades de leitura.. 178

Tabela 7. Indicadores de importância na caracterização de personagens negros e brancos, por períodos, observados em amostra de 252 unidades de leitura................................ 179

Tabela 8. Frequência da categoria "ausência de informação" em atributos de personagens brancos e negros, por períodos, observados em amostra de 252 unidades de leitura................................ 182

Tabela 9. Atributos predominantes relativos às relações familiares de personagens brancos e negros, presentes em amostra de 252 unidades de leitura..................................... 183

Tabela 10. Frequência à escola e relações familiares de personagens brancos e negros, geral e crianças, observados em amostra de 252 unidades de leitura................................ 185

Lista de figuras e gráficos

Figura 1. Formas de investigação hermenêutica 53

Figura 2. Redenção de Cam, óleo sobre tela de Modesto
Brocos, 1895, Coleção Museu Nacional de Belas Artes/IPHAN/MinC 69

Figura 3. Usos das categorias raciais no Brasil 82

Figura 4. "Ficha de Avaliação de Língua Portuguesa",
fragmento do item 7, "aspectos visuais" 118

Figura 5. "Ficha de Avaliação de Língua Portuguesa",
fragmento dos "critérios eliminatórios" 118

Gráfico 1. Média de anos de estudo segundo cor
ou raça e corte de nascimento para nascidos entre 1900 e 1965 90

Gráfico 2. Distribuição de frequência de cor-etnia,
personagens das unidades de leitura 159

Gráfico 3. Distribuição de frequência de cor-etnia
por forma de apreensão nas unidades de leitura da amostra 160

Gráfico 4. Número de personagens brancos e negros,
por período 167

Gráfico 5. Número de personagens brancos e negros,
nas ilustrações das unidades de leitura, por período 187

Gráfico 6. Número de personagens brancos e negros,
nas capas, por período 188

Apresentação

Foi com imensa satisfação que aceitei o convite para redigir a apresentação do livro *Racismo em livros didáticos: estudo sobre negros e brancos em livros de Língua Portuguesa* correspondente à tese de doutorado "Relações Raciais em Livros Didáticos de Língua Portuguesa" de Paulo Vinicius Baptista da Silva. A satisfação decorre, em primeiro lugar, das qualidades ativistas e acadêmicas de Paulo, que foi meu doutorando no Programa de Estudos Pós-graduados em Psicologia Social da Pontifícia Universidade Católica de São Paulo, membro ativo do NEGRI (Núcleo de Estudos de Gênero, Raça e Idade), que coordeno no referido Programa.

Paulo foi e tem sido um pesquisador de escol no campo dos estudos sobre relações raciais e produção midiática, tendo publicado vários artigos sobre a questão, principalmente sobre livros didáticos. Seu envolvimento com o estudo das relações raciais persiste em sua atuação docente atual, no Programa de Pós-Graduação em Educação da Universidade Federal do Paraná, onde vem orientando pesquisas de iniciação científica e mestrado que focalizam a questão.

A produção de Paulo não apenas evidencia provir de pesquisador ativo, mas também ser valiosa do ponto de vista da qualidade: bem-cuidada, reflexiva, atenta a uma concepção de pesquisa como ato público, dialógico, argumentativo. Tais qualidades transparecem neste livro. E esta é a segunda razão de minha satisfação para redigir esta apresentação. O cuidado, a reflexividade e a prospecção para o futuro que o livro nos presenteia.

O tema das relações raciais nos livros didáticos vem frequentando a agenda acadêmica, ativista e das políticas públicas desde os anos 1950, com a pesquisa pioneira de Dante Moreira Leite, até a promulgação da Lei 10.639/03, que institui a obrigatoriedade de inclusão da história da África e da cultura afro-brasileira na educação básica. Se o volume de publicações é considerável (Rosemberg, Bazilli, Silva, 2003), faltava-nos um olhar em perspectiva diacrônica que chegasse aos tempos atuais. Faltava-nos, como Bromberg (2007) denomina, uma segunda geração de pesquisas que avaliassem o que mudou e o que permaneceu na representação de negros(as) e brancos(as) nos livros didáticos brasileiros após tantos anos de estudos, pesquisas, denúncias, mobilizações, ações governamentais, como o Plano Nacional do Livro Didático que, em 2007, distribuiu 102.521.965 milhões de livros a estudantes das escolas públicas. Portanto, ao focalizar a análise no período 1975-2003, Paulo nos mostra e nos faz refletir sobre a lentidão exasperante que emperra processos da mudança social. Por que isso ocorre? No que acertamos e no que erramos? Por que tem sido tão difícil alterar as representações de negros(as) e brancos(as) nos livros didáticos brasileiros? São questões que o livro de Paulo nos permite formular e apreender algumas pistas para responder, para repensar a ação militante e formular novas perguntas para a pesquisa. Isso porque a pesquisa de Paulo é primorosa – também conforme apreciação dos(as) professores(as) Petronilha Beatriz Gonçalves e Silva, Luiz Alberto Oliveira Gonçalves, Regina Pahim Pinto e Bader Sawaia que compuseram o júri da tese – na explicitação de pontos de partida, caminhos teóricos e metodológicos, bem como na caracterização do contexto sócio-histórico de produção, circulação e recepção dos livros didáticos no Brasil contemporâneo. *Racismo em livros didáticos: estudo sobre negros e brancos em livros de Língua Portuguesa* avança no conhecimento acadêmico e fortalece a ação militante.

Fúlvia Rosemberg
abril de 2008

Introdução

A pesquisa que resultou no presente livro efetuou análise dos discursos sobre os segmentos raciais negros e brancos em livros didáticos de Língua Portuguesa para a quarta série do ensino fundamental produzidos entre 1975 e 2003.

O tema "racismo nos livros didáticos", embora episódico, não é novo na pesquisa educacional brasileira, já que as primeiras pesquisas datam da década de 1950. Além disso, a temática entrou na agenda das políticas públicas educacionais do Brasil contemporâneo graças à mobilização do movimento negro, de pesquisadores/as e de governantes. O Programa Nacional do Livro Didático/PNLD, iniciado em 1985, tentou apresentar respostas às críticas de movimentos sociais e de pesquisadores. Este estudo procurou apreender os impactos da intensa movimentação social em torno do tema no discurso produzido e veiculado pelos livros didáticos de Língua Portuguesa. A hipótese desenvolvida foi que o livro didático continua produzindo e veiculando um discurso racista, adaptado aos tempos atuais, não obstante a intensa mobilização social observada.

Tais questões orientaram para a análise em perspectiva diacrônica. Buscamos apreender, em períodos cronológicos predefinidos, modificações no discurso racista, observando em que medida o discurso racista foi mantido ou foi superado, em que se modificou e qual a extensão de eventuais modificações observadas.

Por trás de uma questão aparentemente simples, tanto acadêmicos quanto ativistas, particularmente os de combate ao racismo, têm assinalado mudanças nas manifestações do racismo contemporâneo, especialmente dos discursos racistas. A expressão "novo racismo" foi utilizada, na Europa, por Barker (1981, *apud* WIEVIORKA, 1992) para caracterizar a passagem de um racismo universalista, de inferiorização biológica, a um racismo diferencialista, focado na cultura. Paralelamente, nos EUA, foi usado o termo "racismo simbólico" para descrever mudança similar (WIEVIORKA, 2000, p. 21). O "novo racismo", em geral, nega, em primeiro plano, que seja racismo (VAN DIJK, 1993; WIEVIORKA, 1992) e tende a usar estratégias diversas para criar uma aparência de respeitabilidade e de aceitação.

O racismo acomoda-se, portanto, às novas dinâmicas sociais. Alguns estudos informam que tais asserções são válidas para o contexto brasileiro, no qual o racismo também se reestrutura em acordo com as tendências sociais (PIERUCCI, 1997; GUIMARÃES, 2002). Ou seja, o racismo, entendido como construção histórica, forma-se e conforma-se às particularidades sociais dos contextos sócio-históricos em que é produzido, veiculado e recebido. Portanto, a perspectiva de análise diacrônica esteve atenta às movimentações, tanto no campo da produção do livro didático quanto dos discursos racistas e antirracistas produzidos e veiculados no Brasil.

A presente pesquisa insere-se em campo de estudos que vem se conformando no Brasil, a Psicologia Social da Educação, e está amparada por três campos de conhecimentos: a) teoria da ideologia, b) estudos sobre relações raciais e c) estudos sobre políticas educacionais.

A análise foi produzida nos contextos interpretativos da teoria da ideologia – tendo John B. Thompson (1995) como principal teórico – e dos estudos contemporâneos sobre discursos racistas. Adotamos o conceito de **ideologia** de Thompson, para quem "fenômenos ideológicos são fenômenos simbólicos significativos desde que eles sirvam, em circunstâncias sócio-históricas específicas, para estabelecer e sustentar relações de dominação" (1995, p. 76). O estudo da ideologia é o estudo de como a circulação das formas simbólicas cria, institui, mantém e reproduz relações de dominação. Os discursos dos livros didáticos são tomados, portanto, sob o prisma da análise ideológica, ou seja, como forma de produção e difusão de discursos que fundam e sustentam relações de desigualdade, em nosso foco, racial.

O estudo compõe parte das pesquisas recentes do Núcleo de Estudos de Gênero, Raça e Idade/NEGRI do Programa de Estudos Pós-Graduados em Psicologia Social da Pontifícia Universidade Católica de São Paulo/PUC-SP, centrados em eixos de desigualdade de gênero, de raça e de idade (os citados nesta obra: ESCANFELLA, 1999; BAZILLI, 1999; CALAZANS, 2000; ANDRADE, 2004; FREITAS, 2004), que se têm utilizado do arcabouço teórico-metodológico de Thompson (1995) e que se interessam em compreender as "maneiras como as formas simbólicas se entrecruzam com relações de poder" (THOMPSON,1995, p. 75). O "nós" utilizado em muitas das passagens do texto não é somente o polimento do nós majestático, mas indica de fato um trabalho de equipe de pesquisa, tanto pela interlocução com os demais pesquisadores do NEGRI quanto pelo núcleo de trabalho da pesquisa apresentada nesta obra, composto por mim, por Neide Cardoso de Moura e pela coordenadora do NEGRI e orientadora da tese que resultou neste livro, Fúlvia Rosemberg. Juntos, realizamos tanto os estudos que compõem a abordagem teórico-metodológica como empreendemos diversos dos procedimentos de pesquisa. Os procedimentos comuns realizados por Neide Cardoso de Moura (2007) culminaram na tese que estudou a ideologia de gênero na mesma amostra de livros didáticos de Língua Portuguesa.

Além do conceito de ideologia, a metodologia também foi inspirada em Thompson (1995), cuja proposta metodológica – a Hermenêutica de Profundidade/HP – envolve três etapas. A primeira é a análise sócio-histórica, que tem como objetivo estudar os contextos específicos e socialmente estruturados nos quais as formas simbólicas são produzidas, transmitidas e recebidas. A segunda, a análise formal ou discursiva, consiste na análise interna às próprias formas simbólicas. No nosso caso, utilizamos técnicas de análise de conteúdo, baseadas em Bardin (1985) e Rosemberg (1981). A terceira, a interpretação/reinterpretação da ideologia, é operação de síntese que articula os resultados das fases anteriores.

No campo de estudos das **relações raciais**, adotamos:

A perspectiva de Guimarães (2002), entendendo o conceito de raça como construção social e conceito analítico fundamental para a compreensão de desigualdades sociais – estruturais e simbólicas – observadas na sociedade brasileira. Certas discriminações são subjetivamente justificadas ou inteligíveis somente pela ideia de raça, que é usada para classificar e hierarquizar pessoas e segmentos sociais. O uso do conceito de raça ajuda a atribuir realidade social à discriminação e, consequentemente, a lutar contra a discriminação (GUIMARÃES, 1995). No Brasil, as relações raciais estão fundadas em um peculiar conceito de raça e forma de racismo, o "racismo à brasileira" (GUIMARÃES, 2002), cujas especificidades são significativas para compreender as relações entre os grupos de cor e as desigualdades associadas. O racismo "à brasileira" se constrói e reconstrói mantendo desvantagens para a população negra no acesso a bens materiais e simbólicos.

A perspectiva de Rosemberg (1998) sobre as dinâmicas das relações entre educação e raça, que aponta como são observados mecanismos internos à escola influenciando negativamente nos índices de permanência e sucesso na escolarização de alunos negros (ROSEMBERG, 1998). Uma das possíveis formas de discriminação no interior da escola (entre outras) é o uso de livros didáticos que *naturalizam* a branquidade de seu público.

Adotamos a perspectiva que considera a sociedade como palco de conflitos diversos, particularmente perceptíveis nos planos de gênero, raça, idade e classe social (ROSEMBERG, 2000). As relações entre os diversos planos são complexas, ocorrem descontinuidades, rupturas e alterações das influências dos campos originais de gênero, raça, idade ou classe. Ao analisar os livros didáticos sob a óptica das relações raciais, estaremos lidando com parte dessa complexidade.

Outro ponto a considerar, baseado em Rosemberg *et al.* (1987), é que os livros didáticos exercem o papel de reprodução, mas também de produção da ideologia de raça (também de gênero e de idade). Consideramos que expressões do racismo em livros didáticos constituem uma das formas de *produção* e *sustentação* do discurso racista no cotidiano brasileiro, não apenas reflexo de um racismo produzido pelas instituições externas à escola. Formas simbólicas não são meras representações da realidade (THOMPSON, 1995), elas são constitutivas da realidade social, servindo não somente para sustentar relações de dominação, mas também para criá-las ativamente.

Utilizamos o conceito de discurso como tem sido amplamente empregado na teoria e análise social, como instâncias de comunicação usuais, que são constitutivas e constituídas nos diferentes modos de estruturação das práticas sociais. Discursos participam da construção dos fenômenos sociais, posicionam os indivíduos de diversas formas como sujeitos sociais (por exemplo, como branco e negro). Privilegiamos o uso da expressão "discurso racista", sempre que possível, pois é mais fiel ao conceito de racismo que adotamos, que considera as dimensões estrutural e simbólica (ou ideológica) do racismo:

> Com efeito, o racismo sempre envolve conflito de grupos a respeito de recursos culturais e materiais. E opera por meio de regras, práticas e percepções individuais, mas, por definição, não é uma característica de indivíduos. Portanto, combater o racismo não significa lutar contra indivíduos, mas se opor às práticas e ideologias pelas quais o racismo opera através das relações culturais e sociais. (ESSED, 1991, p. 174)

O conceito "permite que se explicitem expressões de racismo sem que se necessite atribuir o epíteto de racista a seus emissores – no caso dos livros didáticos, autores, ilustradores, editores, educadores, especialistas em avaliação" (ROSEMBERG; BAZILLI; SILVA, 2003, p. 129). Procura-se não promover, assim, as intensas reações de defesa que a crítica ao racismo produzido e sustentado pelos livros didáticos tem suscitado entre seus produtores.

O terceiro campo de conhecimento em que nos apoiamos é relativo às **políticas educacionais**. Trabalhamos na perspectiva dos "teóricos da resistência", da sociologia crítica da educação, a partir de autores como Apple (1995, 1996), Giroux (1999a, 1999b), Enguita (1999) e McLaren (1997). Além da contribuição metateórica dos autores, da concepção crítica de sociedade, adotamos a opção por examinar a educação em seus contextos históricos e como parte do tecido social e político, focalizando os processos culturais pelos quais determinados discursos mantêm-se hegemônicos. Este estudo tem como meta problematizar as formas dominantes de linguagem na produção de livros didáticos, com vistas a um processo de superação de desigualdades raciais. São de particular interesse as análises: de Apple (1995) sobre o significado de tomar os livros didáticos como "artefatos de currículo", e as relações de poder que perpassam sua produção, como objeto de pesquisa; de Apple (1996) e de Giroux (1999a) sobre a naturalização da branquidade, a "brancura normativa" hegemônica nos discursos em educação; de Apple (1996) e Enguita (1996) sobre relações entre políticas educacionais e desigualdades de classe, gênero e raça. A partir dessa perspectiva, o estudo direcionou-se a analisar possíveis impactos da avaliação do Programa Nacional do Livro Didático/ PNLD no discurso racista veiculado por livros de Língua Portuguesa.

O livro está estruturado em três partes: a primeira parte dedica-se a precisar o campo de estudos. No capítulo1, "Sobre o objeto", realizamos revisão da literatura sobre racismo em livros didáticos brasileiros, colocando em primeiro plano os resultados de estudos diacrônicos e definindo o foco da pesquisa. No capítulo 2, "Teoria e método", analisamos o conceito de ideologia de Thompson (1995) e os diferentes modos gerais de operação e estratégias da ideologia e apresentamos a metodologia da Hermenêutica da Profundidade/HP, adotada na estruturação da pesquisa.

A segunda parte compõe o primeiro nível de análise, conforme proposta da HP, ou seja, discutimos o contexto sócio-histórico de produção das formas simbólicas, no nosso caso, o discurso racista em livros didáticos brasileiros. No capítulo 3, "Procedimentos: revisão de literatura", descrevemos os procedimentos para a análise de contextos, particularmente a forma de realização de pesquisa bibliográfica. No capítulo 4, "Discursos racistas no contexto brasileiro", explicitamos o uso do conceito de raça como categoria analítica, analisamos características do "racismo à brasileira" e sua relação com as desigualdades raciais no Brasil, nos planos estrutural e simbólico. No capítulo 5, "Produção de livros didáticos no Brasil", localizamos o livro didático como fenômeno de mídia e discutimos os interesses de diversos atores sociais em sua produção.

A terceira parte dedica-se ao segundo e terceiro níveis de análise da HP. No capítulo 6, "Procedimentos da análise formal", descrevem-se procedimentos da análise formal ou discursiva, para a qual definimos o uso da análise de conteúdo, conforme a perspectiva adotada por Bardin (1977) e Rosemberg (1981). No capítulo 7, "Interpretação e reinterpretação", estão descritos e interpretados os resultados da análise discursiva. Apontamos modificações e permanências no discurso racista veiculado pelos livros didáticos e interpretamos os resultados como uso de diferentes formas de estratégia ideológica que operam no sentido de estabelecer e sustentar as desigualdades raciais.

Terminamos o livro (considerações finais) propondo uma síntese que destaca um duplo movimento nos discursos dos livros didáticos: a negação do racismo concomitante a discurso racista que *naturaliza* a condição do branco e *estigmatiza* o negro. Realizamos, nas considerações finais, o exercício proposto por Thompson (1995) de interpretar as estratégias ideológicas apreendidas na análise formal como meio de operação dos modos gerais da ideologia. Particularmente, as estratégias de *naturalização* do branco e *passifização* do negro concorrem para a configuração de discurso racista que **reifica** as relações desiguais entre brancos e negros no País. Finalmente, discutimos os resultados em função das políticas do livro didático no Brasil, refletindo sobre possibilidades e limites de intervenções para combate ao discurso racista produzido e veiculado por livros didáticos.

Parte I

Campo do estudo

Sobre o objeto

A construção da pesquisa da qual se originou este livro baseou-se em revisão atenta da literatura sobre livros didáticos no Brasil, quando pudemos apreender: a) lacunas nos conhecimentos acadêmicos acumulados sobre o tema; b) intensa mobilização social sobre a questão; c) equívocos/descaminhos da ação governamental caso as medidas assumidas visassem enfrentar o racismo constitutivo da sociedade brasileira. Na análise da literatura disposta a seguir, partimos de um panorama sobre as pesquisas relativas a racismo em livros didáticos, posteriormente contrapondo os resultados às movimentações sociais relativas ao tema e a ações governamentais de combate ao racismo nos livros didáticos.

Encontramos, na literatura, diversos argumentos para que o livro seja mais estudado no País (Batista, 2000): o fato de serem a fonte de informação mais importante para grande parte dos professores e dos alunos da escola brasileira; o seu uso mais intenso nos estratos econômicos mais baixos das populações escolares; sua enorme participação na produção editorial brasileira. Além disso, a literatura aponta para a complexidade das relações entre a escola e o livro didático com o mundo da cultura.

Apesar de todos esses motivos, o livro didático em geral e, em específico, o discurso racista em livros didáticos são temas pouco estudados. Pesquisando em 24 bases de dados nacionais, encontramos somente 44 referências sobre discurso racista em livros didáticos publicadas entre 1987 e 2001, muitos dos quais foram textos produzidos com base na mesma pesquisa básica. Revisando a base de dados da Associação Nacional de Pós-Graduação em Educação/ANPEd, sobre teses e dissertações defendidas entre 1981 e 1998, encontramos 114 títulos sobre o tema *livro didático*. Entre esses, somente quatro relacionados a racismo (estereótipo, preconceito ou discriminação), em um total de mais de oito mil títulos de teses e dissertações defendidas no período, em programas filiados à ANPEd. O que se observa é o pequeno interesse, tanto pelo campo de estudos do livro didático (MUNAKATA, 1997; BATISTA, 2000) quanto acerca dos estudos sobre relações raciais na educação (PINTO, 1992; GONÇALVES E SILVA, 1998, p. 105). A confluência de ambos potencializa-se com o sinal negativo.

Ainda assim, os livros didáticos constituem veículo dos mais estudados, no Brasil, em pesquisas sobre a dimensão simbólica do racismo. Das 218 publicações que localizamos tratando de discursos racistas, no período 1987-2001, 47 (21%) analisavam livros didáticos (dados na TAB. 1, p. 62). O número de referências, porém, não reflete a quantidade de pesquisas, pois diversos dos escritos são repetições sobre o mesmo material empírico.

Por outro lado, ao passo que a produção acadêmica sobre ideologia e livros didáticos, no Brasil, dirigiu-se a temas diversos (MOREIRA LEITE, 1950, *apud* ROSEMBERG, 1985; DEIRÓ, 1979, *apud* SILVA, 2005; FARIA, 1984 *apud* SILVA, 2005; CHINELLATO, 1996; MELO, 1997; ADRIANE SILVA, 2000), alguns estudos focaram temas raciais (HOLLANDA, 1957 *apud* ROSEMBERG, 1985; PINTO, 1981, 1999; TRIUMPHO, 1987; PALÁCIOS, 1989; ANA SILVA, 1988, 2001; CARMO, 1991; RACHEL DE OLIVEIRA, 1992; GRUPIONI, 1995; ADRIANE SILVA, 2000; MARCO OLIVEIRA, 2000; BARROS, 2000; CRUZ, 2000; TERESINHA OLIVEIRA, 2001; LOPES, 2002). As pesquisas preocupadas com o discurso racista em livros didáticos focalizaram, preferencialmente, aqueles destinados ao ensino fundamental e privilegiaram as disciplinas escolares de História e Língua Portuguesa. Uma visão panorâmica dessa literatura indica que:

> Em seu conjunto, a produção é relativamente frágil, teórica e metodologicamente, fragmentada e inconstante. Isto é, os textos nem sempre explicitam se dialogam com a produção ou a recepção, qual o modelo societário subjacente a suas inferências e qual o alcance das interpretações. São poucos os autores ou grupos de pesquisa que se mantêm trabalhando sobre o tema por um período relativamente longo. A produção sobre livro didático ignora este capítulo, ou o trata superficialmente (FREITAG *et al.*, 1989; MUNAKATA, 1997, 2000; EM ABERTO, 1996), da mesma forma que, com raras exceções, essa produção ignora o acúmulo de conhecimentos sobre livros didáticos no Brasil. Complementarmente, estudos sobre relações raciais no Brasil, especialmente sobre o movimento negro nas décadas de 1980 e 1990,

> apesar de mencionarem o combate ao racismo em livro didático como um dos itens do seu ideário político, omitem o acervo de pesquisas sobre livros didáticos (D'ADESKY, 2001; GUIMARÃES, 2002). A despeito da tiragem bastante significativa, os livros didáticos não entram na configuração da representação do negro na mídia (D'ADESKY, 2001). Além disso, observa-se uma quase que ausência de referências a outros estudos sobre o próprio tema. À exceção de pesquisas do próprio autor, ou de grupos de autores com filiação direta, são raras as citações, as discussões, as contraposições e críticas, mesmo em estudos de mesma universidade ou programa de pós-graduação (SILVA, 2002). Isto é, defrontamo-nos com uma cultura e carências que são velhas conhecidas da academia brasileira. Além da necessidade de aprofundamento teórico conceitual indispensável à constituição de um campo de estudos, notamos algumas lacunas nesse conjunto de textos: ausência de diálogo com o campo de estudos das relações raciais no Brasil; pouca preocupação com o tratamento dado à História da África, disciplina reivindicada pelo movimento negro para integrar o currículo escolar; pouca atenção dada ao vocábulo racial "nativo", usado nos livros didáticos. As implicações são sérias: dificilmente poderíamos falar em campo de conhecimento constituído. Assim sendo, a retaguarda disponível para propor e implementar ações práticas é frágil, para além do diagnóstico genérico "os livros didáticos brasileiros são racistas", e da palavra de ordem genérica "é necessário mudá-los". (ROSEMBERG; BAZILLI; SILVA, 2003, p. 130-131)

Negros e indígenas (na maior parte dos casos em comparação com brancos) foram os dois grupos contemplados pela maioria dos estudos. No processo de construção da pesquisa, pensamos, inicialmente, em analisar os discursos dos livros de Língua Portuguesa para ambos os segmentos, negros e indígenas. Porém, abandonamos tal empreitada. As especificidades no tratamento da questão indígena e as diferentes formas de articulação dos movimentos sociais de defesa de direitos foram tomadas em consideração para a definição de foco desta pesquisa. À medida que realizávamos o primeiro nível de análise da metodologia que utilizamos, estudando o contexto de produção dos livros didáticos de Língua Portuguesa, as particularidades nos levaram a perceber que as áreas de estudo, racismo contra indígenas e racismo contra o negro, configuram-se de forma distinta. Optamos, então, por focalizar a pesquisa nos discursos sobre os segmentos raciais negros e brancos.

A literatura que analisa a relação entre negros e brancos em livros didáticos brasileiros, apesar das limitações que apontamos (ROSEMBERG; BAZILLI; SILVA, 2003, p. 130-131) assinala, consistentemente, que os textos e as ilustrações dos livros didáticos brasileiros apresentam padrão de discriminação baseado na supremacia dos brancos em detrimento dos negros (e indígenas). Verifiquemos mais detalhadamente aspectos levantados por esses estudos.

As primeiras pesquisas sobre estereótipos raciais em livros didáticos foram publicadas na década de 1950. O estudo pioneiro foi o de Leite (1950, *apud* NEGRÃO, 1987), seguido pelos estudos de Hollanda (1957, *apud* ROSEMBERG, 1985) e Bazzanella (1957, *apud* ROSEMBERG, 1985).[1] O principal resultado desse grupo de pesquisas foi a percepção de que as manifestações de preconceito e discriminação em geral se apresentam de forma velada ou "implícita". Raramente se apresentavam de forma aberta, como hostilidades diretas ou defesa da "inferioridade natural" dos negros. Desde então, as pesquisas passaram a lidar com as ideias de racismo explícito e racismo implícito. Os resultados de Bazzanella (*apud* NEGRÃO, 1988) são ilustrativos: um mínimo de expressões explícitas de racismo (duas vezes) e racismo implícito nas associações sistemáticas da figura do negro com funções subalternas e escravidão.

Em período seguinte, no final da década de 1970 e início da posterior, novas investigações foram realizadas, inspiradas nas teorias reprodutivistas e enfatizando o papel da escola na reprodução da dominação, particularmente a de classe (NEGRÃO; PINTO, 1990, p. 7-8). Nessa produção, a temática das relações raciais foi tratada de forma subsidiária ou de forma central (PINTO, 1981).[2] Nesse período, merece destaque o estudo de Pinto (1981), pois, além de tratar centralmente do tema, adotou uma perspectiva diacrônica. O estudo analisou amostra de 48 livros de leitura para a quarta série do ensino fundamental, publicados entre 1941 e 1975. A análise empreendida apontou a *naturalização* da condição de branco. Os personagens brancos, nos textos e nas ilustrações, eram apresentados como representantes da espécie. Muito mais frequentes que negros (e indígenas), constavam em

---

[1] Ambos os estudos foram vinculados ao Centro Brasileiro de Pesquisas Educacionais (CBPE) e integraram projeto patrocinado pela Unesco. A relação com o grande Projeto Unesco da qual se originou a chamada escola de São Paulo precisa ser melhor investigada. Hollanda (1957, *apud* ROSEMBERG, 1985) menciona projeto, no Brasil, de Otto Klineberg, no final dos anos 1940, não realizado. Maio (1997) menciona influência de Klineberg para que o Projeto Unesco fosse levado a cabo no Brasil.

[2] Os resultados de tais estudos apontavam o escamoteamento de fatos históricos sobre as relações raciais e influenciaram para a reivindicação de recuperar a história do povo africano como forma de fortalecer a identidade da população negra. Foi nesse período que o movimento negro passou a reivindicar a modificação dos livros didáticos e o ensino de história e cultura africana nas escolas.

quase a totalidade de posições de destaque e ilustrações de capa. Multidões de negros não foram ilustradas uma única vez. Personagens brancos eram identificados por nome próprio e atributos familiares, majoritariamente referidos por sua nacionalidade. Os negros eram identificados pela raça, por vezes ligados ao continente de origem (africano). Os personagens brancos muitas vezes estavam inseridos em contexto familiar, ao contrário dos personagens negros. Enquanto os personagens brancos foram ilustrados em inúmeros tipos de atividade ocupacional, entre as quais as de maior prestígio e poder, os negros foram retratados em número muito limitado, sempre nas funções mais desvalorizadas socialmente. Os personagens brancos apresentaram maiores possibilidades de atuação e autonomia, em comparação com os negros que, prevalentemente, foram personagens sem possibilidade de atuação na narrativa, em posição coadjuvante ou como objeto da ação do outro. Na maioria das ilustrações, os personagens negros foram apresentados de forma grotesca e estereotipada. Foi realizada comparação entre livros publicados no início e final do período e não foram encontradas diferenças significativas. As modificações encontradas foram mínimas e não significaram alteração no perfil dos personagens brancos e negros dos livros (PINTO, 1981, p. 116). Em livros publicados no período final, foram observadas as mesmas formas de discurso racista encontradas nos livros do período inicial.

Ainda na década de 1980, os estudos de Triumpho (1987) e Ana Silva (1988) reiteraram os dados de Pinto (1981, 1987). Triumpho analisou manuais de catequese utilizados à época, sugerindo que esses manuais foram os utilizados nas diversas regiões do País onde ocorria a atuação de agentes da Pastoral Negra, da Igreja Católica. Não localizamos descrição do número de manuais analisados ou de datas de publicação. Além da estereotipia e limitações na apresentação do negro, similares às encontradas por Pinto nos livros de leitura de 4ª série, Triumpho descreveu o uso de metáforas religiosas nas quais o negro representava o mal, a negatividade, o pecado. Expressões como alma negra, ou coração negro, eram, segundo a autora, comuns nos manuais de catequese.

O outro estudo (ANA SILVA, 1988) trabalhou inicialmente com 82 livros de comunicação e expressão, de alfabetização à 4ª série do ensino fundamental, os mais utilizados por escolas de uma determinada região de Salvador. Entre estes, selecionou para análise os 16 livros que apresentavam maior incidência de estereótipos. Os livros foram editados entre 1980 e 1985 (sete dos dezesseis não apresentam identificação de data de publicação. ANA SILVA, 1988, Quadro 2). Os dados sobre os personagens, constantes em textos e ilustrações, foram muito similares aos de Pinto (1981, 1987). A acrescer a comparação entre representação de crianças negras e brancas. Os dados reiteram a naturalização do branco, enquanto a criança negra, quando representada, o foi de forma negativa. No Quadro 1 organizamos uma síntese dos resultados que julgamos mais significativos, das pesquisas realizadas sobre racismo em livros didáticos, a partir da segunda metade da década de 1980.

Quadro 1 - Síntese de resultados de pesquisas
sobre o negro em livros didáticos brasileiros

- **Personagem branco como representante da espécie**, muito mais frequente nas ilustrações, representado em quase a totalidade de posições de destaque e ilustrações de capas (PINTO, 1981, 1987; ANA SILVA, 1988; BRASIL/FAE, 1994); personagem negro menos elaborado, prioritariamente identificado pela raça, ao passo que o branco, por nome próprio, atributos familiares e nacionalidade (PINTO, 1981; ANA SILVA 1988; CRUZ, 2000).

- **Sub-representação do negro**, com frequência muito baixa (PINTO, 1981; ANA SILVA, 1988; BRASIL/FAE, 1994). Maiores índices de representação, em ilustrações, no centro ou em posições de destaque (ANA SILVA, 2001).

- **Personagens negros apareceram menos frequentemente em contexto familiar** (PINTO, 1981; ANA SILVA, 1988, 2001; BRASIL/FAE, 1994). Quando apresentada, a família foi invariavelmente pobre (TRIUMPHO, 1987). Os papéis familiares foram omitidos ou menos numerosos (ANA SILVA, 1988).

- **Personagens negros desempenharam um número limitado de atividades profissionais, em geral as de menor prestígio e poder** (PINTO, 1981, 1987; ANA SILVA, 1988; BRASIL/FAE, 1994), executando trabalhos braçais (CRUZ, 2000). Tendência à diversificação de papéis e funções profissionais (ANA SILVA, 2001).

- **Crianças negras representadas em situações consideradas negativas** (ANA SILVA, 1988), raramente em contexto escolar ou desempenhando atividades de lazer (ANA SILVA, 1988). Contrariamente, menções positivas à criança negra; presença em atividades de lazer e em situação escolar (ANA SILVA, 2001).

- Tratamento estético das ilustrações apresentou o **negro com traços grotescos e estereotipados** (PINTO, 1981, 1987; ANA SILVA, 1988; OLIVEIRA,

2000). Ana Silva, ao contrário (2001), observou representação positiva de características fenotípicas de personagens negros.

- **Tentativas de romper com a associação do negro com a figura de escravo produziram associações com personagens estereotipados/ folclóricos** (Cruz, 2000).

- **Negros prevalentemente como personagens sem possibilidade de atuação na narrativa, em posição coadjuvante ou como objeto da ação do outro**, em contraponto com os personagens brancos, com maiores possibilidades de atuação e autonomia. (Pinto, 1981, 1987; Chinellato, 1996; Cruz, 2000).

- As crônicas mais frequentes em textos didáticos apresentaram os **personagens negros pobres ou miseráveis, que desempenham os papéis sociais estereotipados ou estigmatizados** (Chinellato, 1996). Por outro lado, **as narrativas das crônicas desvelaram a existência do preconceito e o utilizaram para expor ao ridículo os agentes preconceituosos** (Chinellato, 1996).

- Discursos das crônicas transcritas em livros didáticos apresentaram as **concepções preconceituosas compartilhadas**, ou "introjetadas", **pelos personagens negros** (Chinellato, 1996).

- **Contexto sociocultural do negro omitido** nos livros analisados, nos quais prevaleceram os valores da cultura europeia (Triumpho, 1987; Ana Silva, 1988, 2001a; Oliveira, 2000). Predominância de perspectiva eurocêntrica de história (Triumpho, 1987; Negrão, 1988; Oliveira, 2000). A complexidade das culturas africanas não foi abordada (Pinto, 1999).

- **Ênfase na representação do negro escravo, vinculando a passagem de tal condição à de marginal contemporâneo** (Oliveira, 2000), **associando o trabalho livre e o progresso do país aos brancos** (Cruz, 2000). No que se refere à resistência negra, enfatizaram-se manifestações individuais em lugar de coletivas. Afirmações restritivas e abordagens simplificadoras sobre cultura e história afro-brasileira (Oliveira, 2000; Cruz, 2000; Pinto, 1999).

- Livros didáticos mantiveram **a população negra confinada a determinadas temáticas que reafirmam o lugar social ao qual ela está limitada** (Oliveira, 2000; Pinto, 1999; Cruz, 2000).

Fonte: Paulo Silva (2005)

Na década de 1990, o primeiro estudo que localizamos não estava diretamente voltado ao discurso racista nos livros didáticos, mas à crônica, que passou a ser o mais frequente gênero literário nos livros didáticos de Língua Portuguesa. A pesquisa (CHINELLATO, 1996) analisou as 100 crônicas mais frequentes em amostra de 127 livros didáticos de língua portuguesa, da 5ª série do ensino fundamental ao 3° ano do ensino médio.[3] Identificamos nos textos das crônicas a presença marcante de estereótipos raciais, a representação de personagens negros com pouca possibilidade de atuação na narrativa, e a introjeção de concepções preconceituosas por personagens negros.

Para além da análise sobre as crônicas realizada pela autora, analisamos os personagens negros presentes nas crônicas transcritas por Chinellato (1996). Os personagens, listados por crônica, foram: 1) garoto de 16 anos, preto, tomado como assaltante; 2) empregada doméstica e pintor "atrevido", "descarado", "sem-vergonha"; 3) "sambista de cor"; 4) prostitutas, "uma mulata e alta e uma baixa e preta", "ambas pobres e feias"; 5) empregada doméstica; 6) "preto baixo, forte e desdentado", malandro que aplica golpe em médicos; 7) "negrinha mirrada, raquítica, um fiapo de gente encostada no poste como um animalzinho"; 8) "casal de pretos", "compostura da humildade", "uma negrinha de seus três anos, toda arrumadinha no vestido pobre", "três seres esquivos", "a negrinha finalmente agarra o bolo com as duas mãos sôfregas e põe-se a comê-lo". Esses foram os personagens das oito crônicas nas quais atributos raciais dos personagens foram revelados. Sem exceção, os personagens negros presentes nas crônicas eram pobres ou miseráveis e desempenharam papéis sociais estereotipados ou estigmatizados, apresentavam atributos negativos, ausência de nome e qualquer referência a atividades ou características positivas.

Um aspecto significativo é o vocabulário para se referir ao negro e os contextos em que são referidos. Os termos utilizados pelos autores foram frequentemente pejorativos. Os textos das crônicas, que utilizam linguagem coloquial em profusão, por diversas vezes reiteraram estereótipos, usando de palavras e expressões propriamente mesmo grotescas (como a associação da imagem da menina negra com um "animalzinho"). Tais resultados são indicativo do uso frequente, na linguagem coloquial brasileira, de formas pejorativas e discriminatórias de referência ao negro. O termo "preto" foi

---

[3] Não constam as datas de publicação dos livros didáticos de onde as crônicas foram retiradas. As crônicas que traziam negros como personagens foram analisadas num capítulo específico da tese, em análise que carece de subsídios dos estudos sobre relações raciais no Brasil.

o mais utilizado para se referir a atributo racial e, em determinado caso, "a palavra *preto* tem sua significação ampliada na contundência de uma frase entrecortada" (CHINELLATO, 1996, p. 382). Nesse caso, a crônica "O assalto" de L. F. Veríssimo, o fato de ser "preto" define o contexto de tensão-medo-preconceito em relação a um dos personagens (CHINELLATO, 1996), um jovem negro que é tomado como assaltante por uma família de classe média. Os termos preto e negro, em contextos específicos, foram os insultos raciais mais frequentes encontrados em denúncias de discriminação racial (GUIMARÃES, 2002). É importante, portanto, estar atento ao vocabulário racial e aos contextos de seus usos. As opções semânticas para a apresentação dos personagens, o uso de preto ou negro, os sentidos que adquirem, as características e adjetivações que lhes são atribuídas, são significativos para a análise realizada. Como também as possíveis inversões de sentidos operadas pelas narrativas. No caso das crônicas é perceptível uma tensão no tratamento das questões raciais. Paralelamente à apresentação de estereotipias, algumas das crônicas fizeram uso do preconceito, explorando a comicidade do ridículo a que foram submetidos os agentes preconceituosos, em decorrência dessa existência de "pré-preconceito", com isso operando contradições e inversões.

Estudo posterior (PINTO, 1999) analisou livros didáticos voltados para o magistério de ensino médio, das disciplinas de História do Brasil, Biologia, Sociologia da Educação e Psicologia da Educação. Foi o primeiro estudo realizado, voltado às relações raciais, com material dessa modalidade de ensino, no Brasil. A pesquisa utilizou corte sincrônico, revelando que os livros didáticos analisados suprimiram as passagens mais criticadas pelo movimento negro nas décadas anteriores, mas muitos pontos mereciam um tratamento mais elaborado para melhor compreensão de problemas que o negro enfrenta na sociedade brasileira. A cobrança, do movimento negro e de pesquisadores, de falar de Zumbi e de Palmares, passou a ser atendida, mas a resistência negra no continente de origem e no Brasil era tratada de forma superficial, enfatizando manifestações individuais, em lugar de coletivas. O negro era muito mais tratado como objeto que como sujeito. A complexidade das culturas africanas não era abordada (PINTO, 1999).

Dois estudos sobre livros didáticos de História, publicados em 2000, voltaram a realizar análise diacrônica (CRUZ, 2000; OLIVEIRA, 2000). O de Cruz (2000) trabalhou com livros de "Estudos Sociais", quando essa disciplina escolar esteve em processo de subdivisão, em História e Geografia, tendo sido privilegiados os conteúdos de História. Foram analisados nove livros didáticos de Estudos Sociais. O critério de seleção considerou três intervalos: dois títulos foram depositados entre 1982 e 1984; quatro depositados ou editados entre 1985 e 1994; três editados entre 1996 e 1998. Os dados comparativos, porém, são convergentes com as análises de Pinto (1999) e de Oliveira (2000). Tais estudos apontam um tratamento mais adequado de questões relativas ao papel do negro na história, mas que é apresentado ainda de modo muito preso ao escravo, além de certas reduções e superficialidades que impedem a compreensão da inserção do negro na sociedade brasileira. As ilustrações analisadas "não evidenciam nenhuma mudança de representação" do negro (CRUZ, 2000, p. 190). Os textos dos livros didáticos mantiveram o uso de estratégias discursivas de forma a amenizar a responsabilidade dos portugueses pela escravidão. A mão de obra dos imigrantes brancos europeus foi associada ao progresso do País e tratada como necessária para o fim da escravidão. A autora entende que as tentativas de ultrapassar a associação do negro à figura do escravo foram pouco profícuas, pois, em lugar da velha associação, foram realizadas outras, com personagens folclorizados e/ou estereotipados. Ao mesmo tempo, os textos, em geral, mantiveram o uso da voz passiva para os negros, tratados no discurso muito mais como objetos que como sujeitos. Tais dados são congruentes com ambos os estudos de Pinto (1981 e 1999), o que indica que a estratégia ideológica apreendida em livros de leituras publicados entre 1941 e 1975 continuou sendo observada em livros didáticos de História, para ensino fundamental e médio, publicados até a década de 1990.

    Comparação diacrônica mais recente pode ser encontrada no estudo de Oliveira (2000). A pesquisa analisou uma amostra de 25 livros didáticos de História, de 5ª a 8ª séries, publicados entre 1978 e 1998, os mais utilizados, segundo questionário aplicado a 111 professores da cidade de São Paulo e informações obtidas nos relatórios dos cursos de Prática de Ensino de História da USP. Comparando os livros editados no primeiro período com os editados no final, a análise informa sobre uma modificação na forma de abordagem dos conteúdos. Os livros da primeira década do período de abrangência do estudo "guardam uma maior proximidade com linhas historiográficas mais tradicionais" (OLIVEIRA, 2000, p. 78), que em geral não apresentavam o negro como sujeito histórico, mas como dependente de ação de outros. Nos livros de edição mais recente, respaldados em outras perspectivas historiográficas, tal tendência tornou-se menos acentuada. A análise apresenta a ressalva de que, mesmo com a introdução de novas formas de compreensão dos processos históricos, ainda se encontram nos textos didáticos afirmações restritivas e abordagens simplificadoras. Os resultados do estudo são coincidentes com os da pesquisa anteriormente citada (CRUZ, 2000) sobre a presença de certas modificações em formas de retratar os processos históricos, mais favoráveis ao negro. Por exemplo, ao tratar da Abolição, vão além da simples apresentação da Princesa Isabel e outros abolicionistas, o que era comum em épocas anteriores. A abordagem menos simplificadora, porém, não deixa de apresentar o negro como objeto e essencialmente na condição de escravo. A análise da relação entre os textos dos livros didáticos de História e a historiografia (OLIVEIRA, 2000), aponta que as tentativas de incorporar novas perspectivas da história têm sido parciais. Mesmo em obras que pretendem romper com os paradigmas da chamada "história tradicional",[4] a narrativa "eurocêntrica" acabou prevalecendo. "O negro prevalece sendo representado unicamente por uma lógica que o coloca sempre na mesma condição de seus antepassados escravizados e dificilmente pelas situações diversas que aparecem na sociedade contemporânea" (OLIVEIRA, 2000, p. 170).

Sobre livros didáticos de Língua Portuguesa, o único estudo (nesse período) com pretensões diacrônicas que localizamos foi o de Ana Silva (2001). A autora constituiu uma amostra inicial com 15 livros didáticos, da alfabetização à 4ª série, utilizados em uma escola estadual de São Carlos/SP. Entre esses foram selecionados os cinco livros publicados entre 1992 e 1997, que apresentaram maior frequência de representação positiva do negro, para constituir a amostra final. A pesquisa se propõe a ser uma continuidade da anterior realizada pela autora (ANA SILVA, 1988) e as comparações de dados são profusas (também são frequentes as comparações com os dados de PINTO, 1987 e de ROSEMBERG, 1985). Porém, o critério para constituição das amostras finais em cada uma das pesquisas foi oposto. Na primeira delas (ANA SILVA, 1988), a amostra final foi constituída pelos livros com discurso mais desfavorável ao negro. O texto da dissertação informa sobre a detecção, em livros da amostra inicial, de textos que "representam positivamente o negro", mas que não foram incluídos, em função disso, na amostra final. Na pesquisa posterior (ANA SILVA, 2001), a opção foi exatamente trabalhar com esses livros: para a amostra final foram selecionados os livros com discurso mais favorável ao negro. Em decorrência de critérios discrepantes na constituição da amostra, a comparação entre os resultados em perspectiva diacrônica se inviabiliza.

---

[4] "...que pode ser definida como a história centrada em uma narrativa linear, cronológica, positivista, espelhada na biografia de 'heróis'" (MARCO OLIVEIRA, 2000, p. 56).

Por outro lado, três pesquisas analisaram livros didáticos da mesma disciplina escolar (Língua Portuguesa), para níveis escolares similares, em três distintos períodos: Pinto (1981) analisou o período 1941-1975; Ana Silva analisou dois períodos, 1980-1985 (1988) e 1992-1997 (2001a). As pesquisas utilizaram metodologia de análise de conteúdo e construíram suas grades de análise a partir da mesma referência (ROSEMBERG, 1980). Devido a isso os dados são bastante similares, o que possibilita alguma comparação. Podemos contrapor os resultados das pesquisas e tomá-los como indicativos de mudanças/permanências no discurso racista de livros de Língua Portuguesa para as séries iniciais do ensino fundamental.

O último estudo (ANA SILVA, 2001) identificou algumas modificações na representação de personagens negros (em textos e ilustrações). Algumas categorias se apresentaram de forma distinta às pesquisas anteriores (PINTO, 1981, 1987; ANA SILVA, 1988): diversificação de papéis e funções, familiares e profissionais; adjetivação positiva; localização no centro ou em primeiro plano em ilustrações; ausência de representação estereotipada de certos animais negros, associada à representação estereotipada dos negros; menções positivas à criança negra; utilização de nome próprio para referir-se à criança negra; representação em práticas de atividades de lazer. Algumas categorias, porém, mantiveram o padrão de discriminação sobre o negro, como a baixa frequência de personagens e a ausência de professoras negras. Ana Silva conclui que "os livros didáticos de Língua Portuguesa do Ensino Fundamental da década de 90 continuam invisibilizando o negro" (2001, p. 157). Ao mesmo tempo em que modificações nas representações de personagens negros foram detectadas, a autora descreve a tendência, nos textos didáticos analisados, ao universalismo, ao tratamento generalizante, que não oferece espaço para a diferença, para manifestações culturais outras, além das brancas (ANA SILVA, 2001, p. 158).

Sintetizamos a seguir os resultados de comparações diacrônicas sobre discurso racista em livros didáticos brasileiros.

A maior disponibilidade de resultados de pesquisas foi para os livros didáticos da disciplina de História, que apresentaram algumas atualizações no tratamento textual às questões relativas ao negro, mas ainda mantêm um discurso desfavorável, que pode ser qualificado como discurso racista. Os textos apresentam tendência a manter uma lógica que privilegia o papel dos brancos como sujeitos dos processos históricos, em detrimento de negros (e indígenas), tratados como objetos e com espaços na sociedade delimitados restritivamente.

Para livros didáticos de Língua Portuguesa, os dados comparativos são menos confiáveis, mas podem ser feitas algumas inferências. Nossa leitura dos dados aponta para uma posição contrária à tese de Ana Silva (2001), que enfatizou as modificações do discurso racista nos livros editados na década de 1990. Tais modificações podem ser tratadas como indício de assimilação, no polo de produção, de algumas críticas do movimento negro e dos estudos realizados nas décadas anteriores. Triumpho (1987) relatou que algumas editoras de São Paulo passaram a contratar consultorias de agentes do movimento negro para o desenvolvimento de seus produtos. A avaliação da FAE (BRASIL/FAE, 1994) incorporou e divulgou entre os produtores alguns aspectos das pesquisas, particularmente a ausência de personagens negros e a associação com posição social desvalorizada. Beisiegel (2001) observou a assimilação de maior cuidado com as ilustrações. As representações positivas detectadas pelo estudo de Ana Silva estão particularmente relacionadas às ilustrações, o que está de acordo com a observação de Beisiegel (2001), de que as editoras e as avaliações passaram a ter mais cuidados com as representações gráficas de personagens negros.

Ao mesmo tempo, observamos, nos resultados dos estudos, que as modificações foram pontuais, e não significam a ausência de discurso racista centrado numa *branquidade normativa*. Os resultados das pesquisas realizadas em fins da década passada (PINTO, 1999; OLIVEIRA, 2000; CRUZ, 2000; ANA SILVA, 2001) são unânimes na apreensão de certas mudanças no discurso sobre o negro, nos livros didáticos publicados na década de 1990. Mas tais modificações não significaram um tratamento adequado da questão racial, ou ausência de discurso racista (CHINELLATO, 1996; PINTO, 1999; OLIVEIRA, 2000; CRUZ, 2000).

Em contraste com as tímidas modificações nos livros apontadas pelas pesquisas, o tema, discurso ideológico em livros didáticos, causou, no mesmo período, certa mobilização dos movimentos sociais. Os movimentos feminista e negro, constantemente, denunciaram o tratamento discriminatório detectado nos textos didáticos. Isso influenciou a adoção de uma série de ações governamentais visando à eliminação de tais discriminações, raciais e de gênero. Uma das principais reivindicações do movimento negro é alteração no ensino, particularmente a extirpação de passagens discriminatórias dos livros e material didático (GUIMARÃES, 2002, p. 106), reivindicação essa observada desde o manifesto do Movimento Negro Unificado/MNU em 1979, passando pelo documento entregue, em 1995, pela Marcha Zumbi contra o Racismo, pela Cidadania e a Vida, à Presidência da República, até a atualidade, como no Plano de Ação aprovado na III Conferência Mundial das Nações Unidas Contra o Racismo, Xenofobia e Intolerância Correlata (MOURA; BARRETO, 2002).

Os temas sobre o racismo e o combate desse nos livros didáticos, e sobre a inclusão nos currículos de conteúdos de história e cultura da África, foram pauta em diversos seminários, encontros, oficinas, publicações e vídeos, grande parte em função das ações diversificadas do movimento negro. Podemos citar dois grandes eventos que foram significativos para a multiplicação desses encontros e material: a comemoração do centenário da Abolição da Escravidão em 1988; a III Conferência Mundial das Nações Unidas contra o Racismo, Xenofobia e Intolerância Correlata, realizada em Durban, em 2001. Grandes eventos como esses, em geral, estimulam a produção de textos e a realização de outros eventos, ocupando a mídia em razão exponencial.

Diversos documentos relacionados à Conferência de Durban trazem proposições relativas ao combate ao preconceito, discriminação e estereótipos raciais em livros didáticos, especialmente os relacionados ao negro. Vejamos alguns exemplos: uma das propostas da Pré-Conferência Novo Papel da Indústria de Comunicação e Entretenimento foi a "elaboração de livros didáticos que eliminem todos os estereótipos racistas de seus conteúdos, desconstruindo, assim, o imaginário excludente" (MOURA; BARRETO, 2002); o Relatório do Comitê Nacional para a Preparação da Participação Brasileira na III Conferência Mundial das Nações Unidas contra o Racismo, Discriminação Racial, Xenofobia e Intolerância Correlata (2001) propõe a "revisão dos conteúdos dos livros didáticos, visando eliminar a veiculação de estereótipos" (p. 26). O Plano de Ação aprovado na Conferência

> Exorta que a UNESCO apoie os Estados na preparação de materiais didáticos e de outros instrumentos de promoção do ensino, com o intuito de fomentar o ensino, capacitação e atividades educacionais relacionadas aos direitos humanos e à luta contra o racismo, discriminação racial, xenofobia e intolerância correlata. (MOURA; BARRETO, 2002)

Nota-se a referência direta ao material didático como preocupação para o desenvolvimento de ações antirracistas.

Paralelamente a tais ações, o movimento negro esteve articulado a diversas esferas governamentais. Desde a década de 1980, têm sido criados diferentes órgãos para combate ao racismo, habitualmente em forma de conselhos, com participação dos movimentos sociais ligados aos governos municipais e estaduais. Hédio Silva Jr. (2002) cita a criação de 56 conselhos municipais do negro, só no Estado de São Paulo.

Uma das ações governamentais que buscaram dar resposta às reivindicações dos movimentos sociais (particularmente de negros e mulheres), para modificações nos livros didáticos, foi gestada no interior do Programa Nacional do Livro Didático/PNLD. Em 1996 (mais de dez anos após sua criação), o PNLD[5] passou a avaliar previamente os livros didáticos a serem comprados e distribuídos pelo MEC. A avaliação prescrevia que: "Os livros não podem expressar preconceitos de origem, raça, cor, idade e quaisquer outras formas de discriminação" (BATISTA, 2001, anexo 3). A inclusão desse critério, relativo a "preconceitos" nas avaliações, por um lado teve impacto limitado, como indicaram os resultados de pesquisas anteriormente descritos. Por outro, pode ser considerada um avanço, "pois, pelo menos, problematiza o mito da democracia racial e alerta os responsáveis pela produção de livros didáticos sobre aspectos críticos" (ROSEMBERG; BAZILLI; SILVA, 2003, p. 140).

Em 20 de novembro de 1995, como resposta à Marcha Zumbi Contra o Racismo, pela Cidadania e a Vida, foi criado o Grupo de Trabalho Interministerial para a Valorização da População Negra. No texto descritivo de ações do GTI encontrado no site do Governo Federal, umas das ações arroladas diz respeito ao PNLD, e afirma que o MEC "vem promovendo uma reavaliação dos livros didáticos distribuídos aos alunos do ensino fundamental de todo o país, tendo sido excluídos os livros que continham preconceitos ou erros formais, discriminação de raça, cor ou gênero" (<http://www.presidencia.gov.br/publi_04/COLECAO/RACIAL2. HTM>, consultado em 29 de janeiro de 2004). O GTI assumiu a avaliação realizada pelo PNLD como suficiente para que os livros didáticos deixassem de apresentar discurso racista.

A bibliografia, ao contrário, apresenta informações que levam à desconfiança sobre o impacto da avaliação do PNLD. Nos critérios de avaliação do PNLD, para as diversas disciplinas escolares, nota-se a preocupação quase exclusiva com expressões explícitas de preconceito. Desde as pesquisas realizadas na década de 1950 (BAZZANELLA, 1957, *apud* ROSEMBERG, 1985) sobre racismo nos livros didáticos, percebeu-se que o racismo raramente se expressa com formas diretas de hostilidade racial ou pregação da inferioridade genética de negros. Desta forma, é possível encontrar textos que preconizam a igualdade e afirmam postura antipreconceito e ao mesmo tempo apresentam discurso racista mais refinado e que só pode ser

---

[5] Doravante, passamos a utilizar a sigla PNLD para o referido Programa Nacional do Livro Didático.

apreendido por análise apropriada. Faltou à avaliação do PLND a integração do refinamento teórico e metodológico utilizado nas pesquisas sobre relações raciais nos livros didáticos. "Faltou, também, atentar aos resultados das pesquisas que, desde 1950, vêm mostrando a falácia de buscar-se explicitações de preconceito ou manifestações de racismo à maneira do século XIX" (ROSEMBERG; BAZILLI; SILVA, 2003, p. 140).

Além disso, a maioria dos pareceres que eliminaram livros didáticos dos processos de compra desclassificou os livros por critério outro que não o de veicular preconceitos. Na análise de uma série de pareceres eliminatórios, Beisiegel (2001) encontrou somente um livro eliminado por manifestação de preconceito, que expressava intolerância religiosa. O autor captou, como única mudança no tratamento aos grupos raciais e de gênero, decorrente das avaliações, maior cuidado com as ilustrações dos livros. Nosso exame dos critérios de avaliação das áreas, nos guias dos livros didáticos (BRASIL, MEC, 1996; 1997; 2000; 2003), apresentou resultado congruente com os de Beisiegel. O único critério direcionado a formas não explícitas de preconceito foi a presença ou ausência de ilustrações de personagens negros e indígenas.

Além dos documentos referentes à avaliação do PNLD, diversos instrumentos legais prescrevem a adoção de livros didáticos livres de manifestações discriminatórias. A maior parte das medidas visando ao combate às discriminações desenvolveu-se no campo da legislação. Encontramos tais prescrições em programas do Governo Federal, em uma Constituição estadual e em diversas leis orgânicas municipais (ROSEMBERG; BAZILLI; SILVA, 2003, p. 141). Por que a necessidade de repetir a afirmação em tantas instâncias?

Tal conjunto de leis nos parece ser resposta às reivindicações dos movimentos sociais. São regras que reiteram norma já estabelecida, implicam pouco ou nenhum emprego de recursos orçamentários e são, possivelmente, de fácil aprovação. As leis aprovadas em diversas instâncias e locais revelam certo poder de organização e mediação política dos movimentos negros. Porém, sua principal atuação seria a certificação, a baixo custo, de ação governamental antirracista. Os resultados de pesquisas, no entanto, apontam para pouca efetividade das mudanças na legislação, vistas as tênues modificações nos textos de livros didáticos, no que se refere à manifestação de discurso racista (PINTO, 1999; OLIVEIRA, 2000; BARROS, 2000; CRUZ, 2000).

A aprovação de mecanismos legais, o item de exclusão do PNLD e as pautas de reivindicações dos movimentos negros evidenciam que a movimentação e o debate sobre o tema foram significativos. Movimentos sociais (mulheres e negros), pesquisadores, membros das esferas públicas, associações de editores e de escritores estiveram envolvidos em debates, denúncias, seminários, publicações, mudanças de legislação. Toda essa movimentação contrasta com as tênues mudanças apontadas pelos estudos (PINTO, 1999; OLIVEIRA, 2000; CRUZ, 2000; BEISIEGEL, 2001). O foco da pesquisa são os possíveis impactos de toda essa movimentação na produção de discurso racista em livros didáticos de Língua Portuguesa.

A pesquisa realizada desenvolveu a hipótese de que, a despeito do tema racismo nos livros didáticos ter participado na agenda das políticas educacionais no Brasil contemporâneo, o livro didático continua produzindo e veiculando um discurso racista, ajustado à época atual.

As evidências de outras pesquisas e análise de contexto: a) orientaram para procedimentos de coleta de dados ultrapassando a verificação de presença ou não de expressão de hostilidade ou de defesa de desigualdades raciais intrínsecas; b) apoiaram a oportunidade de se averiguar manutenção, transformação ou superação do discurso racista nos livros didáticos de Língua Portuguesa; c) indicaram o uso de instrumentos de análise diacrônica abertos para apreender mudanças nos discursos racistas.

Teoria e método

Ideologia

Esta pesquisa se ancorou no conceito de ideologia de Thompson (1995), que realizou um amplo estudo sobre os diversos usos do conceito de ideologia. Para compreender os usos recentes do conceito de ideologia na teoria social, Thompson (1995) recuperou a herança histórica do conceito, desde a sua origem em Destutt de Tracy, passou por Napoleão Bonaparte na sua crítica aos ideólogos, por Marx e seus seguidores, como Lênin e Lukács, e por Mannheim. Os diversos autores apresentam distintas acepções do termo, num terreno marcado por contraposições e ambiguidades.

Thompson (1995, p. 73-75) subdivide as concepções de ideologia em neutras e críticas. As neutras consideram ideologia como um sistema de ideias, sem atribuir qualificativo, a tais ideias, de ilusórias ou falsas, nem ligá-las a interesses de algum grupo em particular. As concepções críticas atribuem ao conceito de ideologia um sentido negativo, pejorativo: "O fenômeno caracterizado como ideologia – ou como ideológico – é enganador, ilusório, ou parcial" (THOMPSON, 1995, p. 73). O autor adota a concepção crítica de ideologia, em oposição às perspectivas que neutralizaram o conceito ou que preferiram abandonar seu uso, em função de sua ambiguidade. Sua proposta mantém a conotação negativa e associa a análise da ideologia à questão da crítica social.

Thompson (1995) sustenta que na obra de Marx são perceptíveis três distintos conceitos de ideologia, todos críticos. Entre os conceitos de ideologia que Thompson identifica na obra de Marx, o autor destaca um deles, que denomina "latente". Na análise de Marx sobre a Revolução Francesa, no *Dezoito Brumário de Luís Bonaparte*, Thompson (1995) aponta que, apesar das condições concretas para a "emancipação", a sociedade francesa regrediu, em função de ideias equivocadas contidas na tradição, que foram reativadas por palavras e imagens. Thompson (1995) afirma que Marx, nessa análise, anteviu o significado da dimensão simbólica da vida social. As construções simbólicas, nesse caso, apresentaram certa eficácia, reativando a tradição e funcionando como meio de sustentação de uma ordem social opressiva.

A concepção que Thompson denomina de "latente" em Marx se aproxima da proposta de voltar o foco do estudo da ideologia para o entrecruzamento das formas simbólicas com as relações de poder. Formas simbólicas são, para Thompson (1995), construções reconhecidas socialmente como significativas, compreendendo falas e ações, imagens e escritos, numa ampla acepção, referindo-se a manifestações verbais, textos, programas de televisão, obras de arte e também a ações, gestos e rituais.

Com base nessa discussão, Thompson (1995) formula seu conceito de ideologia, entendida como formas simbólicas que, em determinados contextos, servem para estabelecer (produzir, instituir) e sustentar (manter, reproduzir) relações de poder sistematicamente desiguais, ou seja, relações de dominação. Ou, "falando de uma forma mais ampla, é o sentido a serviço do poder" (THOMPSON, 1995, p. 16). Os fenômenos simbólicos não são intrinsecamente ideológicos, mas devem ser analisados em contextos sócio-históricos definidos. O aspecto que Thompson denominou de "contextual" indica que as formas simbólicas estão sempre inseridas em contextos sociais estruturados, nos quais podem atuar para estabelecer e sustentar relações desiguais. Em contextos sociais estruturados, as pessoas têm localizações sociais diferentes e, em virtude de sua localização, diferentes graus de acesso aos recursos disponíveis. As formas simbólicas são ideológicas quando atuam, em contextos específicos, para estabelecer ou manter relações de desigualdade no acesso aos bens, materiais e simbólicos.

A concepção "negativa" de ideologia importa-se mais com o uso de uma ideia que com a sua veracidade ou origem. Determinadas ideias, independentemente de serem verdadeiras ou falsas, podem operar (consciente ou inconscientemente) para sustentar formas opressivas de poder. O exame crítico da ideologia não se dá em função da veracidade ou da falsidade das ideias, mas da legitimação de formas injustas de poder: "Não é absolutamente o caso que essas formas simbólicas servem para estabelecer e sustentar relações de dominação somente devido ao fato de serem errôneas, ilusórias ou falsas" (THOMPSON, 1995, p. 77). O mais importante é o fato de formas simbólicas atuarem, em contextos específicos, para legitimarem desigualdades sociais. Portanto, a ideologia se ocupa mais dos conflitos no campo dos significados do que com os próprios significados.

A mobilização de significados para manter desigualdades sociais ocorre em diferentes planos. Thompson (1995) critica Marx por este circunscrever a crítica à ideologia às relações de dominação de classe. Para Thompson, Marx menosprezou as relações de poder em outros planos igualmente importantes. A ideologia atua também no estabelecimento e sustentação de outras relações de desigualdade, como as de raça, gênero, idade e nação. Em função disso, "ao estudar a ideologia, *podemos* nos interessar pelas maneiras como o sentido mantém relações de dominação de classe, mas devemos, também, interessar-nos por outros tipos de dominação" (THOMPSON, 1995, p. 78, grifo do autor).

Crítica de Thompson (1995) significativa para esta pesquisa é a pouca atenção dos teóricos sociais à ampla circulação das formas simbólicas mediada por meios de comunicação de massa. Na sociedade moderna, ocorreu um processo de "midiação da cultura", que implica grande aumento da circulação de formas simbólicas veiculadas pela mídia.

Outra questão importante é a preocupação do autor com os mecanismos de funcionamento da ideologia. Analisando as maneiras pelas quais o sentido pode servir para estabelecer e sustentar relações de dominação, Thompson (1995) afirma que a pesquisa social deve se voltar aos contextos específicos: é necessário analisar atentamente a interação entre sentido e poder em situações concretas da vida social. Sem a pretensão de apresentar uma teoria que compreenda todas as formas pelas quais sentidos podem atuar no estabelecimento e sustentação de relações de poder, Thompson esboça um quadro que focaliza determinadas formas pelas quais a ideologia opera.

Vinculado à sua proposta metodológica de crítica à ideologia, Thompson (1995) sistematiza um quadro estruturado e hierárquico, de modos gerais de operação da ideologia. Eles são cinco: **legitimação, dissimulação, unificação, fragmentação** e **reificação**.[1] Vinculadas a cada um desses modos gerais, estão algumas estratégias típicas de construção simbólica ideológica. No Quadro 2, estão dispostos os modos gerais de funcionamento da ideologia e as estratégias típicas de funcionamento.

Os modos de operação descritos não são os únicos pelos quais a ideologia opera (THOMPSON, 1995). Eles podem sobrepor-se e reforçar-se mutuamente e, em situações particulares, a ideologia pode operar de modos distintos. As estratégias não são ideológicas em si, mas dependem do contexto no qual são produzidas, veiculadas e recebidas, de seu uso em circunstâncias particulares, também podendo associar-se e operar em conjunto e ser relacionadas a outros modos de modos de operação da ideologia, diferente da relação expressa no Quadro 2:

---

[1] Alguns desses mecanismos da ideologia são tradicionalmente tratados na literatura sobre ideologia. Sobre esta questão, ver Eagleton (1997, p. 50 e segs).

Quadro 2 – Modos gerais e estratégias de operação da ideologia

Modos gerais	Estratégias típicas de construção simbólica
Legitimação: formas simbólicas são representadas como justas e dignas de apoio, isto é, como legítimas.	*Racionalização:* cadeia de argumentos racionais que justificam as relações, tendo como objetivo a obtenção de apoio e persuasão. *Universalização:* interesses de alguns são apresentados como interesses de todos. *Narrativização:* o presente é tratado como parte de tradições eternas, que são narradas com o objetivo de mantê-las.
Dissimulação: formas simbólicas são representadas de modos que desviam a atenção. Ocultação, negação ou obscurecimento de processos sociais existentes.	*Deslocamento:* Transferência de sentidos, conotações positivas ou negativas, de pessoa ou objeto a outro(a). *Eufemização:* ações, instituições ou relações sociais são referidas de forma a suavizar suas características e estabelecer valoração mais positiva. *Tropo:* uso figurativo das formas simbólicas. – *Sinédoque:* tropo caracterizado pelo uso do todo pela parte, do plural pelo singular, do gênero pela espécie, ou vice-versa. – *Metonímia:* tropo caracterizado pelo uso de atributo ou característica de algo para designar a própria coisa. – *Metáfora:* tropo que consiste na aplicação de termo ou frase a outro, de âmbito semântico distinto.
Unificação: construção de identidade coletiva, independentemente das diferenças individuais e sociais.	*Padronização:* as formas simbólicas são adaptadas a determinados padrões, que são reconhecidos, partilhados e aceitos. *Simbolização da unidade:* símbolos de unidade, de identidade e de identificação coletivos são criados e difundidos.
Fragmentação: segmentação de grupos ou indivíduos que possam significar ameaça aos grupos detentores de poder.	*Diferenciação:* ênfase em características de grupos ou indivíduos de forma a dificultar sua participação no exercício de poder. *Expurgo do outro:* construção social de inimigo, a que são atribuídas características negativas, ao qual as pessoas devem resistir. *Estigmatização:* "a desapropriação de indivíduo(s) ou grupo(s) do exercício de sua humanidade pela valorização de uma deficiência ou corrupção de alguma condição física, moral ou social" (ANDRADE, 2004, p. 107-108).
Reificação: processos são retratados como coisas. Situações históricas e transitórias são tratadas como atemporais, permanentes, naturais.	*Naturalização:* fenômeno social ou histórico é tomado como natural e inevitável. *Eternalização:* fenômeno social ou histórico é considerado como permanente, recorrente ou imutável. *Nominalização:* transformação de partes de frases ou ações descritas em nomes, ou substantivos, atribuindo-lhes sentido de coisa. *Passifização:* uso de voz passiva que leva à retirada de sujeitos das ações.

Fonte: Adaptado de THOMPSON, 1995, p. 80-89.

O máximo que se pode dizer é que certas estratégias estão *tipicamente* associadas com certos modos, embora reconhecendo que, em circunstâncias específicas, toda estratégia pode servir a outros propósitos, e todo modo apresentado pode ser atualizado de outras maneiras. (THOMPSON, 1995, p. 81-82, grifo do autor)

As estratégias e modos de operação apresentam algumas formas pelas quais se pode pensar a interação entre sentido e poder na vida social. Thompson (1995, p. 89) ressalta que o quadro oferece orientações gerais para a pesquisa, mas é preliminar, em um terreno que ainda deve ser explorado. Não se pode prescindir de uma análise acurada de contextos particulares, para decifrar maneiras em que as formas simbólicas se entrecruzam com relações de poder desiguais.

Discutiremos brevemente os diferentes modos e estratégias de operação da ideologia. Apresentaremos alguns exemplos de uso de estratégias ideológicas, retirados de estudos sobre discurso racista. O intuito de tais exemplos é unicamente ilustrativo. Os exemplos foram selecionados de forma a retratar um pouco da diversidade dos estudos, em termos de meios discursivos (livros didáticos, mas também jornais, discurso acadêmico, fala cotidiana, falas em sala de aula), de localização geográfica e de grupos submetidos à discriminação. Os exemplos foram extraídos principalmente da literatura internacional, mas constam também alguns exemplos de estudos sobre a realidade brasileira, sem o intuito de serem exaustivos, visto que as especificidades do racismo no Brasil estão analisadas em capítulo posterior.

O primeiro modo de operação da ideologia, apresentado no Quadro 2, é a **legitimação**,[2] a difusão de determinadas ideias e crenças que são apresentadas como fundadas, precisas, imparciais, merecedoras de confiança e apoio. Thompson (1995, p. 82) apresenta três formas de afirmações que, conforme Weber, oferecem fundamento à **legitimação**: "Fundamentos racionais, que apelam à legalidade de regras dadas, fundamentos tradicionais, que apelam à sacralidade de tradições imemoriais, e fundamentos carismáticos, que apelam "ao caráter excepcional de uma pessoa individual que exerça autoridade" (THOMPSON, 1995, p. 82). O uso de crenças para legitimar os interesses de classe foi, segundo Eagleton (1997, p. 59), observado por Marx em *O Dezoito Brumário de Napoleão Bonaparte,* a respeito dos

---

[2] Utilizamos, a partir deste momento e no decorrer do texto, o negrito como forma de dar destaque aos modos de operação da ideologia e o itálico para as estratégias ideológicas típicas listadas por Thompson.

revolucionários de classe média que se iludiram beneficamente quanto ao esplendor de seu projeto. As estratégias típicas relacionadas à legitimação são a *racionalização*, a *universalização* e a *narrativização*.

A *racionalização* tem origem como categoria psicanalítica, sendo tentativa de dar explicação coerente a certos comportamentos, cujos reais motivos não são percebidos. No campo da ideologia, não é necessariamente inconsciente. Supõe o uso de argumentos para explicar, justificar ou defender comportamentos, relações ou instituições sociais. É tentativa de dar explicação plausível a certas relações, que poderiam ser objeto de crítica. Tem o sentido de persuadir uma audiência de certas motivações "racionais". Por exemplo, no final do século XIX, imigrantes italianos que trabalhavam na Suíça passavam por rebaixamento de salários e viviam em condições subumanas. Um economista suíço atribuiu essa diferença salarial ao grande afluxo de imigrantes nos anos anteriores a 1899 (OLIVIERI, 1998, p. 233). O argumento racional funcionou como justificativa para a desigualdade.

A *universalização*, a projeção de valores específicos como valores de toda a humanidade, é muitas vezes relacionada à racionalização. Acordos institucionais que representam os interesses de certos indivíduos são persuasivamente expressos como de interesses de todos. Essa estratégia tem sido apontada em diversos estudos como justificativa das políticas de controle migratório, em vários países europeus; como exemplos, na Alemanha, na Itália (BALBO; MANCONI, 1993, p. 48), na Áustria. O argumento é que o controle da imigração é para o próprio bem dos imigrantes. Os partidos de extrema direita, na Itália (VISCONTI, 2001), na França e na Espanha, por exemplo, afirmam que o melhor para os povos dos países não europeus é manter-se em seu país de origem, sem considerar o ponto de vista dos imigrantes e as condições de vida no país de origem.

A *narrativização* é a expressão de ideias legitimadoras em histórias que retratam o passado e tratam o presente como tradição eterna e aceitável. "As tradições são, muitas vezes, inventadas a fim de criar um sentido de pertença a uma comunidade e a uma história que transcende a experiência do conflito, da diferença e da divisão" (THOMPSON, 1995, p. 83). No Brasil as narrativas sobre o "cadinho das raças" e o "mito da democracia racial", que discutiremos posteriormente, são expressões da narrativização. O discurso da Liga Norte, partido separatista do norte da Itália, é pródigo no uso de narrativas sobre as tradições dos povos que ocuparam a região. A Liga divulga uma narrativa exaustiva sobre a "Padania", que se esforça para apresentar traços comuns de origem, apagando diferenças e estabelecendo um mito de criação (ESCOBAR, 1999). Os problemas sociais são discursivamente atribuídos aos não padanos (imigrantes de países pobres e italianos do sul), ou seja, as ideias de pertença a um "estado" padano alimentam o discurso racista sobre grupos sociais em específico.

O segundo modo de operação da ideologia é a **dissimulação**, a ocultação, disfarce, atenuação ou desvio de foco de modo a obscurecer certos aspectos das relações de dominação. Esse modo de operação pode ser relacionado à característica do "novo racismo" de tentar negar que seja racismo ao mesmo tempo em que apresenta discurso discriminatório, preconceituoso ou segregacionista (VAN DIJK, 1993).

A primeira estratégia vinculada a esse modo de operação é o *deslocamento*, o uso de um determinado termo por outro, de forma a transferir conotações positivas ou negativas de um ao outro. Exemplos podem ser encontrados em letras de músicas suíças do final do século XIX, que associavam defeitos morais e falta de higiene aos italianos (JOHLER, 1996); nos livros escolares do regime fascista italiano, que transferiam conotações da ideia de "família italiana" para a ideia de "família fascista" (ZAMBELLONI, 2000, p. 7); nos jornais italianos da década de 1990, que deslocaram sentidos ligados à criminalidade a imigrantes de origens específicas (países pobres da África, Europa do Leste e América do Sul, conforme DAL LAGO, 1999, p. 95 e segs.). No discurso racista brasileiro, a transferência ao negro de sentidos de animalidade, primitividade e pouco desenvolvimento intelectual, pode ser operada, no discurso cotidiano, por piadas (conforme análise de Fonseca, 1994). Outra forma de deslocamento muito comum no discurso racista brasileiro, apreendida por Oliveira Filho (2002) nas falas de entrevistados brancos, é a determinação de que a causa principal (ou única) das desigualdades entre brancos e negros, no Brasil, é o "sentimento de inferioridade" do próprio negro. "O que há de mais ideológico nesses discursos é a transformação de um suposto aspecto da identidade do negro na causa mais importante de sua condição social" (OLIVEIRA FILHO, 2002, p. 292).

Também típica desse modo de operação é a estratégia de *eufemização*, que consiste em utilizar termos equivalentes de forma a amenizar determinadas características do fenômeno descrito. "Existe um espaço vago, aberto e indeterminado em muitas das palavras que nós usamos, de tal modo que a *eufemização* pode se dar através de uma mudança de sentido pequena ou mesmo imperceptível" (THOMPSON, 1995, p. 84). No discurso de *Skinheads* italianos, somente o fim da imigração pode prevenir "os atos espontâneos e violentos da defesa racial" (BLONDET, 1993, p. 122). O tratamento eufemístico do racismo foi observado em livros didáticos, na Holanda (VAN DIJK, 1993) e na Alemanha (BEM, 1993).

A outra estratégia vinculada à **dissimulação** é o *tropo*, que consiste em uso figurativo da linguagem. Thompson (1995, p. 84) distingue três formas de *tropo*: a *sinédoque*, a *metonímia* e a *metáfora*. A *sinédoque* consiste em utilizar termo que se refere a uma parte como um todo, ou vice-versa. "Essa técnica pode dissimular relações sociais, através da confusão ou da inversão das relações entre coletividades e suas partes, entre grupos particulares e formações políticas mais amplas" (THOMPSON, 1995, p. 84). A *metonímia* é um tipo de tropo que consiste em referir-se a algo por meio de termo que representa um seu atributo ou característica. A *metonímia* permite fazer alusão a um referente sem afirmá-lo explicitamente, ou valorar o referente, negativa ou positivamente, por meio da associação com algo. "Essa é uma prática comum, por exemplo, na propaganda, onde o sentido é, muitas vezes, mobilizado de maneiras sutis e sub-reptícias, sem tornar explícitas as conexões entre os objetos referidos ou supostos" (THOMPSON, 1995, p. 85). A *metáfora* consiste em utilizar palavra ou frase de âmbito semântico diferente, podendo gerar novos sentidos, por vezes duradouros. "A *metáfora* pode dissimular relações sociais através de sua representação [...] acentuando, com isso, certas características às custas de outras e impondo sobre elas um sentido positivo ou negativo" (THOMPSON, 1995, p. 85). Na Itália, o discurso da Liga Norte é recheado de metáforas bélicas, como forma de acentuar o perigo que a "invasão" de imigrantes na Itália representa (VAN KUIJEN, 1995, p. 61), ou de metáforas médicas, para agregar um significado de doença à imigração (VAN KUIJEN, 1995, p. 31). Fallopa (2000) analisou a evolução da palavra *negro*, do latim ao italiano, discutindo como o significado relativo a cor foi progressivamente dando lugar aos sentidos relacionados à "raça", carregados de negatividade. No jornalismo italiano atual a palavra negro "assume frequentemente um significado negativo, expressamente depreciativo" (FALLOPA, 2000, p. 98, tradução nossa). No Brasil, o estudo sobre o uso de metáforas sobre o negro em textos jornalísticos (MENEZES, 1998, amostra retirada do jornal *Folha de S.Paulo*) aponta dados semelhantes: "Verificamos que as metáforas negativas relacionadas aos termos negro/preto/escuro ou correlatos são comumente utilizadas neste jornal, veiculando a ideia coletiva da representação do negro que o apresenta como racialmente inferior na sociedade brasileira" (MENEZES, 1998, p. 60).

O terceiro modo de operação da ideologia é a **unificação**, que consiste em interligar indivíduos, no nível simbólico, numa identidade coletiva, que desconsidera a diversidade dos indivíduos. As diferenças e divisões entre os indivíduos e grupos são aplacadas pela construção de uma diferença expressa por um *"Nós"* generalizante. As estratégias ideológicas típicas da **unificação** são a *padronização* e a *simbolização da unidade*.

Na *padronização* ocorre adaptação de formas simbólicas, propostas como aceitáveis e partilhadas pelos membros de uma coletividade, para construir uma identidade de grupo. Por exemplo, para constituir uma identidade de nação, em contexto de grupos linguisticamente diferenciados, o Estado estabelece uma língua nacional, que pode ser utilizada para a construção simbólica da ideia de Estado-Nação, criando uma identidade coesiva, universalizante. Na *simbolização da unidade* ocorre a criação e difusão de símbolos de identificação coletiva, tais como hinos, bandeiras, brasões. Thompson afirma que essa estratégia, via de regra, está vinculada à *narrativização*, pois amiúde os símbolos criados são parte integrante da(s) narrativa(s) de origem construídas. Um livro de leitura do fascismo italiano (analisado por Di Luzio, 1996, p. 165) apresenta os jovens "camisas negras" como descendentes de um passado mítico comum, que tem nos grupos de jovens paramilitares, com a padronização grupal de vestimenta, gestual e atitudes, a possibilidade de tornarem-se heróis nacionais. É exemplo da relação da *narrativização* com a *simbolização da unidade* e *padronização*.

O quarto modo de operação da ideologia, conforme o quadro apresentado, é a **fragmentação**, que consiste em segmentar os grupos que podem oferecer algum perigo real aos grupos dominantes. Coetzee (1999) menciona o uso dessa estratégia na África do Sul, pelo partido Boero, como forma de diminuir a integração das oposições promovida pelo *African National Congress* durante as décadas iniciais do regime de *apartheid*. Os *coloreds*, grupo minoritário composto de asiáticos, mestiços e outros estrangeiros, passaram a ter representação política no parlamento sul-africano (que em nada ameaçava a hegemonia dos boeros) e deixaram de apoiar o congresso paralelo dos negros.

As estratégias típicas desse modo de operação, citadas por Thompson, são a *diferenciação*, a ênfase em aspectos de indivíduos ou grupos, o que dificulta sua participação no poder, e o *expurgo do outro*, que consiste na construção de um inimigo, descrito como ameaçador, perigoso, que pode transformar a ordem estabelecida em caos, e, portanto, deve ser contido. O estudo de livros didáticos para a escola elementar italiana apreendeu essa estratégia em relação a minorias raciais diversas, particularmente aos ciganos, aos norte-africanos e aos sul-americanos (Portera, 2000). O expurgo do outro é estratégia descrita em pesquisas diversas sobre a condição dos imigrantes. Os turcos são discursivamente construídos como problema do país, na escola alemã (BEM, 1993), os ciganos na escola espanhola (ENGUITA, 1999) e nos jornais italianos (DAL LAGO, 1999), os romenos na mídia austríaca, os albaneses nos jornais italianos (BALBO; MANCONI, 1993), os coreanos na Argentina (COURTIS, 2000).

No quadro 2 está listada a *estigmatização* como uma das estratégias vinculadas à fragmentação. Tal opção decorre do trabalho de Andrade (2004), que sustenta ser a *estigmatização* uma forma específica de *expurgo do outro*. O conceito de estigma é tomado da obra de Goffman: "Um estigma é, então, na realidade, um tipo especial de relação entre atributo e estereótipo" (GOFFMAN, 1988, p. 13). Um indivíduo apresenta determinado atributo que o desvaloriza e, outro, com quem mantém contato, irá percebê-lo estereotipadamente, isto é, somente por meio do atributo indesejável, sem possibilidade de perceber suas demais características. O indivíduo estigmatizado é desapropriado do exercício de sua humanidade em função da valorização de alguma deficiência ou condição física, moral ou social. À semelhança de Andrade (2004), utilizamos operacionalmente a *estigmatização* como estratégia típica, uma forma especial de *expurgo do outro*. A estigmatização, analogamente ao expurgo do outro, é frequente em pesquisas sobre discurso racista, a exemplo, foi apreendida a estigmatização de imigrantes em jornais italianos (DAL LAGO, 1999). Coetzee (1999) analisa a estigmatização de negros pelos boeros sul-africanos. No Brasil, Guimarães (2002) analisa a estigmatização do negro nos insultos raciais, em queixas registradas na Delegacia de Crimes Raciais de São Paulo.

O quinto *modus operandi* da ideologia é a **reificação**, que elimina ou ofusca o caráter sócio-histórico dos fenômenos. Nesse modo de operação, a história é tomada como sucessão de eventos espontâneos, inevitáveis, levando à "desistoricização", à negação tácita de que as ideias sejam específicas de uma determinada época, como forma de encobrir os seus determinantes sociais. "Processos são retratados como coisas, ou como acontecimentos de um tipo quase natural, de tal modo que o seu caráter social e histórico é eclipsado" (THOMPSON, 1995, p. 87).

Uma das estratégias típicas relacionada a esse modo de operação é a *naturalização*, que consiste em tratar processos sociais como naturais ou como resultado inevitável de características naturais. Alguns estudos sobre livros didáticos apontam a naturalização da condição de branco europeu (VAN DIJK, 1993; BEM, 1993, PORTERA, 2000); da condição de católico (PORTERA, 2000) ou de italiano (PORTERA, 2000). No Brasil, Lopes (2002) discute a naturalização das diferenças raciais, realizada em uma sala de aula do ensino fundamental brasileiro. Na formação do pensamento racial brasileiro, a perspectiva de Nina Rodrigues (conforme análise de Lima, 1984) atribuiu características negativas como intrínsecas à família negra. As relações familiares dos negros foram referidas como, "naturalmente", precárias, promíscuas, provisórias, tendentes à ilegalidade.

Uma estratégia correlata é a *eternalização*, que esvazia de história os fenômenos sócio-históricos, de modo que esses são percebidos como permanentes, imutáveis. "Costumes, tradições e instituições que parecem prolongar-se indefinidamente em direção ao passado, de tal forma que todo traço sobre sua origem fica perdido e todo questionamento sobre sua finalidade é inimaginável" (THOMPSON, 1995, p. 88). A imagem do Islã em ilustrações de livros didáticos de Geografia, História e Religião, na Itália, apontou para a *eternalização* de características do islamismo, tratado como "invariavelmente tradicionalista e imóvel" (MANSOUBI, 1998, p. 254).

O uso de ambas as estratégias, *naturalização* e *eternalização*, visa tornar "naturais" e autoevidentes as ideias, identificadas de tal forma com o senso comum que os membros de uma sociedade determinada têm dificuldade em imaginar que poderiam ser diferentes. Esse processo, denominado *doxa* por Bourdieu (1994), representa um ajuste "quase perfeito" entre ideologia e realidade.

Outras estratégias vinculadas à **reificação** estão relacionadas ao uso de recursos gramaticais e semânticos, tais como a *nominalização* e a *passifização*. A *nominalização* consiste em atribuição do sentido de coisa a processos sociais, transformando descrições de ações e dos participantes nelas envolvidos em nomes. Por exemplo, a frase "A Coroa Portuguesa decidiu aumentar o tráfico de escravos para o Brasil" é substituída por "Aumento do tráfico de escravos", como forma de amenizar a responsabilidade dos dirigentes portugueses. A *passivização* é o uso da voz passiva, utilizada para minorar ou apagar o papel de determinados atores sociais. O uso de voz ativa ou passiva é apontado como tema a ser problematizado na análise de discurso racista (VAN DIJK, 1993). Pesquisas brasileiras que analisaram, em livros didáticos, o discurso racista sobre negros (PINTO, 1999; OLIVEIRA, 2000; CRUZ, 2000) oferecem inúmeros exemplos do uso de voz ativa por brancos e uso excessivo de voz passiva por negros evidenciando uma forma de minorar o papel de negros como sujeitos ativos na história. As estratégias ideológicas de *nominalização* e *passivização*:

> concentram a atenção do ouvinte ou leitor em certos temas com prejuízo de outros. Elas apagam os atores e ação [...] Esses e outros recursos

> gramaticais ou sintáticos podem, em circunstâncias particulares, servir para estabelecer e sustentar relações de dominação através da reificação de fenômenos sócio-históricos. (THOMPSON, 1995, p. 88)

Anteriormente aludimos ao fato de que os modos de operação e de estratégias típicas servem para pensar a interação entre sentido e poder na vida social, mas que devem ser tomados como orientações gerais para a pesquisa. Isso porque as formas simbólicas não são ideológicas em si, e é necessário examinar os contextos concretos específicos, para buscar apreender seu papel em criar e manter relações de dominação. O quadro que Thompson afirma ser de "indicações preliminares" (1995, p. 89) se articula com a sua proposta metodológica. Neste estudo, adotamos como método de investigação sócio-histórica o referencial de Thompson que apresentamos a seguir.

A (re)interpretação da ideologia: o método

Utilizamos o referencial metodológico da Hermenêutica da Profundidade/HP, proposto por Thompson (1995). A análise da ideologia, para o autor, é uma forma particular de HP, cujo foco dirige-se às inter-relações entre significado e poder. No caso específico desta pesquisa, em como formas simbólicas podem ser utilizadas para estabelecer e manter relações de poder desiguais entre os grupos raciais. O ponto de partida para a análise, como proposta por Thompson, é a interpretação da *doxa*, ou *hermenêutica da vida cotidiana* (1995, p. 363). É um estágio preliminar quando se busca a apreensão de como as formas simbólicas são compreendidas em contextos concretos da vida social.

O termo *doxa* é originária do grego, e o dicionário de Aurélio B. H. Ferreira (1986, p. 610) assinala os significados de crença e opinião. É nesse sentido que Thompson (1995, p. 364) utiliza o termo. O ponto de partida da investigação social é o estudo das crenças e opiniões sustentadas e partilhadas pelas pessoas que compõem o contexto a ser estudado. É um uso do conceito diferente do realizado por Bourdieu (1994), que utiliza o termo para discutir a acumulação de capital simbólico, particularmente no campo da ciência. *Doxa*, para esse autor, refere-se a ordens sociais estáveis, ao que é prescrito pela tradição e, devido a tal, naturalizado, implícito, que não pode ser questionado. A tradição determina aquilo que não é preciso mencionar. Quando existem desafios à *doxa*, trata-se das "heterodoxias". Por vezes, estas motivam a organização de argumentos em defesa da *doxa*, as "ortodoxias". Diferem da *doxa,* pois essas são implícitas, não precisam de argumentos para sustentá-la, são **a** posição, ao passo que as ortodoxias precisam organizar argumentos em prol das tradições (BOURDIEU, 1994). Quando explicitadas, passam a ser somente uma das posições possíveis.

Para Thompson (1995), a interpretação da *doxa* é o primeiro passo da HP. Mas essa se caracteriza por ir além da interpretação da *doxa*, é necessária uma "*ruptura metodológica com a hermenêutica da vida cotidiana*" (1995, p. 364, grifos do original). A interpretação da *doxa* é, para o autor, um passo necessário, mas não suficiente. O ponto de partida é o reconhecimento dos sentidos compartilhados no contexto a ser estudado. Mas outros aspectos da vida simbólica devem constituir o campo-objeto da pesquisa. As formas simbólicas são construções significativas, mas são também construções estruturadas de forma específica e inseridas em contextos sociais e históricos determinados. Para ir além da hermenêutica da vida cotidiana, é necessário tentar compreender as formas em que os sentidos fundam e mantêm relações de dominação. Thompson propõe, nesse aspecto, o referencial metodológico da HP, constituído de três fases principais. Tais fases "devem ser vistas não tanto como estágios separados de um método sequencial, mas antes como dimensões analiticamente distintas de um processo interpretativo complexo" (1995, p. 365).

Figura 1 - Formas de investigação hermenêutica

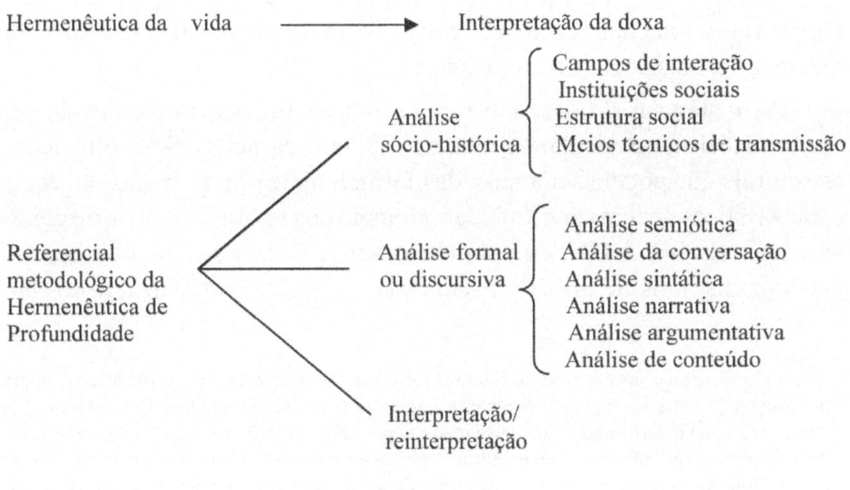

Hermenêutica da vida ⟶ Interpretação da doxa

Referencial metodológico da Hermenêutica de Profundidade:
- Análise sócio-histórica
  - Campos de interação
  - Instituições sociais
  - Estrutura social
  - Meios técnicos de transmissão
- Análise formal ou discursiva
  - Análise semiótica
  - Análise da conversação
  - Análise sintática
  - Análise narrativa
  - Análise argumentativa
  - Análise de conteúdo
- Interpretação/reinterpretação

Fonte: adaptado de THOMPSON, 1995, p. 365

A primeira fase é a *análise sócio-histórica*, cujo objetivo é *"reconstruir as condições sociais e históricas de produção, circulação e recepção das formas simbólicas"* (THOMPSON, 1995, p. 366, grifos do autor). Algumas condições podem ser particularmente relevantes: 1) a estrutura social na qual as relações de poder são estabelecidas e mantidas, e as assimetrias e diferenças relativamente estáveis; 2) as circunstâncias espaço-temporais nas quais as formas simbólicas são produzidas e reproduzidas; 3) os campos de interação[3], suas regras e convenções, as posições das pessoas e o "capital" a elas disponível; 4) as instituições sociais, os conjuntos de regras, recursos e relações que a constituem, as formas particulares que dão aos campos de interação; 5) os meios técnicos de construção e transmissão das formas simbólicas, que lhes conferem características determinadas.

A preocupação com a ideologia dirige a atenção para as relações de dominação do contexto no qual as formas simbólicas são produzidas, difundidas e recebidas. Determinadas relações de poder "são sistematicamente assimétricas e relativamente duráveis" (1995, p. 366), como é o caso das relações raciais no Brasil. A pesquisa sócio-histórica deve tentar compreender a contextualização social das formas simbólicas.

> A produção de objetos e expressões significativas – desde falas quotidianas até obras de arte – é uma produção tornada possível pelas regras e recursos disponíveis ao produtor, e é uma produção orientada em direção à circulação e recepção antecipada dos objetos e expressões dentro do campo social. (THOMPSON, 1995, p. 368)

Nesta pesquisa, a análise sócio-histórica focalizou: a) práticas e discursos sobre relações raciais no Brasil; b) políticas educacionais do livro didático e atores sociais relacionados.

As instâncias do discurso estão sempre situadas em circunstâncias sócio-históricas particulares, mas apresentam características e relações estruturais que podem ser analisadas formalmente. Para Thompson, essas características devem ser estudadas por meio de análise formal ou discursiva, a segunda fase da HP. Segundo Thompson (1995), podem ser empregados métodos distintos de análise discursiva, que devem ser selecionados em

---

[3] "Segundo Bourdieu, um campo de interação pode ser conceituado, sincronicamente, como um espaço de posições e, diacronicamente, como um conjunto de trajetórias. Essas posições e trajetórias são determinadas, em certa medida, pelo volume e distribuição de variados tipos de recursos ou 'capital' (econômico, cultural, simbólico). Dentro de qualquer campo de interação, os indivíduos baseiam-se nesses diferentes tipos de recursos para alcançar seus objetivos particulares" (THOMPSON, 1995, p. 195).

função dos objetivos e circunstâncias específicas da pesquisa. Na análise formal são utilizadas técnicas específicas com um sentido de "objetivação" das formas simbólicas, para analisar certas características internas, regras, padrões, recursos, relações. "Formas simbólicas são os produtos de ações situadas que estão baseadas em regras, recursos, etc., disponíveis ao produtor" (THOMPSON, 1995, p. 369). A análise formal enfoca as estruturas articuladas das formas simbólicas e tem como foco as características estruturais das formas simbólicas que mobilizam significados a serviço do poder. Nesta pesquisa privilegiamos técnicas de análise de conteúdo, baseada em Bardin (1985) e Rosemberg (1981), para a análise formal dos textos de livros didáticos de Língua Portuguesa/LDs. Para Rosemberg:

> A técnica de análise de conteúdo se propõe a descrever aspectos de uma mensagem, objetiva e sistematicamente, e algumas vezes, se possível, quantificável, a fim de interpretá-la, de acordo com os pressupostos da investigação. O processo de análise de conteúdo, nesta perspectiva, nada mais é que uma tentativa de categorizar partes de um discurso, tentando, assim, desvendar significados pouco claros ou trazer, para o primeiro plano, aspectos comuns subjacentes e sossobrados na diversidade estilística. (ROSEMBERG, 1981, p. 70)

Entre os métodos listados por Thompson de análise formal, não consta a análise de conteúdo, acréscimo nosso à FIG. 1. Entendemos que a análise de conteúdo é um conjunto de procedimentos que deve ser posto a serviço de objetos de estudo e teorias. Analogamente às outras formas de análise discursiva, "este tipo de análise torna-se ilusório quando [...] discutido isoladamente da interpretação (e reinterpretação)" (THOMPSON, 1995, p. 369), pois as formas simbólicas, construções com uma estrutura articulada, são também construções simbólicas complexas, por meio das quais algo é expresso ou dito, e devem ser examinadas em relação ao contexto em que são evocadas. Na perspectiva crítica que adotamos, a análise de conteúdo visa auxiliar a desvendar sentidos que podem estar a serviço de criar e manter dominações (raciais, no caso do presente estudo).

A terceira fase da HP é a interpretação/reinterpretação da ideologia. Tem um sentido de continuidade e complementaridade da fase anterior, mas difere desta. A análise discursiva procede por análise e a interpretação, por síntese. Nesta fase, o intuito será estabelecer a articulação dos resultados das duas fases anteriores, isto é, a interpretação do que foi expresso pela análise discursiva à luz dos contextos socialmente estruturados de sua produção. A síntese dos dois momentos leva à "construção criativa de novos significados" (THOMPSON, 1995, p. 375), que transcendem os sentidos dados nas fases anteriores. As formas simbólicas são sempre um "território pré-interpretado" pelos sujeitos que compõem o campo-objeto da investigação. Devido a isso Thompson utiliza a ideia de "reinterpretação", a atribuição de novos sentidos às formas simbólicas estudadas. Para Thompson (1995), estudar a ideologia é explicitar os sentidos que criam e sustentam relações de poder desiguais. A terceira fase da HP tem este sentido, de evitar que a pesquisa social se limite à "falácia do internalismo" (THOMPSON, 1995, p. 377), isto é, que as formas simbólicas sejam estudadas somente em suas características internas, minorando as condições sócio-históricas e os processos cotidianos de sua produção e recepção.

Interpretar a ideologia para Thompson é "explicitar a conexão entre o sentido mobilizado pelas formas simbólicas e as relações de dominação que este sentido ajuda a estabelecer e sustentar" (1995, p. 379). O trabalho de análise formal ou discursiva, de análise de formas simbólicas em um contexto determinado, procura estabelecer as características formais/estruturais das formas simbólicas como instâncias ou processos específicos de construção ideológica. Pode-se, então, argumentar que, nas situações específicas de construção das formas simbólicas, elas podem estar ligadas a certos modos de operação da ideologia. A análise parte das estratégias ideológicas para caracterizar a atuação de modos de operação da ideologia, conforme exemplo de Thompson:

> Assim, podemos tentar mostrar que o uso generalizado de verbos nominalizados e da modalidade passiva são indicativos das estratégias ou processo de nominalização e passivização; e podemos continuar a argumentar que, em circunstâncias específicas, essas estratégias ou processos servem para sustentar relações de dominação através da reificação dos fenômenos sócio-históricos, isto é, apresentando uma situação transitória, histórica, como se fosse permanente, natural, fora do tempo. (THOMPSON, 1995, p. 379)

A interpretação da ideologia busca explicar o significado e compreender como este serve ao estabelecimento e manutenção de relações de dominação. "É um trabalho que exige tanto uma sensibilidade às características estruturais das formas simbólicas, como uma consciência das relações entre indivíduos e grupos" (THOMPSON, 1995, p. 380).

Os capítulos a seguir empreendem o primeiro nível de análise, isto é, explicitam algumas "características típicas dos contextos sociais", relacionadas às formas simbólicas a serem estudadas. Sem a pretensão de discutir todos os pontos de análise de contexto, anteriormente listados, em separado e exaustivamente.

PARTE II

ANÁLISE DO CONTEXTO SÓCIO-HISTÓRICO

Procedimentos: revisão da literatura

Primeiro, descrevemos os procedimentos da pesquisa bibliográfica realizada, que teve o intuito de realizar análise do contexto de produção dos discursos dos livros didáticos. A pesquisa bibliográfica buscou ser exaustiva o quanto pôde. Os descritores utilizados para as buscas eletrônicas estão apresentados no Quadro 3. No Quadro 4, constam as bases de dados consultadas, inclusive coleções completas examinadas.

Quadro 3 - Descritores utilizados para as pesquisas bibliográficas

Descritores utilizados	Raça, racismo, racialismo, discriminação racial, preconceito racial, relação(ões) racial(is), etnia, etnicismo, relação(ões) étnica(s), grupo(s) étnico(s), grupo(s) racial(is), grupo(s) de cor, índio(s), indígena(s), indigenismo, indigenista, educação indígena, educação multicultural, multiculturalismo, livro(s) didático(s), texto(s) didático(s), manual, livro(s) de leitura, leitura.

O período definido para o início da coleta de dados foi 1987 até 2002, tomado em função de, naquele ano de comemoração dos cem anos de mudança na lei da escravidão, terem sido publicados artigos de revisão de pesquisas anteriores sobre negros em livros didáticos (NEGRÃO, 1987) e sobre educação indígena (SILVA, 1987). Consideramos que tais revisões analisaram a produção mais importante do período anterior.

Foi definido que trabalharíamos com as bases de dados das principais universidades do Estado de São Paulo (PUC-SP, USP, UNICAMP, UNESP); com as principais do Rio de Janeiro (UFRJ e UERJ), com as Universidades

Federais de Minas Gerais, Rio Grande do Sul e Paraná. Posteriormente, em função de viagens (que não estavam previamente programadas), estendemos as buscas às Universidade Federal de Pernambuco e Universidade Federal da Bahia (que à época não contavam com sistema de busca eletrônico confiável, sendo que as buscas foram realizadas *in loco*). Além disso, foram programadas buscas nas bases das associações nacionais de pós-graduação das áreas de Educação, Letras e Sociologia. Estas duas últimas não possuíam, à época, segundo informações que coletamos, bancos de dados eletrônicos com produção nacional. O trabalho em outras bases de abrangência nacional, Instituto Brasileiro de Informação em Ciência e Tecnologia (IBICT), Plataforma Lattes e Scielo, buscou minorar essa ausência. Definimos o exame completo das revistas *Cadernos de Pesquisa*; *Estudos Afro-Asiáticos* e *Revista Brasileira de Ciências da Comunicação*.

Quadro 4 - Bases de dados consultadas

- Acervus – Banco de dados bibliográficos do Sistema de Bibliotecas da Universidade Estadual de Campinas/UNICAMP;
- Athenas – Banco de dados bibliográficos do Sistema de Bibliotecas da Universidade Estadual de São Paulo/UNESP;
- Barcelos, Luiz C. et al. (Orgs.) *Escravidão e Relações Raciais no Brasil: Cadastro da Produção Intelectual (1970-1990)* Rio de Janeiro, Centro de Estudos Afro-Asiáticos, 1991;
- Biblioteca Ana Maria Poppovic – Fundação Carlos Chagas/FCC;
- Biblioteca do Centro de Estudos Afro-Orientais/CEAO – Universidade Federal da Bahia;
- Biblioteca Nadir Gouveia Kfouri – Pontifícia Universidade Católica de São Paulo/PUC-SP;
- Cadernos de Pesquisa – Fundação Carlos Chagas;
- CD –ROM ANPEd – Associação Nacional de Pesquisa em Educação/ANPEd**;
- Dedalus – Banco de dados bibliográficos do Sistema de Bibliotecas da Universidade de São Paulo/USP;
- ERIC – Educational Resources Information Center;
- Estudos Afro-Asiáticos. Centro de Estudos Afro-Asiáticos. Rio de Janeiro;
- Plataforma Lattes – Conselho Nacional de Ciência e Pesquisa/CNPq;
- Revista Brasileira de Ciências da Comunicação;
- Revista do Instituto de Estudos Brasileiros;
- SCIELO – Scientific Electronic Library Online;

- Sistema de Bibliotecas – Universidade Federal do Paraná;
- Sistema de Bibliotecas – Universidade Federal de Pernambuco;
- Sistema de Bibliotecas/SBU – Universidade Federal do Rio Grande do Sul/ UFRGS;
- Sistema Integrado de Bibliotecas – Universidade Federal da Bahia/UFBA;
- Sistema Teses Brasileiras – IBICT/Instituto Brasileiro de Informação em Ciência e Tecnologia.

* As bases de dados eletrônicas da Universidade Federal do Rio de Janeiro/UFRJ, base Minerva, e da Universidade Estadual do Rio de Janeiro não permitiram acesso no período de realização da pesquisa.

** O levantamento bibliográfico na base de dados da ANPEd foi realizado via o CD-ROM publicado em 1999 (3ª edição), que cobre a produção dos programas de pós-graduação em Educação associados à ANPEd, dissertações e teses, de 1981 até 1998, e 20 periódicos nacionais, de 1996 a 1998.

A única base internacional inicialmente prevista foi o ERIC, pois nosso objetivo era trabalhar com literatura internacional de forma mais direcionada, isto é, pesquisas específicas sobre relações raciais em livros didáticos e alguns autores de referência. O desenvolvimento de "Programa de Doutorado com Estágio no Exterior" nos proporcionou a realização de pesquisa sobre a literatura europeia e em particular da italiana, principalmente sobre o plano simbólico do racismo. Como o sistema naquele país é unificado, todos os dados advieram de uma única base, *Sistema Bibliotecário Nazionale*, *SBN on-line*.

O fato de as bases de dados nacionais serem muitas, com estruturas internas distintas, com interfaces e complementaridades, torna a pesquisa bibliográfica uma forma de "garimpo". Para encontrar uma nova referência em uma base de dados, grande parte das vezes é preciso revisar dezenas de referências que repetem as encontradas em uma base já trabalhada. Os sistemas de automação diferem muito de universidade para universidade, e várias vezes nos deparamos com sistemas não confiáveis ou incompletos, que exigiram procedimento alternativo (revisão manual de fichários ou pesquisa realizada em base alternativa de acesso exclusivo a bibliotecárias). Algumas bases de dados como o CD-ROM da ANPEd e a Plataforma Lattes do CNPq apresentam uma lógica de indexação que dificulta o acesso às referências, o que pode gerar respostas inconsistentes.

Concomitantemente às buscas, foi estruturada uma classificação das referências que tratavam do racismo brasileiro no plano simbólico. A TAB. 1 apresenta os valores totais das publicações sobre discursos e relações raciais localizadas. Os textos repetidos na íntegra (por exemplo, tese ou dissertação publicada como livro) foram computados uma única vez.

Tabela 1 – Distribuição de frequência de obras brasileiras sobre racismo no plano simbólico, por tipo e meio discursivo, 1987-2002

Meio discursivo	Total	Dissertações	Teses	Livros	Capítulos de livros	Artigos em revistas	Artigos em anais
Literatura e Poesia[1]	60	03	08	19	04	25	01
Livros didáticos	47	13	03	03	10	14	04
Jornais[2]	20	06	02	02	02	06	02
Televisão	11	-	01	-	02	06	02
Publicidade	06	-	01	-	01	03	01
Mídia em geral	06	-	-	02	01	03	-
Cinema	04	-	-	03	-	01	-
Rádio	01	-	-	01	-	-	-
Imagens[3]	14	-	01	02	05	06	-
Escola	12	03	-	06	02	01	-
Discurso Acadêmico	11	02	01	02	02	03	01
Teatro[4]	04	-	-	01	-	03	-
Outros[5]	22	04	02	05	01	10	-
TOTAL	218	31	19	46	30	82	10

1 Inclusive trabalhos sobre "literatura afro-brasileira".
2 Inclusive trabalhos sobre "imprensa negra".
3 Pinturas, fotografias, desenhos.
4 Não inclui trabalhos sobre o Teatro Experimental do Negro. Um artigo trata do "negro no teatro e na TV" e foi classificado somente neste item para evitar duplicidade.
5 Incluem piadas, provérbios, cartas, cadernos de viagem, discursos políticos, nomes, música e outros.

Para acessar as publicações selecionadas e complementar as buscas, foram realizadas pesquisas *in loco*, em diversas bibliotecas das cidades de São Paulo, Curitiba, Belo Horizonte, Salvador e Recife. A maior parte das referências foi localizada. A única exceção foram as referências sobre o plano simbólico do racismo na literatura e poesia, que, por serem numerosas e comporem área que não é o foco desta pesquisa, não foram procuradas exaustivamente. No caso das referências sobre racismo discursivo em livros didáticos, das 47 referências encontradas, localizamos e analisamos 44 publicações (as exceções foram dissertações de cidades distantes, e que a leitura do resumo indicou não serem centrais para este estudo). Tanto no caso das publicações sobre livros didáticos quanto sobre outros meios discursivos, o número de referências é muito superior ao número de pesquisas realizadas, pois muitas publicações são repetições do mesmo material empírico. Os escritos sobre o plano simbólico do racismo no Brasil estão analisados na parte final do capítulo 4.

Além dos escritos sobre racismo no plano simbólico, coletamos referências específicas sobre livros didáticos, que compunham um grupo menor e não foram classificadas de forma semelhante. No capítulo 5 utilizamos, principalmente, os estudos sobre produção de livros didáticos no Brasil e os documentos oficias do PNLD.

Além da pesquisa documental, realizamos duas entrevistas com a socióloga Rita de Cássia de Freitas Coelho, que foi integrante do Grupo de Trabalho com objetivos de desenvolver ações que conduzam a uma crescente qualidade do livro didático (Portaria da FAE nº 129, de 11 de maio de 1987) e membro da Comissão para Avaliação do Livro Didático (memorando 081/93 da Diretoria de Apoio Didático-Pedagógico da FAE, de 21 de setembro de 1993). Uma primeira entrevista foi realizada por telefone, em outubro de 2004. Considerando as informações obtidas importantes, particularmente a análise sobre a aproximação da FAE aos movimentos negros e de mulheres no final da década de 1980, foi realizada, pessoalmente, a segunda entrevista, em março de 2005.

Discursos racistas no contexto brasileiro

Raça: construção social e tropo

Nesta pesquisa utilizamos o conceito de raça como categoria analítica que, conforme Guimarães (2002, p. 53), se baseia em dois pressupostos: 1) o reconhecimento de que raças biológicas não existem. Raça é uma construção social, destituída de fundamentos biológicos. A ideia de raças humanas e as bases sociais do racismo foram historicamente criadas e difundidas, com objetivos políticos bem determinados, mas carecem de fundamento científico. As ideias de raça têm efetividade social em função de sua inserção no universo simbólico, na construção e negociação de sentidos. Dizer que raça é uma construção social é assumir que lhe são atribuídos sentidos que influenciam a percepção a respeito de indivíduos e grupos e muitas das práticas sociais a que esses são submetidos. 2) A denúncia de que a ideia de raça modifica-se continuamente e manifesta-se sob diferentes formas e tropos. "O não racialismo não é garantia para o não racismo, podendo mesmo cultivá-lo se, para tanto, utilizar um bom tropo para raça" (GUIMARÃES, 2002, p. 53).

O Brasil apresenta um contexto que serve para refutar a ideia de que o racismo depende do uso do termo raça:

> As raças [no Brasil] foram, pelo menos até recentemente, no período que vai dos anos 1930 aos anos 1970, abolidas do discurso erudito e do discurso popular (sancionadas, inclusive, por interdições rituais e etiqueta bastante sofisticada), mas, ao mesmo tempo, cresceram as desigualdades e as queixas de discriminação atribuídas à cor. (GUIMARÃES, 2002, p. 51)

As assertivas de Guimarães trazem elementos importantes para a argumentação nesta pesquisa. Primeiro, a noção de raça entendida como construção social, que "tem existência nominal, efetiva e eficaz somente no mundo social" (GUIMARÃES, 2002, p. 50); além disso, consideramos tal conceito como instrumento analítico necessário ao estudo das relações raciais, pois as práticas discursivas mantêm arraigado o conceito de raça, que exerce influência significativa sobre as práticas e organizações sociais.

Para lutar contra a discriminação, é necessário lhe dar realidade social (GUIMARÃES, 1995). Certas discriminações sociais são inteligíveis somente pela ideia de raça. As desigualdades no Brasil, na sua "estrutura", são perpassadas pela ideia de raça, como mostraram os estudos sobre relações raciais realizados a partir da década de 70 (HASENBALG, 1979; SILVA,1980). A classificação racial determina oportunidades sociais, sendo necessário desvelar como a produção e a reprodução das iniquidades sociais são perpassadas pela ideia de raça. "Afinal, a linguagem científica deve justamente ser capaz de desvendar e revelar o que o senso comum escondeu" (GUIMARÃES, 2002, p. 56). O uso do conceito de raça, como categoria analítica, tem um efeito político, que é lutar contra as desigualdades que são definidas/ redefinidas pelas ideias de raça.

A noção de "cor", no Brasil, passou a ser utilizada como tropo para raça. "Cor", no contexto brasileiro, informa sobre atributos diversos, cor da pele, outras características fenotípicas e também certas características sociais atribuídas, tal como condição racial. Ou seja, a cor assim entendida passou a ser utilizada no Brasil como uma das formas de classificação das pessoas. Alguns segmentos e autores afirmaram que raça não era importante para a realidade brasileira, justamente por causa de tal classificação por cor. Porém, a classificação por cor foi utilizada no lugar de raça, mas orientada por esta. O uso de uma linguagem figurada ajudou a criar imaginário de que no Brasil não existiria racismo, tendo decorrências políticas importantes.

A reelaboração do conceito de raça pelas Ciências Humanas, no Brasil, busca as direções de, ao mesmo tempo: "1) reconhecer o peso real e efetivo que tem a ideia de raça na sociedade brasileira, em termos de legitimar desigualdades de tratamento e de oportunidades; 2) reafirmar o caráter fictício de tal construção em termos físicos e biológicos; e 3) identificar o conteúdo racial das 'classes sociais' brasileiras" (GUIMARÃES, 2002, p. 56).

Este estudo, ao focalizar os discursos sobre os segmentos raciais negros e brancos em livros didáticos de Língua Portuguesa, pretende juntar esforços nessas direções.

Racismo à brasileira

Doutrina do branqueamento

No século XIX as ideias do racismo científico foram traduzidas, divulgadas e estudadas no Brasil. Na segunda metade do século XIX, a intelectualidade brasileira era altamente influenciada pelas teorias racistas (SKIDMORE, 1976).

As teorias raciais produzidas na Europa aqui repercutiam de forma selecionada. Ante a uma variedade de linhas, autores do darwinismo social foram insistentemente traduzidos e citados, com destaque para a postulação da raça como critério de hierarquia, a determinação racial dos comportamentos e a proposição dos males da miscigenação. No final do Oitocentos, muitos autores insistiram nos malefícios da miscigenação, que determinaria uma população deficiente. A grande mistura de raças foi utilizada como hipótese para o pouco desenvolvimento do País. A explicação das adversidades do Brasil como causa da miscigenação era tônica. O manual de História do Brasil de João Ribeiro,[1] considerado o mais importante do início do século XX, lançado em 1900, endossava esta perspectiva: "O contato das raças inferiores com as que são cultas, quase sempre desmoraliza e deprava a umas e outras" (RIBEIRO *apud* BITTENCOURT, 1993, p. 238). A decorrência de que a miscigenação deixava a nação inviabilizada levou a grande mal-estar. A saída encontrada foi a absorção parcial das teorias raciais produzidas na Europa, vindo a constituir-se um modelo racial particular.

Acabou predominando a posição otimista sobre a miscigenação. Silvio Romero, intelectual muito ativo no período abolicionista, alinhava-se ao darwinismo social, mas mantinha uma visão otimista sobre a miscigenação (SKIDMORE, 1976). O autor opinou sobre o futuro do País: "O povo brasileiro, como hoje se nos apresenta, se não constitui uma só raça compacta e distinta, tem elementos para acentuar-se com força e tomar um ascendente original nos tempos futuros. Talvez tenhamos ainda de representar na América um grande destino histórico-cultural" (ROMERO, 1888, *apud* SKIDMORE, 1976, p. 53).[2] A ideia de superioridade da raça branca foi mantida, e os bons frutos

---

[1] "Tornou-se obra de referência para outras obras clássicas da história e da interpretação do Brasil, como *Casa Grande e Senzala, Os Sertões, A Cultura Brasileira* e, por que não, *Raízes do Brasil*" (MELO, 1997, p. 3).

[2] Posição contrária foi defendida por Nina Rodrigues, que foi contra a miscigenação, por Euclides da Cunha e por Monteiro Lobato, influenciado pelo segundo (SKIDMORE, 1976).

do futuro condicionados à sua hegemonia "Pela seleção natural [...] o tipo branco irá tomar a preponderância até mostrar-se puro e belo como no velho mundo" (ROMERO, 1880, *apud* SKIDMORE, 1976, p. 53).

Essa concepção foi a base para a "solução brasileira" (SKIDMORE, 1976, p. 81), a teoria do "branqueamento". Particularidade do racialismo brasileiro foi reestruturar as teorias raciais europeias ao contexto local, privando-as da concepção de necessária degenerescência causada pela miscigenação. A **doutrina do branqueamento** pendeu para uma explicação inversa ao racismo científico. Mantendo a hierarquia em relação ao branco e apontando-o como ideal, considerou que a inferioridade da raça negra seria abrandada com a miscigenação, à medida que os traços fenotípicos deixassem de ser tão marcados. Essa concepção influenciou para um alto grau de importância da cor da pele na hierarquização das pessoas, que é tomada, no Brasil, como uma das marcas corpóreas de raça. A importância das características fenotípicas se relaciona com o conceito de "preconceito racial de marca" (NOGUEIRA, 1985, publicado originalmente em 1957). O principal elemento para a definição racial das pessoas são as características fenotípicas, diferentemente do caso norte-americano, no qual rege o "preconceito racial de origem" (NOGUEIRA, 1985). Guimarães (1995) sustenta que esta passou a ser uma das características distintivas do racismo no Brasil.

> Embranquecimento passa a significar a capacidade de a sociedade brasileira absorver e integrar os mestiços e os negros. Essa capacidade varia na razão direta com que a pessoa repudia sua ancestralidade africana ou indígena. Embranquecimento e democracia racial são assim conceitos de um novo discurso racialista. (GUIMARÃES, 1995, p. 57)

A FIG. 2 expressa a metáfora da "solução brasileira". O fato de ter sido pintada em 1895 é exemplo de que as ideias sobre o branqueamento circulavam no final do Oitocentos.

A tela faz alusão às pinturas da Sagrada Família, com elementos mundanos, típicas do barroco espanhol. Ao centro a mãe com seu filho no colo, com olhar e gestual que remetem às representações sacras de Nossa Senhora com o Menino Jesus (significativos os elementos que fazem alusão aos trópicos, como as folhas de Palmeira sobre a avó e a laranja na mão da criança). Neste caso, a mãe é uma negra e a criança tem a pele mais clara. O pai, branco, descansa ao lado com olhar prazenteiro, expressão de satisfação. A avó materna, de pele mais escura que a mãe, levanta as mãos para o céu, agradecendo o embranquecimento do tom de pele de geração em geração.

Figura 2 - Redenção de Cam, óleo sobre tela de Modesto Brocos, 1895, Coleção Museu Nacional de Belas Artes/IPHAN/MinC

Fonte: *A arte no Brasil*, São Paulo: Abril Cultural, 1979.

O final do Oitocentos foi o momento de formulação de tais ideias, que travaram batalha contra os adeptos do racismo científico europeu, que consideravam a miscigenação como degeneração. O ideário de embranquecimento ganhou divulgação e vigor no Novecentos, vinculados à concepção do Brasil como "cadinho das raças" e *locus* da democracia racial.

Cadinho das raças

A mistura das raças no Brasil foi apresentada como um grande rio (VON MARTIUS, *apud* SKIDMORE, 1976), a herança portuguesa, que progressivamente absorvia os pequenos afluentes das raças indígenas e africanas. Tal metáfora da brasilidade utiliza uma matriz básica europeia, que assimila elementos indígenas e africanos. Encontramos essa perspectiva em um livro didático editado em Curitiba, que julgamos exemplo significativo.[3] O objetivo do livro foi escrever a "História do Brazil" de forma a ressaltar a grandeza da pátria, de afirmar os ideais republicanos e de promover lições de civismo. A opção foi ressaltar as qualidades das "raças" que vieram povoar o Brasil e como a miscigenação contribuiu para a formação da população brasileira. Transcrevemos a seguir um trecho a tal respeito:

> A constituição ethnica do povo brasileiro teve como factores primarios o *portuguez*, o *indigena* e o *africano*.
>
> Muitas vantagens vieram deste caldeamento, pois essas raças nos transmitiram as melhores de suas qualidades moraes e physicas.
>
> Do portuguez recebemos a profunda mentalidade da familia latina, beneficamente apurada pêla civilização europeia.
>
> O indio nos comunicou, juntamente com o grande vigor physico, a grande lealdade e o valor guerreiro indomavel ...
>
> O negro nos transmitiu tambem a robustez corporal, e os sentimentos superiores de affectiva bondade e fidelidade.
>
> Amálgama dessas tres raças nobres e altivas, a nacionalidade brasileira constitue um typo especial, generoso e forte, a que todos estão reservados os mais gloriosos destinos, e que será um poderoso factor da civilização universal. (SOUZA E SOUZA, 1912, p. 56, grifos do original)

A lealdade do indígena e a fidelidade do negro são submetidas ao português, cujo "predomínio é baseado na superioridade adveniente de sua civilização" (SOUZA E SOUZA, 1912, p. 71). Ressaltar as qualidades de indígenas e negros cumpre a função de elogio à brasilidade, vital para os ideais republicanos. Mas a hierarquia entre as raças não é de fato substituída, ela é escamoteada.

A miscigenação, a ideia do Brasil como **cadinho das raças**, é uma narrativa paradoxal. Por um lado, manifesta o desejo de afirmar o Brasil como um país onde não existem desigualdades raciais, onde reinam a cordialidade e a harmonia nas relações inter-raciais. Por outro lado, reafirma os valores brancos/europeus como norma e estabelece uma subalternidade para indígenas e negros.

> Ao mesmo tempo em que nossa miscigenação e pluralidade étnica se transformam em magníficas metáforas e alegorias literárias, negros, índios e mestiços vivem a mais brutal discriminação em todos os lugares

---

[3] Trata-se da obra Pontos de Nossa História, de Veríssimo Souza e Lourenço Souza, editada pela Livraria Moderna de Rocha & Velloso, em 1912.

em que vivem, seja no campo ou nos centros urbanos. Estranho jogo
esse em que os diferentes são, a um só tempo, objeto de exaltação e de
exclusão. (GONÇALVES E SILVA, 1998, p. 74)

Relacionado a essa dicotomia, Guimarães (2002, p. 121) afirma que
"os negros e índios, na política republicana, são apropriados como objetos
culturais, símbolos e marcos fundadores de uma civilização brasileira,
mas têm negado o direito a uma existência singular plena como membros
de grupos étnicos".

Tal concepção está presente em textos acadêmicos seminais que discutem a compreensão do Brasil. Uma análise dos textos de Paulo Prado, *Retrato do Brasil*, de 1928; de Gilberto Freire, *Casa-grande & senzala*, de 1933; e de Sérgio Buarque de Holanda, *Raízes do Brasil*, de 1936, foi realizada por Norvell (2001, p. 245-263). A retórica dos três autores (salvaguardadas as diferenças significativas em seus propósitos teóricos, resultados e conclusões) considera a população brasileira como miscigenada e tem em comum a ideia de Brasil como um país da mestiçagem, com contribuições indígena e africana, mas sobre uma matriz branca europeia. Vejamos, como exemplo, crítica ao texto de Sérgio Buarque de Holanda:

> Na mesma passagem em que aponta a impureza racial e cultural dos próprios portugueses, Holanda usa um sujeito branco indeterminado, discursivamente privilegiado, que se mistura *com* pessoas de cor. E, é claro, o tempo verbal utilizado, o mais-que-perfeito – 'a mistura [já] tinha começado'-, projeta claramente para o futuro, presumivelmente até nossos dias, esse processo contínuo de mistura de brancos com pessoas de cor. (NORVELL, 2001, p. 254, grifo do autor)

O europeu branco, portanto, é o leito do rio que assimila algumas
características dos "outros", negros e índios. É possível, continuando com a
argumentação de Norvell (2001, p. 256), dizer: "Brasileiros misturaram-se
com negros e índios", mas não "brasileiros misturaram-se com portugueses ou europeus". Estes são a base, o sustentáculo, da "brancura brasileira
normativa" (2001, p. 261).

A ideologia do branqueamento sustentou, e foi sustentada, por ações
políticas durante parte do século XIX e XX: o apoio à imigração europeia
branca e a interdição à imigração negra (e asiática, conforme SKIDMORE,
1976, p. 155). Assim, entre o censo de 1872 e o censo de 1940, o aumento
da população branca foi intenso, passando de 3,8 milhões (38,1% do total)
para 26,2 milhões de habitantes (63,5% do total) (COSTA PINTO, 1998, p. 71,
publicado originalmente em 1953).

Os anos 1920-1930 foram, na compreensão de Skidmore (1976), momento de consolidação do ideal de branqueamento, e de sua aceitação implícita, tanto por seus formuladores quanto pelos críticos sociais. "Foi nesse período, por exemplo, que Gilberto Freire fez sua reputação com uma reinterpretação otimista do caráter nacional. Firmava-a na interpretação positiva da história da miscigenação no Brasil" (SKIDMORE, 1976, p. 192). A elite brasileira adotou a tese de que a miscigenação não resultava em degeneração, que as raízes africanas e indígenas não eram depreciativas, mas marcas que singularizavam o País, ao passo que o Brasil estava ficando mais branco e que o branco era o melhor (SKIDMORE, 1976, p. 228). A mestiçagem foi considerada por Freire (1963, originalmente publicado em 1933) como marca distintiva da sociedade brasileira, que interfere na conformação biológica mas principalmente na produção cultural que singulariza o País.

Democracia racial – o mito e a crítica

O ideário de branqueamento alimentou a noção de **democracia racial**. A partir dos anos 1930, a concepção do mestiço como símbolo da identidade nacional passou a ser dominante (GUIMARÃES, 2002). Ideias sobre a harmonia entre os grupos raciais foram gestadas e difundidas. A obra de Gilberto Freire foi veículo importante para a difusão das ideias sobre a cordialidade nas relações raciais no Brasil. Em 1944, Freire utilizou a expressão "democracia étnica e social" para descrever o Brasil. No mesmo ano, num artigo de jornal em que relatava uma entrevista com Freire, Roger Bastide grafou pela primeira vez a expressão "democracia racial".[4] A concepção de que o Brasil era um país sem barreiras que impediam a ascensão social firmou-se internamente. O país esforçou-se para divulgar essa imagem no exterior, o ideário de que no Brasil as relações raciais eram cordiais, e que não existiam demarcações sociais baseadas em critérios de raça. Tal ideário foi, após a década de 1930, absorvido rapidamente na sociedade brasileira, e passou a ter ampla aceitação. Mesmo integrantes do movimento negro, como os líderes do Teatro Experimental do Negro/TEN, consideraram a "democracia racial" como presente no contexto brasileiro, e utilizaram o conceito em seu discurso (GUIMARÃES, 2002, p. 146). Prevaleceu a ideia de um país sem linha de cor. "Tal ideia, no Brasil moderno, deu lugar à

---

[4] A discussão sobre o surgimento e os usos que o termo adquiriu foi realizada, em detalhes, por Guimarães (2002, p. 137-168).

construção mítica de uma sociedade sem preconceitos e discriminações raciais" (GUIMARÃES, 2002, p. 139).

O início das críticas à concepção de relações raciais harmônicas chega com os resultados de pesquisas do "Projeto UNESCO", no início da década de 1950.[5] O receio da repetição do terror nazista era forte em grande parte do mundo. A UNESCO, recém-criada, visava à prevenção de tragédias semelhantes, e patrocinava estudos diversos sobre a questão. A imagem do Brasil como país onde as relações raciais seriam predominantemente pacíficas foi fundamental para a escolha recair sobre o país, que representava a esperança de relações raciais harmônicas. A concepção que motivou os estudos era de um país como "laboratório da civilização" ou uma "democracia étnica" (expressões de RAMOS, 2001, publicado anteriormente em 1934 e FREIRE, respectivamente, *apud* GUIMARÃES, 2002).

Os resultados, porém, particularmente dos estudos no Rio de Janeiro e em São Paulo, apontaram as grandes desigualdades entre brancos e não brancos no País. O projeto foi significativo para a crítica à concepção de "democracia racial" e para a mudança de concepção no campo das Ciências Sociais brasileiras (particularmente da sociologia).

Os dados da pesquisa, em São Paulo, descreveram a continuidade, após a escravidão, da subalternidade de pretos e pardos. Os estereótipos contra os negros se mantinham e impediam a sua ascensão (FERNANDES, 1971, p. 145, publicado originalmente em 1955). Também no Rio de Janeiro, os dados demográficos e educacionais apresentaram grandes distâncias sociais entre os grupos de cor (COSTA PINTO, 1998, originalmente publicado em 1953).

A libertação dos antigos escravos não significou mudança na estrutura de poder na sociedade. Na passagem ao modelo capitalista de produção, foram mantidas interdições aos chamados "homens de cor", o poder centralizado nas mãos das mesmas classes dirigentes e foram ampliadas as distâncias sociais entre os grupos raciais. Durante o início do século XX, as condições dos negros mantiveram-se inalteradas, num jogo ambíguo. Mesmo com muitos contatos e comunicação entre brancos e negros, os grupos raciais constituíam grupos socialmente separados e irredutíveis um ao outro (FERNANDES, 1971, p. 74). As relações entre os

---

[5] O projeto envolveu estudos realizados, entre 1951 e 1953, na Bahia, por Thales de Azevedo e Charles Wagley; no Rio de Janeiro, por Costa Pinto; em São Paulo, por Roger Bastide, Florestan Fernandes, Oracy Nogueira, Virgínia Leone Bicudo e Aniela Ginsberg; em Pernambuco, por René Ribeiro.

grupos raciais foram regidas por uma etiqueta de relações raciais que tornou o tema racial um tabu. Assim, a opinião pública esteve informada pelos ideários do branqueamento e da integração racial. Os movimentos negros que se constituíram nas décadas de 1920 e 1930 foram importantes instrumentos de luta contra as assimetrias raciais, mas sucumbiram em face desse quadro, particularmente, segue Fernandes (1971), porque os ideais da "integração nacional", acima das desigualdades raciais, foram incorporados pela população negra.

Os dados das pesquisas, em São Paulo, apontaram que a cor branca facilita a ascensão social (embora sem garanti-la), ao passo que a cor escura implica uma preterição social (não sendo uma exclusão incondicional) (análise de Nogueira, 1985). Ao competir por recursos ou posições sociais, os negros sofrem sistemática interdição (Bastide, 1971, p. 169, publicado originalmente em 1955) ou preterição (Nogueira, 1985, p. 36). Como se trata de uma **lógica de preterição**, e não de exclusão incondicional, a ascensão social pode, em circunstâncias específicas, levar um negro a romper determinadas barreiras impostas às "pessoas de cor". Um indivíduo negro que conquista recursos materiais pode suplantar certas barreiras de segregação, tornando-se sócio de um clube, por exemplo, mas seus traços fenotípicos continuam a impor-lhe preterições. O fato de determinados indivíduos romperem algumas barreiras foi (e é) utilizado como argumento em prol da concepção de democracia racial.

Outro sustentáculo do ideário da democracia racial é a **"correlação entre raça e classe social na hierarquização das pessoas"** (Bastide, 1971). Os casos de discriminação contra pessoas negras são "justificados" como determinados pela classe social. Nesse caso, os estereótipos são compreendidos como de classe, não de cor. Guimarães (2002, p. 66) aponta que nos anos 1940 esse tipo de argumentação foi refinado por importantes cientistas sociais (Donald Pierson, Marvin Harris e Thales de Azevedo). A explicação da desigualdade racial pela desigualdade de classe social alcançou grande difusão no Brasil, não só no discurso acadêmico, mas particularmente no discurso cotidiano. Mesmo com a "desmistificação" do discurso da democracia racial nos últimos anos, continua uma representação extremamente comum. Como mostram as explicações dos habitantes de Vasália[6] (Twine, 1998). Perguntados por que na cidade de Vasália não havia nenhum negro na Câmara de Vereadores, ou por que entre os proprietários de terra não

---

[6] Pseudônimo de pequena cidade no noroeste do Rio de Janeiro atribuído pela pesquisadora (TWINE, 1998).

havia negros, os habitantes da cidade, tanto os de classe média/alta quanto os pobres, tanto os negros quanto os brancos, afirmaram, quase em uníssono, que o motivo era a pobreza dos negros. A explicação é quase tautológica e naturaliza a condição de pobreza dos negros de Vasália, mas, para os habitantes da cidade, é explicação suficiente.

Outro resultado significativo dos estudos foi a descrição da convivência entre o preconceito de cor e a experiência de que **"o brasileiro tem preconceito de ter preconceitos"** (BASTIDE, 1971, p. 148).[7] A contradição é notória. Ao mesmo tempo em que o critério de cor determina as possibilidades do indivíduo, a **etiqueta das relações raciais** prevê que comportamentos explicitamente preconceituosos ou discriminatórios devem ser evitados. Também compõe a etiqueta das relações raciais o não mencionar ou perguntar, em relações amigáveis, a pertença racial das pessoas. Fazer menção sobre a ascendência estigmatizada da pessoa é de péssimo tom, é uma prática esperada somente de inimigos ou de investigação policial (NOGUEIRA, 1998).[8] As expressões indiretas do discurso racista brasileiro (também apreendidas nas pesquisas sobre livros didáticos, BAZZANELA, 1957, *apud* ROSEMBERG, 1985; PINTO, 1981) estão relacionadas à complexidade da etiqueta das relações raciais no País (GUIMARÃES, 2002).

Os resultados das pesquisas do "Projeto UNESCO" tiveram, no momento de sua publicação, pouca ou nenhuma repercussão sobre as concepções da população brasileira em geral (MAIO, 1997, p. 301). Diríamos que tais repercussões não foram imediatas, mas impulsionaram outros estudos sobre as desigualdades raciais e foram sustentáculo importante da retomada das discussões, na academia e nos movimentos sociais, na década de 1970.

Um capítulo da tese de Florestan Fernandes, apresentado em 1964, foi intitulado "mito da democracia racial", para criticar o processo de dissimulação das atitudes raciais no Brasil. Militantes e ativistas negros logo incorporaram tal ideia ao seu discurso e passaram a tratar a democracia racial como uma "ideologia"[9] a ser combatida. As críticas passaram a ser

---

[7] A afirmação provém, de forma literal, de um informante da pesquisa.

[8] O autor formulou explicação baseado em reação ao "Estatuto De Puritate Sanguinis", que influenciou, no século XIX, na estruturação de tal regra tácita de manter sigilo e discrição em relação às origens raciais das pessoas (*apud* PINTO *et al.*, s/d).

[9] O destaque é para apontar o uso do conceito de forma particular, diferente do uso que fazemos nesta pesquisa, e que foi objeto de discussão anterior. Ideologia é utilizada aqui na acepção de "falsa-consciência".

sistemáticas às afirmações de que no País não ocorre preconceito, discriminação ou barreiras para a ascensão social dos negros.

O ideário da democracia racial prevaleceu no País pelo menos entre 1930 e 1970 (GUIMARÃES, 2002). Os argumentos sobre a democracia racial deixaram, gradativamente, de ter aceitação acadêmica, mas continuaram utilizados em discursos sobre o Brasil, particularmente como argumento contrário a afirmações de direitos dos negros. O pesquisador Conceição (1995) oferece um exemplo, entre múltiplos, retirado do editorial do jornal *A Tarde*, de Salvador, publicado em 12 de fevereiro de 1975:

> Não temos, felizmente, problema racial. Esta é uma das grandes felicidades do povo brasileiro. A harmonia que reina entre as parcelas da população provenientes das diferentes etnias, constitui, está claro, um dos motivos de inconformidade dos agentes da irritação, que bem que gostariam de somar aos propósitos da luta de classes o espetáculo da luta de raças. (A Tarde *apud* CONCEIÇÃO, 1995, p. 149)

No dia do centenário da Lei Áurea, 13 de maio de 1988, o editorial manteve o mesmo tom:

> Esse clima de virtual democracia racial que espanta e faz inveja a boa parte do mundo só foi possível graças ao processo de miscigenação, que, corpo a corpo, derrubou as barreiras herdadas do tempo da escravidão. Sobre o assunto, Gilberto Freyre foi mais do que oportuno num trecho de seu "Casa Grande e Senzala": 'A miscigenação que largamente se praticou aqui corrigiu a distância social que doutro modo se teria conservado enorme entre a casa-grande e a mata tropical; entre a casa-grande e a senzala'. (A Tarde *apud* CONCEIÇÃO, 1995, p. 291)

Não é de estranhar tal argumento em 1988. O momento era de embate pela legitimação simbólica da democracia racial ou dos discursos alternativos, sobre a profundidade das desigualdades e sobre a valorização da cultura afro (HASENBALG, 1991). Os trechos de discurso da imprensa mostram como as ideias mitificadas sobre um país miscigenado e livre de problemas raciais são utilizadas como argumentos para obscurecer e negar as desigualdades raciais.

No caso brasileiro, a negação da existência de discriminação e desigualdades raciais serviu como forma de ocultar a dominação racial. O período da ditadura militar, do início até próximo ao seu final (período em que se insere a primeira citação do jornal *A Tarde*), representou uma lacuna para as pesquisas sobre relações raciais e para os movimentos sociais de reivindicação de direitos (SKIDMORE, 1991). A própria oposição ao regime militar tratava a questão racial como destituída de importância, compartilhando da perspectiva, anteriormente descrita, de redução da desigualdade racial à social.

Com o processo de abertura política, no final da década de 1970, as críticas à pretensa democracia racial foram intensificadas. O movimento negro foi revigorado, com o objetivo principal de "desmascarar a 'democracia racial', em sua versão conservadora, de discurso estatal que impedia a organização das lutas antirracistas" (GUIMARÃES, 2002, p. 158). A construção de identidade negra, valorizando as origens culturais africanas, e a denúncia contra o mito da democracia racial foram as principais bandeiras do Movimento Negro Unificado Contra a Discriminação Racial/MNU, que foi importante para dar corpo a reivindicações de entidades diversas, que tinham atuação mais local.

No mesmo período, as pesquisas sobre relações raciais foram retomadas, e seus resultados somaram-se ao esforço do movimento negro no sentido de apontar o engodo que representavam as ideias de relações raciais harmônicas, particularmente, a ausência de "linha de cor" na estratificação social. Com base em análise de macrodados, particularmente dos dados gerados pelo Instituto Brasileiro de Geografia e Estatística/IBGE, tais pesquisas enunciaram as intensas desigualdades sociais entre brancos, pretos e pardos. Os indicadores sociais de áreas diversas – trabalho e renda, mobilidade social, saúde, educação, padrões de casamento – mostraram-se fortemente favoráveis a brancos, em comparação com pretos e com pardos. Na maior parte dos indicadores, a diferença encontrada entre pretos e pardos era diminuta, o que levou ao seu agrupamento, com a finalidade de realizar provas estatísticas de maior confiabilidade. Os grupos preto e pardo foram reunidos em categoria única, denominada "negros".

Da década de 1980 em diante, as pesquisas sobre relações raciais passaram a ser muitos mais frequentes e a estar presentes em áreas diversificadas. Apesar da multiplicação de pesquisas e campos de interesse, ainda temos uma produção aquém da importância que as relações raciais apresentam no contexto brasileiro (de modo geral, as pesquisas sobre relações raciais são minoritárias nas diversas áreas de conhecimento). No campo de conhecimento que se configurou, observamos questões relevantes, que discutiremos a seguir.

Estudos contemporâneos sobre desigualdades raciais no Brasil

Relações horizontais e verticais

Alguns autores têm insistido em aspectos de "cordialidade" nas relações raciais no Brasil. Utilizam-se do conceito antropológico de "mito", como sistema de ideias que é fonte estruturadora da cultura. A fábula das três raças seria uma forma de dar sentido à brasilidade. O "mito da democracia racial" seria narrativa análoga, fundadora de compreensão sobre o País, e que influencia também no sentido de que as relações raciais no Brasil não sejam segregadoras. A dicotomia ou aparente contradição entre cordialidade e discriminação foi discutida por Fry (1995-96). O autor conclui sua análise com a descrição de situações que vivenciou, de forma imediatamente consecutiva. Num momento foi alvo de violência racial, quando, junto com um amigo, foram abordados pela polícia, que viu na cor do amigo motivo para desconfiança. Em seguida foram a um bar, cheio de gente "de todas as cores possíveis", onde reinava a cordialidade. Conclui o autor que "o ideal da democracia racial e a brutalidade do racismo coexistem de tal forma que é a situação – umas mais previsíveis, outras não – que determina qual vai prevalecer" (FRY, 1995-1996, p. 135).

A concepção de relações raciais ora discriminatórias, ora cordiais, no Brasil, lembra a perspectiva de Bastide (1971), que captou incongruência na ocorrência do preconceito de cor, ora presente e atuante, ora ausente das relações: "O Brasil é o país das meias tintas. As atitudes variam de um indivíduo para outro, formando uma gama que vai do máximo de preconceito à sua ausência total" (p. 157). O autor enfatiza o papel do indivíduo: "As relações humanas atomizam-se numa poeira de relações interindividuais" (p. 148), mas não deixa de citar outros componentes que fazem variar o preconceito racial, como a família, os "setores da sociedade" e "os grupos de interesse" (p. 148). Interessante que Bastide nomeia a realidade brasileira como "complexa", um aparente caos, no qual, segundo sua proposição, seria possível a descoberta de determinadas leis que regem as relações étnico-raciais. Seriam tais leis as responsáveis pelas grandes desigualdades raciais, estruturais e simbólicas, que apontamos?

Uma concepção similar é a de que as teorias raciais não têm um sentido unidimensional, na direção da exclusão: "Abordo essas questões partindo da premissa de que pode existir, ainda que de maneira limitada, alguma forma tanto de inclusão quanto de exclusão" afirma Edward Telles (2003, p. 25). Esse autor propõe que as relações raciais no Brasil se estruturam de forma distinta nos eixos horizontal e vertical. O eixo horizontal foi o estudado pela "primeira geração" de pesquisadores sobre relações raciais no Brasil (que tem em Gilberto Freire o seu principal nome). Os autores enfatizaram a miscigenação racial e sustentaram as teses de que as relações raciais no Brasil são amigáveis, calcadas na proximidade e cortesia. Nesse campo, as relações seriam não discriminatórias. Telles (2003) utilizou dados sobre a miscigenação e a sociabilidade para discutir as relações raciais brasileiras nesse eixo.

Os pesquisadores da "segunda geração" (tendo à frente Florestan Fernandes) tomaram como objeto de suas pesquisas o eixo vertical. Enfocaram as grandes distâncias entre brancos e negros, as desigualdades. Nesse âmbito, por serem as oportunidades desiguais, a discriminação racial fica transparente.

As diferenças entre as duas gerações seriam, segundo Telles, também regionais. O fato de os autores da primeira geração haverem estudado o Nordeste, e os da segunda, o Sudeste, influenciou, segundo Telles, nos resultados. A tese de Telles (2003, p. 18-19) é de que as diferenças entre as formas de discriminação nos dois eixos levam à coexistência entre a inclusão e a exclusão nas relações raciais brasileiras.

A preocupação com as relações horizontais esteve presente na produção de Bastide (1971): "Devemos agora passar das relações verticais às horizontais, isto é, dentro da mesma classe social, para ver em que momento a cor começa a ser um estigma racial e não apenas um símbolo de estatus social" (BASTIDE, 1971, p. 162). O autor apontou que entre os operários as desigualdades de cor permaneciam importantes.

Segundo Telles (2003), o fato de as teses da democracia racial terem sido dominantes durante tantas décadas e persistirem nos discursos atuais indica a existência de algum fundamento na realidade das relações raciais brasileiras. Para levantar provas nesse sentido, Telles analisou a segregação espacial nas grandes cidades brasileiras e as relações matrimoniais interétnicas.

A segregação residencial no Brasil apresenta segregação por regiões e por classe social. Os brancos de classe média e alta convivem muito pouco com negros em seus bairros, excetuando os que ali estão na condição de serviçais. Nos bairros populares, ao contrário, ocorre uma grande probabilidade de contatos inter-raciais. A vizinhança favorece o estabelecimento de relações de amizade e o desenvolvimento de aspectos culturais comuns. Os índices de segregação são baixos se comparados aos dos Estados Unidos.

A segregação espacial dos negros no Brasil seria, comparada com a dos EUA, moderada (TELLES, 2003, p. 180). A exceção apontada é a cidade de Salvador (Bahia), onde ocorre uma divisão espacial muito mais nítida que nas outras cidades brasileiras.

Os casamentos inter-raciais apresentam, no Brasil, índices nada desprezíveis, particularmente se comparados às realidades dos Estados Unidos e da África do Sul. No Brasil, os brancos são 2,6 vezes mais propensos a se casar com brancos. Nos Estados Unidos, os brancos casam-se mais 50 vezes com brancos, ou seja, a possibilidade é quase 20 vezes maior que no Brasil. Na África do Sul, a endogamia é tão forte quanto nos Estados Unidos e os casamentos inter-raciais são raridade.

Não obstante, os casamentos endogâmicos eram (BASTIDE, 1971) e são (TELLES, 2003) prevalentes no Brasil. Em 1960, 87,4% das pessoas eram casadas com alguém do mesmo grupo racial, sendo que em 1991 o índice baixou para 76,9% (TELLES, 2003, analisando dados censitários). Os casamentos inter-raciais são mais prováveis nos grupos de mesma classe social e de escolaridade semelhante (BASTIDE, 1971, TELLES, 2003). Pessoas de pele mais escura muitas vezes trocam seu *status* social e nível de escolaridade nas uniões matrimoniais pela "brancura" do parceiro.

> No mercado matrimonial, a pele mais branca é preferida e pessoas, especialmente mulheres, com pele mais escura são frequentemente rejeitadas. Mesmo quando as barreiras à união inter-racial são superadas, o peso da cor mais escura persiste como desvantagem à questão do matrimônio. (TELLES, 2003, p. 158)

Essas estruturas sociais fazem com que as situações de interação mútua entre brancos e negros, no Brasil, sejam muito mais frequentes que em países como a África do Sul e os Estados Unidos. A socialização inter-racial se dá, portanto, nas interações mais frequentes, no desenvolvimento de relações de amizade, de casamentos e relações amorosas estáveis, de estabelecimento de traços culturais comuns. Mas notemos que tais possibilidades estão perpassadas pela classe social, isto é, são válidas particularmente para os moradores de bairros pobres.

Os resultados sobre casamentos inter-raciais ajudam a problematizar a narrativa do Brasil como "cadinho das raças". Os matrimônios inter-raciais são menos frequentes que o ideário antevê, e obedecem a determinadas regras. Como apontado na discussão sobre ideologia, o mito é muitas vezes utilizado ideologicamente, vinculado, particularmente, com as estratégias de *naturalização, eternalização, narrativização* e *universalização*.

Em estudos sobre relações raciais, encontramos análises sobre o uso ideológico dos mitos em pelo menos dois contextos, o fascismo europeu (em suas expressões alemã e italiana) e o regime do *apartheid* sul-africano. Escobar (1997, 2001) relaciona a criação de mitos de origem com a eclosão do racismo. Um discurso de unificação que se opõe a qualquer possibilidade de diversidade. O autor aponta como os mitos fundadores podem levar à mimesis, à repetição de rituais em que o grupo de pertença é identificado ao humano, e o outro é, simbolicamente, destituído de humanidade. O terror nazista foi um caso. Adolf Hitler projetou no *Mein Kampf* uma velha história que se reconta e que foi fundamento do ódio e da perseguição. Os pregadores da intolerância racial na Europa atual seguem caminho similar: "Em um *totalitarismo narrativo* quase sem via de fuga está perdendo-se o nosso discurso público, e com isso se perde a múltipla riqueza das mil e uma histórias que nos interessam ou deveriam interessar à trama" (ESCOBAR, 2001, p. 7, tradução nossa). Coetzee (1999) apresenta perspectiva análoga ao analisar elementos míticos que deram sustentação à eclosão da ideologia do *apartheid* na África do Sul.

O mito de fundação no Brasil é estruturador de relações cordiais? Ou cumpre o papel de manter a hegemonia no discurso público que tenta apagar as desigualdades? Estamos inclinados à segunda perspectiva, que considera o papel ideológico do mito das três raças, sua atuação *universalizante* e *eternalizante*, que "durante muitos anos forneceu e ainda fornece as bases de um projeto político e social para o brasileiro (através da tese do 'branqueamento' como alvo a ser atingido)" (DA MATTA, 1981, p. 69). A cordialidade está ligada, no mito, à hierarquia, "o branco está sempre unido e em cima, enquanto que o negro e o índio formam as duas pernas da nossa sociedade, estando sempre abaixo e sendo sistematicamente abrangidos pelo branco" (DA MATTA, 1981, p. 82).

Sistema classificatório

Um tema significativo no estudo das relações raciais é a classificação e denominação raciais utilizadas no Brasil. Os estudos sugerem que a classificação racial é sujeita a ambiguidades e influenciada por diversos fatores sociais.

Uma primeira posição defende que a classificação mais utilizada no Brasil é principalmente múltipla, que utiliza uma série de denominações intermediárias, particularmente moreno/a e mulato/a, de modo não preciso e não excludente, usando principalmente elementos de aparência física para a classificação, mas por vezes recorrendo à ascendência (FRY, 1995-1996).

Para esse autor, uma forma diferente e menos importante de classificação seria o modo bipolar. "O modo bipolar e o modo militante têm seu *locus classicus* nos Estados Unidos" (FRY, 1995-96, p. 133). No caso, o modo militante é o bipolar que, para Fry, é inadequado para a realidade brasileira. Nesta, defende o autor, as classificações raciais seriam fluidas, pois utilizam denominações com matizes e pormenores diversos.

Outra perspectiva defende a ocorrência paralela de ambas as classificações. "No Brasil, a raça é um conceito ambíguo, situacional, inconsistente e relacional. Coexistem vários sistemas de classificação. São várias as categorias situadas ao longo de um *continuum* que vai do branco ao preto[10]" (TELLES, 2003, p. 127). Além disso, o autor apresenta dados de variação da classificação racial, influenciada por nível de escolaridade, sexo, idade e região de moradia. Um esquema gráfico apresenta diferentes formas de classificação racial:

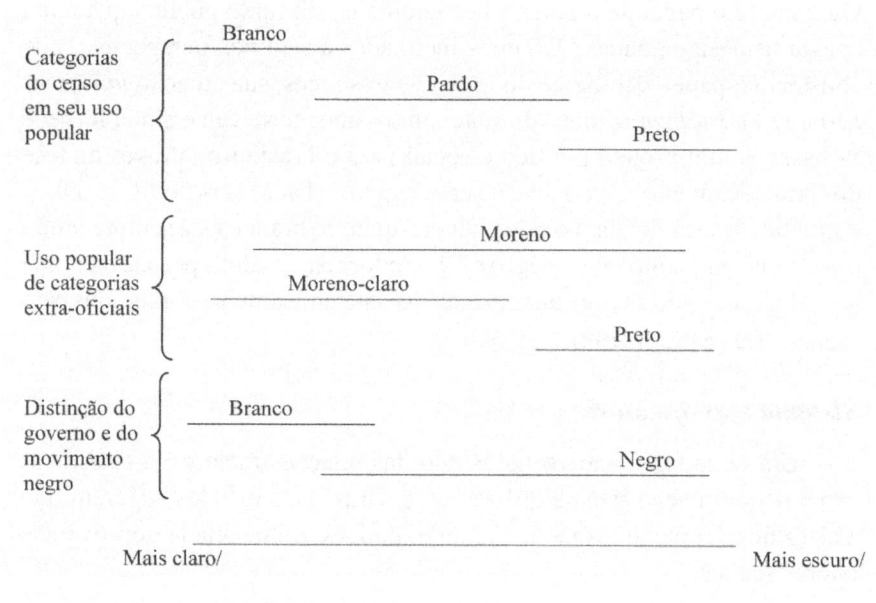

Figura 3 - Usos das categorias raciais no Brasil

Agrupamento	Categorias (do mais claro ao mais escuro)
Categorias do censo em seu uso popular	Branco — Pardo — Preto
Uso popular de categorias extra-oficiais	Moreno-claro — Moreno — Preto
Distinção do governo e do movimento negro	Branco — Negro

Mais claro/ ——— Mais escuro/

Fonte: TELLES (2003, p. 112)

---

[10] O termo cor engloba características como cor da pele, tipo de cabelo, forma do nariz e lábios; equivale ao inglês *race*.

As distintas formas de classificação revelam a complexidade das classificações neste país. Particularmente o termo moreno, bastante usual no linguajar cotidiano, é um termo que serve para classificar um espectro muito grande.

Uma hipótese que tenta explicar o uso das diferentes formas de denominação relaciona-as com as classes sociais (FRY, 1995-1996, p. 131). O modo múltiplo seria utilizado principalmente pelas camadas populares da população brasileira. Para as classes médias urbanas e intelectualizadas, a classificação majoritária seria a bipolar, sendo, para este grupo, "politicamente correta".

O próprio Fry apontou um complicador a essa hipótese, com o intuito de refutá-la. "O termo eminentemente popular 'pessoas de cor' e a expressão 'quem passa de branco, preto é' sugerem que, mesmo entre aqueles que costumam empregar o modo múltiplo, há um recurso bipolar também disponível" (FRY, 1995-96, p. 131). Do nosso modo de ver, esse argumento pode estar relacionado ao aumento do uso da classificação bipolar no País. O uso de frases que apresentam a concepção bipolar, similares às citadas por Fry, foi muito frequente entre os informantes populares de Sheriff (2001): "Olha, só tem duas cores. Branco e preto" (p. 227); "só existe branco e preto, o resto não existe" (p. 227), "Ah, pra mim, preto é aquele que não passou de branco" ou, ainda, "ele tem cabelo duro pra caramba, é negro, né?" (p. 231). São falas de moradores de um "morro" do Rio de Janeiro, quando solicitados a definir cor/raça. Os moradores do local onde a pesquisa foi realizada se utilizaram de vocábulos diversos para a nomeação das cores, de modo inconstante, mas chama a atenção a repetição de falas, nos protocolos, que apresentam a concepção bipolar. Num determinado diálogo, uma entrevistada apresenta uma argumentação que é o retrato fiel do ditado popular citado acima (quem passa de branco preto é). Sheriff pediu a uma informante para confirmar se uma pessoa com pele clara e com cabelo "duro" é negra. A senhora respondeu "É negra" e tomou como exemplo uma amiga presente, de pele clara e "cabelo duro", decretando com uma pergunta: "Não é? Você é branca?". A amiga respondeu: "Não" (trechos da p. 229), e passou a descrever uma situação em que se sentiu discriminada devido à "cor".[11] O estudo de Sheriff (2001) apontou que, em favelas no Rio de Janeiro, o sistema de classificação negro-branco é utilizado e compreendido pela população local. Telles, que propõe como

---

[11] O uso de "cor" como forma de definição racial que engloba, além da cor da pele, outros atributos, principalmente corporais, fora já apontado por Nogueira (1985).

chave de leitura para as relações raciais brasileiras a consideração de sua multiplicidade, afirma que "dados recentes [que] sugerem que o sistema popular de classificação racial no Brasil está se tornando cada vez mais bipolar" (p. 127).

A classificação bipolar (que está na base da FIG. 3), portanto, não é utilizada somente pelo movimento negro e governo, mas também pelas pessoas no cotidiano, e por acadêmicos, em especial por demógrafos que estudaram e estudam as correlações entre indicadores sociais e grupos raciais. Além disso, é uma forma de classificação que está sendo cada vez mais utilizada nos últimos tempos. Os dados da pesquisa realizada em 2003 pela Fundação Perseu Abramo, que replica a maior parte dos dados da pesquisa Datafolha de 1995, são bastante significativos nesse sentido. Na autoclassificação racial espontânea, em 1995, 33% dos entrevistados utilizou a categoria moreno. Em 2003, esse número caiu para 17%. Os que se autoclassificam como pardos foram 6% em 1995 e passaram a 11% em 2003. Ocorreram também aumentos nas categorias preta e negra. Na resposta estimulada, usando as categorias do censo demográfico, ocorreu uma diminuição na categoria branco, de 50 para 46%, um aumento na categoria pardo, de 29% para 33%, e o percentual dos que se declararam pretos foi de 12% em 1995 para 15% em 2003.

Os estudos da Datafolha (1995), Fundação Perseu Abramo (2003) e Telles (2003) apontam que a divisão entre branco e não branco é a mais perceptível, conceitualmente, para os brasileiros. Brancos se classificaram com mais consistência que pardos e estes que pretos, cruzando auto e heteroclassificação.

O uso da classificação bipolar não é uma prática recente. O arquivo do jornal *O Estado de S. Paulo* mantinha, desde a década de 1880, uma variedade de temas, entre os quais "Negros no Brasil" e "Mulatos no Brasil" (ANDREWS, 1998). Em 1988, o arquivo sobre os negros continha três pastas grossas e centenas de artigos. O sobre os mulatos continha oito artigos. "Os jornalistas de São Paulo que escreveram sobre os afro-brasileiros durante o último século tenderam a agrupá-los sob o título de negros; e mesmo quando esses jornalistas distinguiram entre pretos e pardos, os arquivistas de *O Estado* [*de S. Paulo*] continuaram a agrupá-los em uma única categoria de 'negros'" (ANDREWS, 1998, p. 384). É mais uma expressão de convivência entre as duas formas de classificação e aponta para o uso intenso da forma bipolar.

Nos anúncios de empregos em jornais nas décadas de 1930 e 1940, as categorias utilizadas foram se modificando (DAMASCENO, 2000). O termo "de cor" passou a ser o mais comum nos anúncios, ao passo que categorias intermediárias tornaram-se cada vez mais raras. A categoria "mulata" não foi encontrada em qualquer dos anúncios, e "parda" foi raramente utilizada. O termo "boa aparência" apareceu inicialmente como eufemismo da cor/raça de imigrantes do Norte/Nordeste que buscavam empregos, como forma de não declarar seus atributos de mestiços. Mais tarde passou a substituir o termo "de cor" nos anúncios, "como metáfora englobadora da condição racial" (Damasceno, 2000, p. 191). A "cor" e a "aparência" foram associadas a qualidades físicas e morais. Com o passar do tempo, a expressão "boa aparência" assumiu o sentido inequívoco de "só para brancos". A classificação bipolar passou a ser predominante, e seu uso foi difundido para manter o processo de preterição de negros candidatos a empregos, mas de uma forma que não aparentava não ser racializada. Do eufemismo ao tropo como forma de manter uma lógica discriminatória.

Além dos aspectos levantados, notamos a questão de distribuição do poder. As relações "verticais", racialmente hierarquizadas, motivaram e motivam movimentos sociais em busca de melhores distribuições do poder, econômico, político, simbólico. Os estudos sobre desigualdades raciais, particularmente os iniciados a partir do final dos anos 1970, foram primordiais para dar visibilidade à clivagem entre brancos e não brancos no País. Ao desvelar as diferenças de oportunidades sociais para brancos e não brancos, uma consequência política é que "a admissão de sua 'raça', isto é, a percepção racializada de si mesmo e dos outros" (Guimarães, 1995, p. 43) motiva ao antirracismo, à luta contra as desigualdades raciais. Os argumentos de Guimarães, a esse respeito, são contundentes:

> A adoção de uma classificação racial bipolar (brancos e negros, abolindo as categorias intermediárias de "pardo" ou "moreno") parece, portanto, ter uma motivação claramente política. Longe de ser produto de mentes "colonizadas" pelo imperialismo cultural americano ou presas a um racismo arcaico, foi escolha de um movimento que optou por uma luta. (Guimarães, 2002, p. 101)

Neste ponto gostaríamos de levantar uma hipótese que vai além das perspectivas discutidas. As relações raciais no Brasil apresentam características complexas e a ambiguidade é uma marca, e concordamos com as afirmações de que preconceito e não preconceito podem ocupar os mesmos espaços. Nossa hipótese refere-se a quando discursos e atitudes discriminatórias ou não discriminatórias são acionadas. A julgar pela grande disparidade de poder que a população branca mantém no Brasil, os discursos e práticas discriminatórias não são acionados a esmo. Nossa suposição é de que as formas de utilização do sistema complexo de classificação racial seguem determinadas regras (a ordem no caos, de que nos falou Bastide, 1971) e são acionadas em função de manter os negros afastados do poder, de reificar o pressuposto de que no Brasil não há preconceito, "porque o negro sabe o seu lugar"[12]; de manter a lógica da preterição da qual Nogueira (1985) nos informou.

Como afirmaram Camino e colaboradores: "As novas formas do discurso racial têm como objetivo preservar a discriminação racial vigente desde a escravatura, assim como retirar dos cidadãos o sentimento de responsabilidade por esta situação" (CAMINO et al., 2001, p. 32). A análise da literatura levou, no Núcleo de Estudos de Relações de Gênero, Raça e Idade/NEGRI, a levantarmos a hipótese de que a classificação múltipla tem sido utilizada quando não coloca em jogo o poder dos brancos. Isto é, sempre que necessário para utilizar a lógica da preterição, a classificação bipolar é a utilizada.

Exemplificando, em um caso bastante concreto. Um amigo, bailarino, foi diversas vezes tratado, eufemisticamente, como moreno, em situações diversas do cotidiano, que não implicam poder, por porteiro do prédio que lhe tem apreço, vizinhos e conhecidos que querem ser amigáveis, etc. No trabalho, porém, quando em jogo a escolha dos papéis principais de uma montagem do balé, a classificação bipolar foi a utilizada, o "moreno" passou a ser simplesmente "negro". Além da qualidade como bailarino, o fato de ser ou não negro foi significativo para a distribuição dos papéis entre os profissionais da companhia; a classificação bipolar foi utilizada e significou a preterição do bailarino negro para o papel principal da montagem (o que implicou uma reunião para explicação pela diretora, visto que pelo critério técnico ele deveria ser um dos escolhidos para desempenhar o papel principal).

A possibilidade de utilizar uma forma ou outra de classificação estaria subordinada à manutenção das desigualdades raciais e associada à lógica da preterição. Esta, porém, é uma hipótese para a leitura da teoria, não para ser focada neste estudo.

Desigualdades estruturais

Iremos descrever e interpretar desigualdades sociais no Brasil, usando o conceito sociológico de raça como categoria analítica. As pesquisas

---

[12] Ditado popular brasileiro.

sobre desigualdades raciais que analisaram dados macrossociais – perspectiva que se estende desde Florestan Fernandes até a contemporaneidade, com os estudos do Instituto de Pesquisa Econômica Avançada/IPEA preparatórios para a Conferência de Durban – descreveram as enormes distâncias sociais entre os segmentos raciais branco e negro. A melhoria do sistema de coleta e sistematização de dados pelo IBGE possibilitou avanços na análise das desigualdades estruturais. Os próprios indicadores das pesquisas censitárias e das Pesquisa Nacional por Amostra de Domicílios/PNADs apontam as profundas desigualdades raciais no Brasil. Esses dados suscitaram diversas pesquisas. São muitos os indicadores das desigualdades entre brancos e negros no Brasil: distribuição de renda e índices de pobreza, taxas de ocupação e desemprego, distribuição no mercado de trabalho formal e informal, grupos de ocupação, evolução da população, benefício da previdência e assistência social, índices de atendimento e cobertura em saúde, taxas de mortalidade infantil, de trabalho infantil, de trabalho escravo, condições de habitação e saneamento, acesso a bens duráveis, inclusão/exclusão digital, segregação residencial, índice de casamento inter-racial, índices de acesso, permanência e sucesso na educação. São índices que dão resposta unânime sobre a desigualdade racial no Brasil. Apresentamos a seguir alguns dos resultados de análises empreendidas.

    As possibilidades de realização socioeconômica são muito distintas para os grupos raciais, e favoráveis aos brancos, considerando os dados de ocupação, ocupação do pai, região de residência, rendimento, situação do nascimento, nível de instrução e instrução do pai (NELSON DO VALLE; SILVA, 1988). A renda média mensal *per capita* de indivíduos brancos foi 2,4 vezes a renda de negros entre 1995 e 2001 (JACCOUD; BEGHIN, 2002, p. 27 dados na TAB. 1). A distribuição percentual da população por classe de rendimento, conforme dados da PNAD 1996, aponta a quase total ausência de negros nas classes média e alta (TELLES, 2003, p. 188). A mobilidade ocupacional intergeracional é muito distinta para brancos e negros. Os negros têm menores possibilidades de ascensão social, e nos estratos mais altos as dificuldades são ainda maiores. Os (raros) negros nascidos em estratos mais elevados estão mais expostos à mobilidade descendente. As desigualdades no mercado de trabalho, com dados da PNAD 2001, apresentaram significativa diferença entre brancos e negros. Levando em consideração as diferenças de taxas de escolarização, a diferença cai sensivelmente, mas continua significativa (JACCOUD; BEGHIN, 2002, p. 30-31).

Do ponto de vista empírico, é facilmente constatável a precária situação de vida dos afrodescendentes brasileiros, visivelmente confinados nos piores empregos, situação de escolaridade, condições de habitação e, por isso mesmo, especialmente expostos à violência. Tais evidências, quando postas sob a fira luz dos indicadores e dados estatísticos, ficam absolutamente confirmadas. (PAIXÃO, 2003, p. 94)

Emprestamos a conclusão de estudo de Paixão (2003), que, comparando o Índice de Desenvolvimento Humano (IDH) da população branca e da população negra brasileira, observou diferença significativa, consistente e com tendência a se manter acentuada: IDH da população branca de 0,791 em 1997 variou a 0,805 em 1999, da população negra de 0,671 em 1997 variou a 0,691 em 1999 (PAIXÃO, 2003, p. 82).

Além disso, selecionamos alguns indicadores sociais para ilustrar as desigualdades, um de renda, um de desemprego, um de saneamento e três de educação (TAB. 2). Todos os índices se comportam de forma semelhante em relação aos grupos raciais branco e negro, com diferenças significativas e que persistem no decorrer dos anos.

Tabela 2 - Indicadores selecionados de desigualdade racial, para brancos e negros, 1995-2001

Cor Ano	1995	1997	1999	2001
Renda média por cor e ano (em R$ de janeiro de 2002)				
Brancos	481	494	472	482
Negros	201	205	200	205
Taxas de desemprego				
Brancos	3,7	5,3	6,6	6,4
Negros	4,4	4,9	6,0	5,6
Proporção da população residente em domicílio particular com abastecimento de água				
Brancos	91%	92%	93%	93%
Negros	75%	79%	82%	82%
Anos médios de estudo				
Brancos	6,2	6,4	6,6	6,9
Negros	3,9	4,1	4,4	4,7

Tabela 2 - Indicadores selecionados de desigualdade
racial, para brancos e negros, 1995-2001 (cont.)

Cor	Ano	1995	1997	1999	2001
Taxas de analfabetismo					
Brancos		09%	09%	08%	08%
Negros		23%	22%	20%	18%
Taxas de distorção série-idade no ensino fundamental					
Brancos		33	33	29	25
Negros		57	56	51	45

Fonte: JACCOUD; BEGHIN (2001)

No que se refere à educação, os resultados das pesquisas apontam grande desvantagem da população negra em relação à branca. Ocorreu um aumento gradativo de anos de estudo na população brasileira, mas as diferenças entre brancos e negros praticamente se mantiveram (TAB. 2). O mesmo ocorreu com as taxas de analfabetismo, que diminuíram no total e se mantiveram as diferenças. Para as taxas de distorção idade-série, o período mais recente aponta pequena diminuição na diferença entre brancos e negros (TAB. 2).

As acentuadas desigualdades educacionais foram analisadas por estudos diversos (HASENBALG, 1987; HASENBALG; SILVA, 1990; ROSEMBERG, 1998; JACCOUD; BEGHIN, 2002; PAIXÃO, 2003). Em todos os níveis de ensino, as desigualdades são significativas e aumentam exponencialmente nos níveis de ensino mais elevados (HASENBALG, 1988, p. 136). No final dos anos 1990, as diferenças mantiveram-se acentuadas (PAIXÃO, 2003, p. 85). A comparação do desempenho escolar de crianças negras e brancas, com mesmo nível de renda familiar e de participação no mercado de trabalho, aponta o atraso escolar significativamente maior entre os negros (ROSEMBERG, 1998), o que leva à conclusão de que o sistema de ensino discrimina a população negra.

A expansão do sistema de ensino utilizou critério discriminatório, conforme aponta Rosemberg (2000). A produção da desigualdade inicia-se na educação infantil, com desigualdades de custeio, de nível educacional dos profissionais, de condições gerais de atendimento: "A socialização de crianças pobres e negras para a subalternidade se inicia no berçário [...] onde as crianças vivem rotinas de espera" (ROSEMBERG, 2000, p. 149). Além disso, classes de educação infantil de baixo investimento governamental foram utilizadas como alternativas para crianças pobres e negras, pois alunos de idade superior a sete anos foram mantidos nesse nível de ensino (ROSEMBERG, 1998, 2000). As políticas de expansão da educação infantil imprimiram, contraditoriamente, um componente de discriminação racial.

Comparando o nível médio de anos de estudo de diferentes grupos raciais, com dados da PNAD 1976 (SILVA, 1988), a diferença entre brancos e não brancos, de mesma faixa de renda, era de 1,6 anos. Considerado o *background* familiar, os anos de estudo e a ocupação dos pais, essa diferença recuaria em 0,9 anos. Os 0,7 restantes (cerca de 40% da diferença entre os grupos) foram atribuídos ao "tratamento desigual que os não brancos recebem ao longo do processo educacional" (SILVA, 1988, p. 159). Comparando os anos de estudo de alunos brancos e negros, de 1900 a 1976, com dados dos censos e PNADs, Jaccoud e Beghin (2002) encontraram uma diferença média de 2,27 anos de estudo. Simulando o *background* familiar como similar, a diferença diminuiu em 0,84 anos (GRAF. 1). Isso significa que os restantes 1,43 anos (63% da diferença total) estiveram diretamente vinculados à discriminação racial realizada nas escolas (JACCOUD; BEGHIN, 2002, p. 34-35).

Gráfico 1 - Média de anos de estudo segundo cor ou raça e corte de nascimento para nascidos entre 1900 e 1965

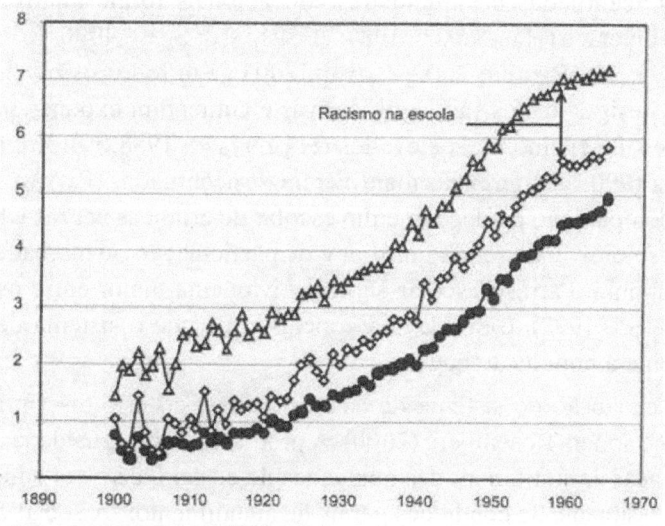

Fonte: JACCOUD; BEGHIN, 2002, p. 34

Foi realizada a comparação entre desempenho educacional de irmãos de cor diferente (irmãos brancos comparados com seus irmãos pretos ou pardos), e os dados apontam na mesma direção. Irmãos brancos apresentaram maior propensão que seus irmãos negros a estarem na série apropriada para a sua idade, conforme análise de dados do censo de 1991 (TELLES, 2003, denominou as tabulações de "teste máximo"). As irmãs negras apresentaram diferença de desempenho de suas irmãs brancas, embora menor que no caso dos irmãos. As diferenças evidenciam a importância da variável raça, uma vez que irmãos possuem, em geral, a mesma classe social, família, moradia e outros fatores de capital social ou cultural.

É discurso comum a atribuição das desigualdades raciais às condições de origem. Por exemplo, as diferenças de rendimento atuais seriam devidas às diferenças de grupo de ocupação e renda quando da Abolição da Escravatura, que se reproduziram de geração em geração até nossos dias. Hasenbalg (1988) frisa que tais explicações desconsideram que a maior parte da população negra exercia o trabalho livre quando foi assinada a Lei de Abolição da Escravatura. Além disso, as desigualdades entre negros e brancos não se devem somente a diferenças no ponto de partida, mas principalmente a diferenças de oportunidades de ascensão social após a abolição e ao racismo dirigido aos negros (HASENBALG, 1988; NELSON SILVA, 1988; JACCOUD; BEGHIN, 2002). A "herança da pobreza" é condição necessária mas não suficiente para explicar a pobreza atual das famílias negras (NELSON SILVA, 2000). A distinta mobilidade social, processo pelo qual pessoa de origens sociais/familiares diferentes é alocada em posições distintas na hierarquia social, é possível explicação para as desigualdades entre os grupos raciais. A mobilidade ocupacional é muito favorável aos indivíduos brancos. A hipótese, à qual os dados de Nelson Silva (1988; 2000) dão suporte, é de que as desigualdades raciais brasileiras são produzidas em ciclos de desvantagens cumulativas, de funcionamento intergeracional. A mobilidade social e a aquisição de renda são dois elos dessa corrente, que se completa com outras características socialmente relevantes, em primeiro plano educação, e outras tais como saúde e moradia. São diversos fatores pelos quais as desvantagens no ciclo vital dos indivíduos negros se acumulam (NELSON SILVA, 2000).

As explicações sobre as desigualdades educacionais trabalham com um gama ampla de fatores. Um primeiro fator explicativo é a diferença entre as escolas frequentadas por negros e brancos, que Hasenbalg (1987) nomeou como diferença no recrutamento. As escolas de locais onde a população apresentava rendimentos mais baixos eram as que recebiam menor aporte de verbas. O custo-aluno variava de US$ 28,5 no Nordeste rural a US$ 197,2 no Sudeste urbano (ROSEMBERG, 1998, dados do Ministério da Educação de 1990), o que determinava que as escolas fossem não escolas para carentes, mas as próprias "escolas carentes". Os dados demográficos indicaram que os negros do Estado de São Paulo frequentavam, preferencialmente, a rede pública de ensino, cuja qualidade tende a ser inferior à da escola privada. Quando estudavam na a rede privada, os negros ocupavam principalmente os cursos noturnos, que também apresentam tendência à qualidade inferior. Além disso, as escolas de 1º grau que frequentavam tinham menor número de horas diárias de aula, fator que se sobrepunha a outras carências, como tamanho da escola e número de turnos. O fato de os negros estarem em maior proporção nas "escolas carentes" explicaria as desigualdades de aproveitamento dos grupos raciais. Escolas que atendiam alunos de classe média apresentaram, conforme dados de Dias (*apud* HASENBALG, 1987), índice de sucesso entre 80% e 90%, e as que atendiam alunos pobres apresentaram um fracasso entre 60% e 70%. Alunos de classe média estudando em escolas pobres tiveram pior rendimento, e alunos pobres estudando em escolas de classe média tiveram melhor rendimento. As escolas de classe média foram designadas como lugares de "otimismo educacional", e que influencia os resultados positivos; as escolas para pobres, ao contrário, foram designadas locais da "ideologia da impotência" (HASENBALG, 1987; ROSEMBERG, 1998; TELLES, 2003, p. 238. Os dois últimos autores descrevem o fenômeno com o conceito de profecia autorrealizadora). Os alunos negros apresentam a tendência de frequentar escolas onde reina a "ideologia da impotência". Assim, a seletividade é iniciada pelo recrutamento do alunado negro para essas escolas.

    Outra pista para a discriminação imputada aos alunos negros é a segregação espacial (ROSEMBERG, 1998; TELLES, 2003). É plausível a hipótese de que as famílias negras de melhor nível socioeconômico tendem a ocupar espaços destinados a camadas mais baixas da população, para diminuir as possibilidades de serem discriminadas, embora faltem dados mais concludentes sobre a distribuição espacial e a utilização dos equipamentos escolares (ROSEMBERG, 1998).

    Correlatas a essas, estão as estratégias utilizadas por famílias de negros para a socialização de seus filhos. Membros da classe média negra, por vezes, retardam as experiências de enfrentamento de discriminação racial, protegendo as crianças antes de sua entrada na escola. Esta passa a ser o *locus* das primeiras situações de conflitos raciais, e podem criar nessas crianças reações ambíguas em relação à escola, que é local de discriminação e ao mesmo tempo possibilidade de ascensão ou manutenção do nível socioeconômico (BARBOSA, apud ROSEMBERG, 1998).

A discriminação racial atua no nível macro, com a implantação de políticas que supostamente seriam de equalização de oportunidades, mas que paradoxalmente promovem a formação de "guetos sociorraciais" (ROSEMBERG, 2000, p. 150). No nível micro continua operando o "pessimismo racial", como aponta a retenção de alunos negros com mais idade superior a 7 anos na educação infantil.

O preconceito educacional dentro das escolas foi explicação para as desigualdades, fornecida por estudos diversos, tanto os anteriormente relatados, que analisaram macrodados, quanto os que analisaram questões no interior da escola. As relações raciais nas escolas continuam pautadas, por vezes de forma aberta, pela imputação aos negros de impossibilidades intelectuais, por hostilidades, por desqualificação da identidade racial (GONÇALVES, 1987; FIGUEIRA, 1990; PINTO, 1992). O uso de ofensas raciais entre os pares foi, em um contexto de educação infantil, frequente (CAVALLEIRO, 1999). Em escolas determinadas, professores apresentaram uma visão predominantemente estereotipada a respeito dos alunos, dificuldade em lidar com a heterogeneidade de raça e de classe e reforço da crença de que os alunos pobres e negros não são educáveis (HASENBALG, 1987). Os brancos em geral não reconhecem como iguais (portanto discriminam) negros que ascenderam racialmente, e o mesmo pode ocorrer na escola (ROSEMBERG, 1998), com a população negra sendo nivelada pelo critério racial. A pertinência racial nivelaria as possibilidades de acesso, permanência e sucesso nas redes de ensino.[13]

Por vezes as discriminações podem se manifestar de formas mais indiretas ou sutis. Um estudo em escola de educação infantil revelou que professores mantinham maior proximidade física com alunos brancos, mais elogiados que as crianças negras, e que ignoravam atos discriminatórios entre os alunos (CAVALLEIRO, 1999).

Outra forma de manifestação não direta de discriminação é a centralidade dos currículos em perspectiva eurocêntrica (simbólico), que valoriza os aspectos de origem e influência da Europa, tomada como *locus* da civilização. Paralelamente, os legados de outras origens são desconsiderados e/ou

---

[13] A discriminação não atinge somente alunos, mas também professores negros, como relatado nos dados de Rofino (1996) sobre a percepção de discriminação na prática do magistério por professores negros.

desvalorizados. O movimento negro e pesquisadores negros mantêm como uma de suas reivindicações no campo da educação o ensino de história e cultura afro-brasileiras como forma de adequar o tratamento do patrimônio cultural negro nos currículos, e de dar visibilidade ao negro na sociedade brasileira.[14] "Em uma análise sobre as manifestações da discriminação racial, na escola, é preciso que se atente não só para o que se transmite, mas para o que se impede de transmitir" (GONÇALVES, 1988, p. 61). Uma questão importante, portanto, para a compreensão do racismo na escola brasileira é o **silêncio** (GONÇALVES, 1987). Tanto sobre a particularidade cultural da população negra, quanto sobre os processos de discriminação, o silêncio atua como mecanismo que permite ocultar as desigualdades.

A invibilização do negro, a difusão de um imaginário negativo em relação ao negro e dos significados positivos em relação aos brancos é estratégia de discurso racista observada como forma de discriminação no interior das escolas, via livros didáticos e literatura infantojuvenil (PINTO, 1992; ROSEMBERG 1998, TELLES, 2003), atuante também em diversos espaços sociais, notadamente nos meios midiáticos. Passemos à discussão de resultados de pesquisas sobre o discurso racista no Brasil, o que se articula diretamente aos objetivos desta pesquisa.

Desigualdades no plano simbólico

O discurso racista brasileiro adotou desde muito a estratégia de negação aparente. Em geral apresenta-se primeiro por afirmação de valores ou posição antirracista, com o intuito de fazer-se respeitável. O que segue são posições discriminatórias, às vezes sutis, outras nem tanto. Na segunda metade do século XIX, tanto abolicionistas quanto defensores do regime escravocrata usavam de tais estratégias (a ideia do Brasil como um país sem preconceito racial era compartilhada por toda a elite brasileira, na segunda metade do século XIX, descreve SKIDMORE, 1976, p. 39). O "novo racismo" ou "racismo culturalista" que eclodiu na Europa e nos Estados Unidos nas últimas décadas utiliza-se de estratégias semelhantes. Após a Segunda Guerra Mundial, o preconceito racial na Europa passou a ter uma conotação mais próxima da que tem no Brasil, avaliado negativamente e, portanto, devendo ser mimetizado ao máximo. Na pretensão de serem considerados democráticos e respeitáveis, os discursos negam, em primeiro plano, que sejam racistas. Grupos brancos, europeus e norte-americanos

---

[14] Ver particularmente as publicações do Núcleo de Estudos Negros/NEN, por exemplo Lima e Romão (1997).

buscaram desenvolver estratégias de poder que resultassem aceitáveis ao máximo e que evitassem conflitos abertos e resistência (VAN DIJK, 1994, p. 24; WIEVIORKA, 2000, p. 25).

No Brasil, várias pesquisas têm se voltado a descrever e interpretar as desigualdades no plano simbólico ou discursivo. Os discursos, no geral, negam a existência de discriminação racial e procuram disfarçá-la, buscam reiterar os ideários da democracia racial e da fábula das três raças, reafirmando estereótipos racistas, grande parte das vezes de forma indireta. Em geral o tratamento discriminatório não é direto, mas implícito. Apresentamos a seguir uma síntese de estudos por veículos analisados: literatura e cinema, mídia impressa e televisiva, literatura infantojuvenil.

LITERATURA (E CINEMA)

A literatura foi o meio discursivo em que localizamos a maior diversificação de estudos, com pluralidade de perspectivas teóricas e de propostas de análise. Possivelmente, influenciado pelo fato de que:

> O alvo central do protesto cultural dos afro-brasileiros no final dos anos 40 era a imagem dos negros, representada na literatura. Ela não só desprezava seus segmentos étnicos, como também, reforçava o papel de assujeitamento a que foram submetidos. (GONÇALVES; SILVA, 1998, p. 87)

A intenção, neste momento, não é fazer análise desta diversidade de pesquisas e ensaios. Estaremos nos referindo a um número limitado de estudos, particularmente aqueles que se propuseram a analisar o discurso racista na literatura com uma visão panorâmica (BROOKSHAW, 1983; PROENÇA FILHO, 2004) e indicaram estereótipos recorrentes e importantes no discurso racista brasileiro. O discurso racista no cinema foi, ao contrário, tema raro na pesquisa (um único livro e um único artigo, ambos do mesmo autor). Os estereótipos mais comuns, descritos por Rodrigues (1988), são baseados em personagens da literatura, da qual o cinema constantemente se alimenta. Por isso optamos por apresentar os estereótipos apontados nos estudos sobre literatura, acompanhados de algumas características correlatas captadas no cinema.

Um primeiro estereótipo diz respeito ao "bom crioulo", descendente do "escravo fiel" do romance abolicionista (BROOKSHAW, 1983). As principais características são a subserviência e fidelidade aos senhores/patrões. Aliadas ao caráter servil e resignado, são apresentadas a capacidade para o trabalho árduo e a dependência do paternalismo do branco. É o caráter de sujeição do "negro que sabe o seu lugar", isto é, que reconhece e se sujeita ao espaço da subalternidade a ele destinado na sociedade, chamado "negro de alma branca", comum também no cinema (RODRIGUES, 1988).

Tais características de servis influenciaram as representações da "mãe preta" e do "preto velho". A recorrente "mãe preta", sofredora e conformada, via de regra se dedica integralmente a uma família branca. O correspondente "preto velho" é, em geral, apresentado como passivo, conformista[15] e supersticioso. Essas características, tanto na literatura (BROOKSHAW, 1983) quanto no cinema (RODRIGUES, 1988), acabaram por sobrepujar a dignidade e a sabedoria dos contadores de história da tradição afro-brasileira.

O "escravo nobre", que vence por sua persistência, após muita humilhação e sacrifício, por vezes agrega características acima citadas (PROENÇA FILHO, 2004, p. 160). A nobreza de caráter identifica-se com a aceitação da submissão, associando-se a outra característica estereotipada, a do "negro vítima", caráter frequente na literatura abolicionista como objeto de idealização e pretexto para a exaltação da liberdade, em geral à custa de assimilação aos ideais de comportamento do grupo racial dominante, da figura moral *branqueada*, sem especificidade cultural e psicológica do negro (PROENÇA FILHO, 2004). A literatura oral forneceu matéria-prima para a criação de tais "mártires", a exemplo das figuras da escrava Anastácia e do Negrinho do Pastoreio (RODRIGUES, 1988), que foram submetidos às mais cruéis torturas pelo sadismo dos senhores. O mártir tornou-se figura certa nos filmes brasileiros sobre a escravidão.

Outro estereótipo digno de nota é do "negro revoltado", violento, cruel e rebelde, que apresenta características determinadas pela sua condição de "selvagem", de proximidade com a brutalidade da natureza. É o "escravo algoz" (BROOKSHAW, 1983) ou "escravo demônio" (PROENÇA FILHO, 2004), encarnação do mal, que, em geral, funciona na narrativa como contraponto ao herói. É psicologicamente instável e ressentido socialmente, e muitas vezes vingativo. No cinema encontra correspondência no negro politizado e no militante revolucionário (RODRIGUES, 1988). Também no cinema adquiriu, por vezes, o caráter duplo do "bom crioulo", em personagens que apresentaram "duas-caras", marcados como um espelho em negativo, ao mesmo tempo bons e perversos.

---

[15] Numa citação de romance transcrita por Brookshaw (1983, p. 61), um preto velho manifesta saudosismo em relação à "felicidade do cativeiro".

O estereótipo do "malandro" agrega algumas de suas características. Na maior parte das vezes representado pelo "mulato", é ambivalente, instável, esperto, erótico, e por vezes violento.

O erotismo é outro componente que gerou estereotipia. Os homens brancos construíram uma imagem de que o negro é puramente instintivo, mais potente e sexualmente insaciável (BROOKSHAW, 1983). Associado à violência, personagens nos quais muitas vezes se encontram o caráter de amoralidade, volúpia, corrupção e depravação. É o negro para quem o branco dirige seus temores paranoicos (BROOKSHAW, 1983, p. 136). O "negro pervertido" é promíscuo e representa insegurança e medo ao homem e à mulher branca. Em circunstâncias específicas, pode adquirir identidade homossexual (RODRIGUES, 1988; PROENÇA FILHO, 2004).

No modernismo, algumas das características estereotipadas foram aglutinadas para representar o brasileiro. O "herói sem caráter" Macunaíma é amoral, dado a excessos sexuais, obsceno. É também indolente e padece como "criatura ilógica", característica comum ao primitivismo da literatura modernista. Apresenta, além disso, características positivas do "caráter mestiço brasileiro": a generosidade, o gosto ingênuo de viver, o ímpeto da alma e exuberante cordialidade (BROOKSHAW, 1983, p. 86).

A volúpia e a sensualidade "natural" são atribuídas também à "mulata sensual", uma caracterização estereotipada bastante comum. Encarna as fantasias sexuais do homem branco: lasciva, espontânea, irreverente, disponível para a relação sexual. Sua voluptuosidade e sensualidade muitas vezes chegam à amoralidade, à depravação. No cinema, é a "mulata boa", figura arquetípica que reúne as qualidades das orixás Oxum (beleza, vaidade, sensualidade), Iemanjá (altivez, impetuosidade) e Iansã (ciúme, irritabilidade) (RODRIGUES, 1988, p. 26).

Outro estereótipo recorrente, de determinada importância, é o do negro infantilizado. Dotado de certa ingenuidade, tem alguma inspiração no Arlequim da *Commedia dell'Arte*, travesso, vive a fazer confusões e trapalhadas. No cinema raramente é personagem principal, em geral é contraponto para um ator branco (RODRIGUES, 1988). Os personagens estereotipados por vezes são crianças, os "moleques", os "pivetes de rua", futuros malandros, muitas vezes "endiabrados".

Um estereótipo menos frequente é o do negro desprezível, fisicamente repulsivo. Com as perspectivas racistas do início do século XX, que acreditavam na degenerescência causada pela miscigenação, as características foram imputadas ao caboclo, dito rude, degenerado, fraco física e moralmente, denominado pejorativamente até de "leproso social" (BROOKSHAW, 1988).

O "nobre selvagem", o herói negro exibe características de dignidade, respeitabilidade e força de vontade, anotadas por Pierre Verger para o orixá Oxalá jovem (RODRIGUES, 1988). Não é conformista e pode recorrer à violência se necessário. Os exemplos no cinema são personagens dos filmes *Ganga Zumba* e *Quilombo*.

Dois outros estereótipos anotados por Rodrigues (1988) são o "favelado", arquétipo ainda não totalmente codificado. É honesto e trabalhador, sambista nas horas vagas, humilde e amedrontado; e a "musa", "pouco comum na arte nacional" (RODRIGUES, 1988, p. 28), que apresenta dignidade de grande dama, doçura, meiguice, muitas vezes representa a bondade e pureza em um meio miserável, rude e perverso.

Além do recurso aos estereótipos, é necessária a análise dos papéis que os personagens representam nas tramas. Diversos autores, mesmo bem-intencionados, acabam reafirmando as discriminações raciais, não conseguindo escapar ao ideal estético do branqueamento. Exemplo apontado por Brookshaw é o herói negro Balduíno (do *Jubiabá* de JORGE AMADO), altivo, pleno de vitalidade e espontaneidade, lascivo, mas que ao final "aceita sua própria inferioridade diante da mulher branca" (BROOKSHAW, 1983, p. 136) e acaba escravo da beleza branca de Lindinalva. Os sentimentos de inferioridade, aliás, são constantemente atribuídos pelos escritores brancos aos personagens pretos e "mulatos".

Alguns autores chegaram a ultrapassar as barreiras dos estereótipos, mas ainda com visões distanciadas, sem assumir uma literatura do negro como sujeito (PROENÇA FILHO, 2004). É um processo de busca de uma estética negra, fruto, particularmente, da reflexão de intelectuais negros, que propuseram uma literatura consciente da negritude, afirmativa do orgulho racial dos negros. Luís Gama é apontado como precursor (BERND, 1988), e Lima Barreto como continuador dessa busca (PROENÇA FILHO, 2004). O exercício da literatura adquire um sentido engajado, vinculado aos movimentos de afirmação do negro, voltado para a singularização cultural. A poesia negra, para Brookshaw (1983), foi o real movimento literário que deu singularidade ao negro no Brasil, embora o autor aponte algumas obras em prosa que o realizaram.

O pertencimento racial do autor por vezes foi tomado como condição (necessária, mas não suficiente) para a proposição de uma *Literatura Negra*, voltada para os problemas do negro na sociedade brasileira (IANNI, 1988,

p. 209). Moura (1980) propôs como tarefa dessa literatura a busca de um *ethos* cultural nas raízes africanas, que seja base para a afirmação da cultura afro-brasileira. Para Bernd (1988) "o fator que se constitui no divisor de águas é o surgimento de um eu-enunciador, que revela um processo de tomada de consciência de ser negro entre brancos" (1988, p. 26). Para a autora, a *Literatura Negra* persegue a reversão da situação na qual a cor negra é percebida como estigma, baseada na proposta de um eu-que-se-quer-negro, que se funde em um nós, coletivo e, sobretudo, busca a adesão na capacidade interpretativa do leitor.

Em definição na qual o determinante é o fato de ser uma literatura que tematiza a alteridade do negro, Proença Filho propõe uma dupla acepção de *Literatura Negra*:

> Em sentido restrito considera-se negra uma literatura feita por negros ou por descendentes assumidos de negros e, como tal, reveladora de visões de mundo, [...] de modos de realização que, por força de condições atávicas, sociais e históricas condicionadoras, caracteriza-se por uma certa especificidade, ligada a um **intuito claro de singularidade cultural**. *Lato sensu*, será negra a arte literária feita por quem quer que seja, desde que **centrada em dimensões peculiares aos negros** ou aos descendentes de negros. (PROENÇA FILHO, 2004, p. 185, grifos nossos)

MÍDIA IMPRESSA E TELEVISIVA

Sobre jornais, encontramos um limitado número de estudos[16] (CONCEIÇÃO, 1995; 2001; FERREIRA, 2001; GUIMARÃES, 1995-1996; GUIMARÃES, 1997; MENEZES, 1998; SCHWARCZ, 1987) e parte significativa focada nos discursos de jornais durante o centenário da abolição (GOMES, 1989; BARCELOS, 1991; FERREIRA, 1993).

No caso de revistas, somente localizamos alguns estudos que trataram da publicidade nesse meio (MARTINS, 2000; D'ADESKY, 2001) e cujos dados são bastante similares aos dos jornais. Os estudos que analisamos sobre mídia escrita focalizam as representações sobre o negro e, em geral, não problematizam o branco.

Os estudos revelam a permanência, em jornais, de estereótipos encontrados no século XIX (SCHWARCZ, 1987) e observados até a atualidade: a correlação com profissões inferiorizadas (MARTINS, 2000); o negro das ocorrências policiais (FERREIRA, 1993; CONCEIÇÃO, 1995; AJZENBERG, 2002);

---

[16] Para esta análise, não trabalhamos com os estudos acerca da "imprensa negra".

o negro violento (FERREIRA, 1993); o negro centro das notícias escandalosas (FERREIRA, 1993; CONCEIÇÃO, 1995); o uso de metáforas pejorativas sobre o negro (MENEZES, 1998). Nas editorias policial e de esporte, em termos de referencialidade linguística, o negro figurou como agente da ativa, ao passo que nas demais e nos editoriais foi retratado com o uso de agente da passiva (FERREIRA, 1993). De forma análoga, na publicidade em revistas, constatamos alto índice de representação do negro como paciente, nesse caso de ações sociais (MARTINS, 2000). Paralelamente a essa *passifização*, os estudos apontam a *diferenciação*, manifesta pela priorização, nos textos jornalísticos, dos aspectos exóticos de personagens negras (CONCEIÇÃO, 1995, GOMES, 1989).

O branco foi apresentado como representante *natural* da espécie. Além disso, negros foram, em geral, colocados na situação de outro, ao mesmo tempo em que os textos do jornal se referem a um leitor supostamente branco. No decorrer do tempo, foi observado aumento de personagens negros nos jornais (CONCEIÇÃO, 1995) e nas revistas (MARTINS, 2000), mas relacionado, em jornal, à editoria policial (CONCEIÇÃO, 1995) e em revistas a eventos esportivos (MARTINS, 2000). Ou seja, o aumento foi circunscrito a situações de estereotipia em relação ao negro.

Os jornais e a publicidade em revistas veicularam discursos marcados por contradições. Por um lado, deixaram transparecer estereótipos e discurso que consolidava as estruturas de poder. Por outro, funcionaram como canais de denúncia de discriminação (BARCELOS, 1991; FERREIRA, 1993; CONCEIÇÃO, 1995; GUIMARÃES, 1995-1996; GUIMARÃES, 1997; D'ADESKY, 2001). O discurso antirracista passou a figurar de forma mais significativa em textos de jornais, segundo Guimarães (1995-1996), em função de que, decorridos 30 anos das denúncias de Florestan Fernandes, os brasileiros começaram a assumir o seu racismo. Por exemplo, em cartas de leitores negros publicadas, foi recorrente a queixa sobre o uso de palavras raciais (de cor, tais como *negro, preto* ou *escuro*) com sentido pejorativo ou negativo. O discurso antirracista pode estar relacionado com estratégias de interesses mercadológicos de jornais, com o intuito de mostrar-se politicamente correto, visando ao incremento de vendas para públicos determinados, e sem significar que o "discurso racial hegemônico" tenha sido abandonado (CONCEIÇÃO, 2001, p. 27).

Nos jornais, o vocabulário racial apresentou ambiguidades e incoerências, e a cor foi correntemente utilizada para informar sobre raça (FERREIRA, 1993). Por outro lado, a leitura atenta dos jornais também apontou que essas queixas foram sistematicamente negadas ou desdenhadas por brasileiros brancos e letrados: "Poderemos ver que o maior obstáculo à luta antirracista no Brasil continua sendo a invisibilidade do próprio racismo para os brasileiros brancos" (GUIMARÃES, 1995-1996, p. 91). Além disso, Menezes (1998) observou o uso corrente, em textos jornalísticos, de metáforas que legitimam a inferioridade racial do negro.

Na televisão, diferentemente dos jornais impressos, o questionamento do mito da democracia racial parece não ter sido incorporado. A televisão brasileira tem reduzido a percepção social da discriminação racial (COSTA, 1988; LESLIE, 1995). Repetem-se os estereótipos do negro ligado particularmente ao futebol, carnaval e noticiários policiais (COSTA, 1988). Os negros, que representam quase a metade da população do País, são apresentados em menos de 10% do tempo em programas e publicidade televisiva (HASENBALG, 1988, com índice de somente 3% de negros em publicidade televisiva; LESLIE, 1995; ARAÚJO, 2000a; OLIVEIRA, 2004). A telenovela tem tematizado questões sociais relevantes, mas, no que se refere à questão racial manteve uma postura afastada, pois o tema não entrou para sua agenda. Essa omissão revela a insistência em não admitir a existência do racismo no Brasil (ARAÚJO, 2000a; OLIVEIRA, 2004). Leslie (1995) conclui que a televisão brasileira ajuda a sustentar o mito da democracia racial, negligenciando o contexto em que vivem os negros brasileiros, desfavorável política, econômica e socialmente. Nenhum programa televisivo que examinasse ou problematizasse com seriedade as condições da população negra brasileira foi observado (LESLIE, 1995). A alta exposição à televisão apresentou correlação positiva a crenças no mito da democracia racial: respostas a perguntas relacionadas à discriminação racial, por espectadores com exposição maciça à televisão, em comparação com aqueles que têm exposição "leve", apresentaram diferenças significativas (LESLIE, 1995).

Em programas humorísticos, foram observadas contradições nos discursos, similares às anteriormente relatadas na imprensa. Por um lado, um programa então com 35 anos (Os Trapalhões) tratava de forma estereotipada e discriminatória o negro. Por outro, um programa de inovação humorística (Programa Legal) apresentava expressões positivas da estética negra (SANT'ANA, 1994), porém sem deixar de apresentar ambiguidades.

A telenovela, além de repetir os resultados da televisão em geral, diminuindo a presença negra ao máximo e reduzindo aos papéis estereotipados[17], nem mesmo defendeu a mestiçagem brasileira (ARAÚJO, 2000a). A

---

[17] Para Sodré (1999) esta opção é suscitada pela necessidade de negação do racismo doutrinário e recalcamento de aspectos identitários positivos de origem negra.

família negra praticamente não foi retratada, como os negros de classe média ou ocupando posição social valorizada. Além da pequena disponibilidade numérica, baixa proporção e associarem-se a personagens subalternos (detectado por Costa, 1988, que chamou de "síndrome do empregado doméstico", e por Hasenbalg, 1988, em anúncios televisivos, que o autor afirma ter a finalidade de discurso delimitador do "lugar apropriado" ao negro na sociedade), os papéis para os atores negros eram quase invariavelmente menores, com reduzida importância na trama (COSTA, 1988; D'ADESKY, 2001; ARAÚJO, 2000b).

Entre as décadas de 1960 e 1990, Araújo (2000a) observou o aumento da diversidade de papéis sociais desempenhados por negros e alguns casos de famílias negras de classe média. Mas foram mantidos a sub-representação de negros, os estereótipos, o grande número de papéis de empregadas domésticas e de "capangas" e "jagunços" para atores negros. A representação de papéis não estereotipados e a família negra convivem com artifícios como: o reforço do ideal de branqueamento, a atribuição de racismo aos negros, a apresentação de personagens resignados com a discriminação racial.

Em todo o período analisado, caso a sinopse elaborada pelo autor não determinasse que deveria ser um ator negro, a tendência invariável foi escalar um ator branco, o que revela a adoção da condição de branco como norma *naturalizada* no processo de produção das telenovelas. A presença de atores negros nos papéis principais, de protagonistas ou antagonistas, praticamente inexistiu (da década de 1960 à de 1990). Foram raríssimas exceções e em nenhuma novela da principal produtora, a Rede Globo de Televisão. Em 2004, a Globo lançou uma novela tendo uma atriz negra no papel principal. Embora com um incremento de atores negros, estes continuaram sub-representados. O título da novela, "A cor do pecado", associou a mulher negra e a protagonista com o estereótipo da sensualidade pecaminosa. A análise dos papéis do círculo de relações da protagonista revelou outras estereotipias (OLIVEIRA, 2004). Um personagem com quem a protagonista se relacionou representou o estereótipo do "negro de alma branca", "bonzinho", submisso, fiel ao patrão branco, de valores "embranquecidos". O outro personagem negro, com quem a protagonista se relacionou, fez o duplo do primeiro: era inescrupuloso, queria obter vantagem a qualquer custo. Não por acaso foi o personagem que apresentava valores culturais afro-brasileiros mais marcados, na estética, na religião, nas opções culturais. O par romântico da protagonista, um ator branco, representou a altivez, a dignidade, era bondoso, e ao mesmo tempo corajoso, ativo na trama. A novela foi apresentada à comunidade como forma de valorização do negro por ter escalado uma atriz negra para o papel principal. Mas a análise em profundidade revela indicadores do que é chamado na literatura internacional de "novo racismo" (WIEVIORKA, 1992), quando novas estratégias de desvalorização, em geral mais sofisticadas, são utilizadas para a discriminação racial.

LITERATURA INFANTOJUVENIL

Trataremos a literatura infantil em separado da literatura em consideração à especificidade dos livros infantis, artefatos culturais dirigidos à infância[18]. Além disso, a literatura infantojuvenil tem sido a principal fonte de textos de leitura para comporem os livros didáticos de Língua Portuguesa para o ensino fundamental.

Na literatura infantojuvenil publicada entre 1955 e 1975, observou-se a sub-representação de personagens negros, em textos e ilustrações; a estereotipia na ilustração de personagens negros; a correlação de personagens negros com profissões socialmente desvalorizadas; a menor elaboração de personagens negros, com altas taxas de indeterminação de origem geográfica, religião, situação familiar e conjugal; a associação, pela cor, com maldade, tragédia, sujeira; a associação do ser negro com castigo e com feiura; a associação com personagens antropomorfizados (ROSEMBERG, 1985). A conclusão foi de que a literatura infantojuvenil apresentava constantemente a discriminação contra não brancos, tanto de forma aberta quanto latente, porém sem a valorização de um discurso claramente preconceituoso. A esse respeito a autora oferece exemplo de texto que afirma tese antirracista, mas em outra passagem coisifica um personagem negro (ROSEMBERG, 1985, p. 80-81). Outra crítica do estudo foi ao fato de as políticas públicas de financiamento não se preocuparem com o conteúdo dos livros, pois coedições do Instituto Nacional do Livro/INL apresentaram os mesmos problemas que as outras obras.

Em pesquisa que buscou atualizar os dados do estudo referido, trabalhando com livros editados no período imediatamente posterior, entre 1975 e 1995, as mudanças encontradas foram bastante tênues (BAZILLI, 1999). Verificou-se menor proporção de personagens não brancos antropomorfizados; atenuou-se a diferença de frequência de personagens brancas e não brancas e observou-se ligeiro aumento de personagens pretos exercendo profissão de tipo superior (BAZILLI, 1999). Mas as tendências gerais de privilégio aos

---

[18] Embora o público receptor não seja constituído só de crianças. Para discussão ver Rosemberg (1979).

personagens brancos se mantiveram: personagens negros sub-representados (1 personagem não branco para 3,6 personagens brancos; 1 personagem individualizado não branco para 4,3 personagens individualizados brancos, dados de Bazilli, 1999, p. 84); com posição menos destacada nas tramas; exercendo profissões menos valorizadas. A *naturalização* do branco, tomado como representante da espécie humana, manteve-se de forma análoga à verificada no estudo sobre o período anterior. A conclusão do estudo sobre a literatura infantojuvenil publicada entre 1975 e 1995 (Bazilli, 1999) pode ser repetida em relação a do estudo sobre as publicações de 1955 a 1975:

> Dentre as formas latentes de discriminação contra o não branco, talvez seja a negação de seu direito à existência humana – ao ser – a mais constante: é o branco o representante da espécie. Por esta sua condição, seus atributos são tidos como universais. A branquidade é a condição normal e neutra da humanidade: os não brancos constituem exceção. (Rosemberg, 1985, p. 81)

Outro resultado que se repetiu na atualização da pesquisa por Bazilli (1999) foi a presença concomitante de discurso igualitário com a "veiculação de discriminações mais ou menos latentes" (Rosemberg, 1985, p. 80).

Embora alguns personagens negros tenham sido alçados à categoria de protagonistas, a condição *naturalizada* dos brancos e a subordinação dos negros a estes se manteve (Bazilli, 1999, p. 104). Exemplo é uma obra de literatura infantil premiada na década de 1980, que elegeu como protagonistas uma menina negra e sua família. A análise da trama (Negrão; Pinto, 1990) revelou papéis sociais estereotipados atribuídos aos membros da família da protagonista, e formas de tratamento que a colocavam na situação de "outro". A coerência na caracterização dos personagens negros, de forma estereotipada e preconceituosa, é tomada como fruto da focalização da criança branca como público (Negrão; Pinto, 1990). "A discriminação racial [...] se faz presente na própria definição deste gênero de literatura, na medida em que o cotidiano e a experiência da criança negra estão alijados do ato de criação dos personagens e do enredo desta literatura" (Negrão, 1987, p. 87).

Uma possível interpretação explicativa seria a dificuldade dos autores (também de ilustradores, revisores, etc., isto é, as equipes de produção), predominantemente brancos, de construir textos em que a sua própria condição racial não seja naturalizada. No caso da produção literária adulta, Brookshaw (1983) e Proença Filho (2004) discutem como, muitas vezes, autores "bem-intencionados" revelam em seus textos a tensão entre o avançar e o manter estereótipos, e como a literatura negra (na dupla acepção que a definimos anteriormente) representou a possibilidade de ultrapassagem da discriminação. Na literatura infantojuvenil, escritoras brancas assumiram, com a laicização da produção após a década de 1980, uma nova estética, com a presença de novas temáticas, inclusive a sexualidade (PIZA, 1995). Os estereótipos de "mulata sensual", até então restritos à literatura adulta, passaram a ter lugar na literatura infantojuvenil. "Algumas personagens, hoje, continuam empregadas domésticas, mas com o dom de misturar no mesmo prato da sexualidade a nutrição e a sedução" (PIZA, 1995, p. 12). As escritoras brancas, na complexa interação entre as múltiplas subordinações atuantes na sociedade, avançaram contra a subordinação de gênero se apoiando na subordinação de raça. Para Piza (1995, p. 129-130), as autoras foram prisioneiras de determinações que pesaram sobre elas, particularmente as raciais.

Antes de passarmos a novo capítulo, proporcionamos uma síntese dos resultados das pesquisas brasileiras sobre desigualdades raciais no plano simbólico, que tratamos até aqui (literatura e cinema, imprensa escrita, televisão, publicidade e literatura infantil). Os discursos apresentam especificidades e pontos comuns. A literatura aponta que, nos anos 1980 e particularmente nos anos 1990, se observam modificações nos discursos sobre o negro, porém são mudanças tênues ou específicas, que representam avanços limitados no tratamento da questão racial. A sub-representação de negros foi tônica. Aumentos na proporção de representação de negros, como no caso de jornais e publicidade em revistas, estiveram relacionados a traços estereotipados. A estereotipia foi particularmente notada na associação do negro com criminalidade em jornais, literatura e cinema; no desempenho de funções socialmente desvalorizadas, na televisão e literatura infantojuvenil; na exploração de estereótipos de "mulata", "sambista", "malandro", jogador de futebol, na literatura, no cinema, na publicidade impressa e televisiva. O branco foi tratado, nos diversos meios discursivos, como representante *natural* da espécie. Em tais discursos, as características do branco foram a norma de humanidade, o Nós. Foram também o público a que as mensagens, via de regra, dirigiram-se. O negro teve poucas possibilidades de manifestação de singularidade e, geralmente, foi associado a estereótipos de desvalorização social. A discussão sobre desigualdades raciais nas décadas de 1980 e 1990, as manifestações do movimento negro, as pesquisas sobre desigualdades estruturais, as críticas ao mito da democracia racial, o funcionamento de órgãos de combate à discriminação ligados a diversas esferas de governo parecem ter repercutido de forma branda e selecionada no discurso midiático.

Produção de livros didáticos no Brasil

A indústria do livro brasileira tem no livro didático seu principal segmento, num mercado em que as cifras, quanto ao número de exemplares, vendas, faturamento, estão nas casas dos milhões. Os breves dados que estão dispostos no decorrer do capítulo propiciam visão panorâmica da produção editorial e sua inserção na cultura de massa. Apontam também para a particular articulação entre o sistema privado de produção e o Poder Público, principal comprador desse mercado.

O intuito é examinar particularidades da mobilização social em torno do livro didático e possíveis impactos na veiculação de discursos sobre os segmentos raciais negros e brancos. Para tanto, examinaremos, primeiro, aspectos das políticas para o livro didático no contexto brasileiro e, após, o envolvimento de determinados atores sociais no processo de produção.

Livro didático: fenômeno de mídia

A concepção sobre a midiação das culturas modernas (THOMPSON, 1995) postula que os meios de comunicação de massa exercem papel fundamental na produção, transmissão e recepção das formas simbólicas. A indústria editorial brasileira e, em específico, a editora de livros didáticos, são partícipes desse processo. Os dados sobre produção, venda e faturamento da indústria brasileira do livro revelam um mercado com cifras enormes. Na década de 1990, de crescimento significativo para a indústria editorial brasileira, foram produzidos quase três bilhões de livros, com média anual de cerca de 300 milhões de exemplares.[1] O número total de unidades vendidas (inclui os livros produzidos no exterior) supera três bilhões de unidades, com média de vendas de 379 milhões de exemplares ao ano, entre 1995 e 2002 (TAB. 3). O faturamento anual do mercado editorial brasileiro manteve média superior a dois bilhões anuais, entre 1995 e 2002, num montante de 16,346 bilhões de reais no período.

O objetivo de apresentar tais dados é informar sobre a dimensão do mercado editorial e de livros didáticos no Brasil, para justificar a afirmação de que se trata de produção de massa. Os dados transcritos na TAB. 3, além de informarem sobre o montante de exemplares vendidos, permitem observar duas tendências mais:

Tabela 3 – Número de exemplares de livros vendidos, por categoria e ano, Brasil, 1994-2002 (em milhões de exemplares)

Ano / Categoria	1994	1995	1996	1997	1998	1999	2000	2001	2002
Total de exemplares	267	375	387	348	410	290	334	299	321
Livros didáticos[1] e % (do total)	14655%	23262%	23661%	20358%	25863%	21656%	20461%	17658%	21567%
PNLD[2] e % (do total)	s.d.	13035%	9023%	9026%	11428%	6422%	13440%	11739%	16251%

Fonte: Brasil/Fundação João Pinheiro/FJP e Câmara Brasileira do Livro/CBL.
[1] Os outros segmentos do mercado editorial que constam nos relatórios da FJP-CBL, são "obras gerais", "religiosos", e "científicos, técnicos e profissionais".
[2] Corresponde às compras descritas nos relatórios da FJP, no item FAE, em 1995 e FNDE a partir de 1996, agrupadas sob a sigla do Programa Nacional do Livro Didático/PNLD.

1. A grande participação dos livros didáticos no conjunto de exemplares vendidos no Brasil, correspondendo a mais da metade das vendas (entre 55% e 67%) no período condensado. Em 1950, essa produção correspondia a 44% do total. Em 1969, representou 54% do total.[2] Em 1979, o percentual

---

[1] A fonte são os relatórios anuais sobre o mercado editorial brasileiro da Fundação João Pinheiro/ FJP e Câmara Brasileira do Livro/CBL.

[2] Período de execução do acordo entre o MEC, a agência norte-americana USAID e o Sindicato Nacional dos Editores de Livros/SNEL. O financiamento internacional determinou o aumento na produção.

baixou para 36%.³ As décadas de 1980 e 1990 foram de aumento e consolidação da produção de didáticos (GATTI JÚNIOR, 1998). Entre 1994 e 2002, os livros didáticos (TAB. 1), corresponderam, em média, a 60% do total de vendas do mercado editorial brasileiro.⁴

2. O Governo Federal/GF, via PNLD, constituiu um comprador de escol da principal fatia do mercado livreiro sendo responsável por alto percentual de compras no período (entre 22% e 51%). A relação entre o setor público e privado na produção de livros didáticos não é recente, remontando ao final do século XIX (BITTENCOURT, 1993, p. 81), chegando ao final do século XX (FREITAG; MOTTA; COSTA, 1989, P. 51; CASTRO, 1996, p. 12).

Políticas da produção do livro didático no Brasil

A produção de livros didáticos, no Brasil, iniciou-se em 1808, na Imprensa Régia, órgão oficial que produzia os manuais para os cursos criados por D. João VI. Após 1822, com o término do monopólio da Imprensa Régia, começaram a surgir as editoras particulares. Ainda no século XIX, as grandes editoras de livro didático iniciaram a articulação com os dirigentes da educação (BITTENCOURT, 1993). Até cerca de 1920, a maior parte dos livros didáticos utilizados no Brasil eram, segundo Gatti Júnior (1998), de autores estrangeiros e publicados no exterior. A produção de autores brasileiros cresceu a partir dos anos 1930 em decorrência da expansão do sistema de ensino. Entre 1930 e 1960, o livro didático apresentava algumas características comuns: o título permanecia por longos anos no mercado, seus autores eram personalidades importantes para a intelectualidade da época, sua linguagem não era adaptada para diferentes faixas etárias e era publicado por poucas editoras, que, em geral, não o tinham como mercadoria mais importante (GATTI JÚNIOR, 1998, p. 21-22).

A partir dos anos 1960, tais características passaram a modificar-se mais significativamente. Os acordos de políticas educacionais do regime militar foram possíveis determinantes de uma nova fase de produção

---

[3] Para a indústria editorial norte-americana, em 1980 os livros didáticos corresponderam a 25% do total do mercado (APPLE, 1995), índice bastante significativo, mas observamos, muito abaixo dos percentuais brasileiros, mesmo em 1979, ano de menor proporção dos didáticos em relação ao total, conforme os dados que localizamos.

[4] Na França, em 1996, o mercado de livros didáticos representou 20% do negócio editorial (GATTI JÚNIOR, 1998, p. 8). No Brasil, foi 61% das vendas e 55% do faturamento total (BRASIL/ FJP/CBL, 1997).

do livro didático no Brasil (GATTI JÚNIOR, 1998). A expansão e as modificações da produção de livros didáticos podem ser relacionadas às políticas governamentais para o setor. O início das modificações mais significativas no processo de produção, final dos anos 1960, coincide com a vigência do acordo MEC-SNEL-USAID (Quadro 5), que subsidiou a produção de livros didáticos para incremento dos programas assistenciais, com empréstimos internacionais. Entre 1967 e 1997, a produção de livros didáticos passou por profundas modificações: de produção artesanal à indústria editorial, da autoria individual à equipe técnica responsável[5] e "da escola de elite à escola de massas" (GATTI JÚNIOR, 1998, p. 207). Algumas características que a expansão do sistema de ensino assumiu, nos anos de 1970, contribuíram para que o livro didático se tornasse um objeto privilegiado na educação brasileira, convertendo-se no organizador dos conteúdos a serem transmitidos e das atividades didático-pedagógicas desenvolvidas nas escolas (GATTI JÚNIOR, 1998, p. 10). A ausência de formação adequada e de condições de trabalho levaram professores a tornarem-se dependentes dos livros didáticos (GATTI JÚNIOR, 1998, p. 206).

Nas décadas de 1980 e 1990, com a "modernização" da produção de livros didáticos, parte significativa das atuais grandes editoras de livros didáticos, que iniciaram suas atividades no final dos anos sessenta, experimentaram enorme expansão (GATTI JÚNIOR, 1998; MUNAKATA, 1997). No mesmo período, os gastos públicos com o programa do livro didático (com suas diversas nomenclaturas) foram crescentes em proporções quase constantes (CASTRO, 1996). De uma gestão governamental a outra, os gastos sempre apresentaram variações positivas importantes (CASTRO, 1996).

---

[5] Sobre o processo de produção, Munakata discute as diversas atribuições envolvidas na editoração de um livro didático. Segundo Burns et al. (apud MUNAKATA, 1997, p. 87), as diversas funções envolvidas são: o editor; o redator-chefe, os autores, o projetista, o ilustrador e o fotógrafo, o leitor especialista, o editor de texto, o gerente de produção, o revisor de provas, o editor de especificações, o compositor, o artista de layout, o fotógrafo, o impressor, o encadernador e o distribuidor. Gatti Júnior (1998) descreve, com as palavras de editores e autores entrevistados, a passagem de um modelo de edição em que autor e editor trabalhavam praticamente sozinhos, para empresas com enorme estrutura organizacional. Os autores estão, nesse processo de produção progressivamente mais complexo, cada vez mais afastados do centro de poder das editoras. O texto passa por diversos crivos, a começar pelo do editor de texto ou "copidesque", "que pode consistir simplesmente na revisão ortográfica e gramatical do texto e na sua adequação às convenções editoriais da editora, até uma intervenção mais drástica tanto no estilo quando no próprio conteúdo" (MUNAKATA, 1997, p. 88).

Órgão	Regulamentação e período	Objetivo	Resultados
Comissão Nacional do Livro Didático/ CNLD	Decreto-Lei nº 1.006, de 30/12/1938.	Estabelecer condições para produção, importação e utilização do livro didático.	Função muito mais de controle político-ideológico que de controle didático (Freitag, Motta e Costa, 1989).
CNLD	Decreto-Lei nº 8.460, de 1945.	Deliberação sobre processos de autorização para adoção e uso do livro didático; deliberação sobre atualização e substituição dos mesmos; deliberação de precauções em relação à especulação comercial.	Mantém a centralização, os poderes e problemas da CNLD (Freitag, Motta e Costa, 1989).
Comissão do Livro Técnico e do Livro Didático/COLTED	Decreto nº 59.355, de 04/10/1966. (acordo MEC-SNEL-USAID)	"Incentivar, avaliar, orientar, executar, produzir, editar, aprimorar e distribuir livros técnicos e didáticos" (Cruz, 2000, p. 55).	Assegurou a distribuição de 51 milhões de livros nos três anos subsequentes. Comprou livros obsoletos, "salvando" editoras. (Cruz, 2000).
Programa do Livro Didático/ PLID, sob responsabilidade do Instituto Nacional do Livro/INL	Decreto nº 68.728, de 08/06/1971.	Assumir as atribuições administrativas e de gerenciamento dos recursos financeiros.	Necessidade de contrapartida financeira estadual com o fim do acordo MEC/SNEL/USAID (Castro, 1996).
Fundação Nacional do Material Escolar/ FENAME passa a responsável pelo PLID	Decreto nº 77.107, de 04/02/1976.	Formular programa editorial; executar os programas do livro didático; definir diretrizes para a produção de material didático e assegurar sua distribuição; cooperar com instituições educacionais, científicas e culturais, públicas e privadas, na execução de objetivos comuns.	A grande maioria das escolas públicas municipais foi excluída do Programa, devido à insuficiência dos recursos e por ter ficado a cargo das secretarias estaduais o critério da corte (Castro, 1996). O programa de criação de bibliotecas nos municípios foi esvaziado. (Cruz, 2000).
Fundação de Assistência ao Estudante/ FAE	Lei 7.091, de abril de 1983	Apoiar secretarias de ensino do MEC e desenvolver os programas de assistência ao estudante: Programa do Livro Didático – Ensino Fundamental/ PLIDEF, Programa Nacional de Alimentação Escolar/ PNAE e outros.	Dificuldades de distribuir os livros nos prazos, lobbies das editoras, autoritarismo na distribuição dos livros. Propostas de participação dos professores na escolha dos livros e ampliação do Programa para as demais séries do ensino fundamental. (Freitag, Motta, e Costa, 1989).
Programa Nacional do Livro Didático/PNLD, a cargo da FAE	Decreto nº 9.154, de 19/08/1985, com procedimentos estabelecidos na Portaria FAE nº 863, de 30/10/1985.	Disponibilizar guias de livros didáticos para a indicação pelos professores. Implantação de bancos de livros didáticos e reutilização dos livros. Universalização do atendimento. Inicialmente a todos os alunos de 1ª e 2ª séries. Posteriormente às oito séries do 1º grau.	Editoras com maior estrutura e melhores estratégias de Marketing conquistaram maior número de escolhas pelos professores. (Castro, 1996).
PNLD	Resolução nº 06, de 13/07/1993 do FNDE.	Vincular recursos para a aquisição dos livros didáticos do PNLD.	Estabeleceu fluxo regular de recursos para a aquisição e distribuição dos livros didáticos (Castro, 1996).
PNLD passa a responsabilidade do FNDE, com extinção da FAE em fev. de 1997.	Desde 1996 até o presente.	Avaliar livros didáticos disponibilizados pelas editoras e elaborar catálogos com classificação para a escolha pelos professores.	Reprovação de títulos. Recursos judiciais e polêmicas com editoras. Ampliação progressiva de alocação de recursos, de número de títulos comprados e de séries de ensino atendidas (Castro, 1996; 2001).

Fonte: adaptado de Cruz, 2000, p. 55

A política federal para o livro didático foi apoiada por legislação que determinou a criação de órgãos específicos (alterando sua denominação), propôs diferentes objetivos e alcançou diferentes resultados (síntese no Quadro 5).

O governo da denominada Nova República, em 1985, determinou a mudança do PLIDEF para o Programa Nacional do Livro Didático/PNLD. Um Grupo de Trabalho (GT), constituído no período anterior para analisar os problemas dos programas de livro didático do MEC, apresentou duas recomendações: expansão do atendimento e seleção dos livros pelo professor. O PNLD procurou dar resposta a tais recomendações (FREITAG; MOTTA; COSTA, 1989). O MEC passou a adotar uma estratégia já utilizada em diversos Estados, a indicação pelos professores dos livros selecionados para a compra. Os objetivos de universalização da distribuição de livros e a escolha pelo professor passaram a ser metas constantes do PNLD.

No que se refere à alocação de recursos para o PNLD, o governo da Nova República, em contexto econômico e social de crise, elegeu a assistência ao educando como uma das principais linhas de enfrentamento das dificuldades na arena educacional. Assim, a aquisição e distribuição de livros foram colocadas entre as prioridades do governo (CASTRO, 1996). Até a segunda metade da década de 1980, os editores, por meio do Sindicato Nacional do Editores de Livros/SNEL, pactuavam com os técnicos do MEC, em reuniões a portas fechadas, o montante a ser comprado de cada editora, ante as listagens de escolhas dos professores (CASTRO, 1996). A margem de lucro negociada, antecipadamente às compras, foi, segundo Castro (1996), de 15% em relação aos montantes dos contratos.

A Constituição de 1988 foi importante para o PNLD, ao determinar, no inciso VII do art. 208: "O dever do Estado com a Educação será efetivado mediante a garantia de atendimento ao educando, no ensino fundamental, através de programas suplementares de material didático-escolar, transporte, alimentação e assistência à saúde" (BRASIL, Constituição Federal). Por outro lado, vetou o uso de recursos do FINSOCIAL para o PNLD, que fora crescente nos anos anteriores. Isso significou o fim de recurso vinculado e o retorno à disputa por recursos no orçamento geral, ano a ano. Mesmo assim, os anos seguintes foram de aumento dos gastos no programa. Em 1993, o Fundo Nacional de Desenvolvimento da Educação/FNDE passou novamente a utilizar recursos vinculados para o PNLD, o que representou o restabelecimento de um fluxo regular de recursos para o Programa e um significativo aumento de recursos.

Em 1993, o MEC formou um novo Grupo de Trabalho/GT (Portaria nº 1230, de 05 de agosto) para "definir critérios para avaliação dos livros didáticos de Português, Matemática, Estudos Sociais e Ciências – de 1ª a 4ª séries" (BRASIL/FAE, 1994). A avaliação foi realizada pelos grupos de forma independente, e os critérios de avaliação utilizados foram distintos para cada disciplina escolar. Encontramos indícios de que as equipes de avaliação das áreas de Matemática, Estudos Sociais e Língua Portuguesa levaram em consideração aspectos do discurso racista apontados pelas pesquisas de então (BRASIL/FAE, 1994). Tais equipes apresentaram, em seus critérios de análise, pontos em que buscavam a apreensão de formas implícitas de discriminação. As análises preocuparam-se com: ausência e proporção de personagens não brancos nos textos (Matemática e Estudos Sociais) e ilustrações (Matemática e Língua Portuguesa); exercício de atividades estereotipadas por personagens negras/os, como empregada doméstica, cozinheira e pedreiro (Matemática).

As avaliações revelaram, em todas as disciplinas escolares e na maioria absoluta dos livros, muitos problemas, em aspectos os mais diversos: erros conceituais; desconhecimento de avanços teóricos; predomínio de exercícios mecânicos; uso inadequado da escrita e ilustrações; estereótipos de raça, gênero, idade, classe social e/ou religião; omissão e ausência de dados sobre autores, edição, fontes; inadequação de tipo de papel e encadernação (BRASIL/FAE, 1994). Alguns "erros" foram divulgados pela mídia, particularmente no jornal Folha de S.Paulo. As avaliações tão negativas levaram o Grupo de Trabalho a apresentar uma síntese sobre a "gravidade da situação", contendo quatro recomendações:

> **a. estabelecimento** pelo MEC **de um programa mínimo obrigatório** em todas as disciplinas que constituem o currículo do 1º grau; **b. instituição** na FAE de **uma instância de avaliação** do livro didático; **c. campanha sistemática de divulgação dos resultados de avaliação do livro didático** nas quatro séries iniciais do 1º grau; **d. incentivo a grupos qualificados de produção de livros didático**. (BRASIL/FAE, 1994, p. 103-104, grifos do original)

Os anos posteriores foram de desdobramentos relacionados a tais avaliações e recomendações. O MEC visou instituir a avaliação dos livros didáticos antes de sua aquisição. Para tanto, apresentou às editoras, em dezembro de 1995, critérios de avaliação.[6] Essa se daria por meio de

---

[6] No mesmo ano, haviam sido realizados dois eventos sobre avaliação, com a presença da equipe técnica do MEC, dirigentes da FAE, União Nacional de Dirigentes Municipais de Educação/UNDIME, Conselho Nacional dos Secretários Estaduais de Educação/CONSED, Sindicato Nacional de Editores de Livros/SNEL, Câmara Brasileira do Livro/CBL, Associação Brasileira de Autores de Livros Educativos/ABRALE, Associação Brasileira de Editores de Livros/

comissões das áreas de conhecimento, compostas por professores, em sua maioria universitários, sob coordenação da Secretaria de Ensino Fundamental/SEF e com assessoria do Centro de Estudos e Pesquisas em Educação/CENPEC. A avaliação utilizou critérios comuns de análise – adequação didática e pedagógica, qualidade editorial e gráfica, pertinência do manual do professor. Foram definidos dois critérios eliminatórios: os livros não poderiam expressar preconceitos de origem, raça, sexo, cor, idade ou quaisquer outras formas de discriminação; e não poderiam induzir ao erro ou conter erros graves relativos ao conteúdo da área, como, por exemplo, erros conceituais.

Em 1996, a avaliação sistemática foi iniciada,[7] o MEC divulgou critérios e calendário com os prazos para diversas etapas do processo. As editoras inscreveram os livros no MEC, que foram avaliados por equipes de especialistas das mesmas quatro disciplinas escolares da avaliação anterior. As equipes trabalharam com uma grade de análise específica para cada área disciplinar, mas com determinados critérios comuns. Os livros foram classificados em quatro níveis (uma adaptação dos critérios usados na avaliação anterior para a área de Matemática): "recomendados", "recomendados com ressalvas", "não recomendados", "excluídos". Foi editado e distribuído um *Guia de Livros Didáticos* (BRASIL/MEC, 1996), com resenhas dos livros avaliados nas duas primeiras categorias. Os livros classificados como "não recomendados" também podiam ser escolhidos pelos professores. Para isso, os professores receberam, ao lado do Guia, um catálogo com a listagem de todos os livros, à exceção dos classificados na categoria "excluídos". No ano seguinte, foi acrescentado outro nível na classificação, "recomendado com distinção", e as categorias passaram a ser identificadas graficamente com uma estrela para os "recomendados com ressalvas", duas estrelas para os "recomendados" e três estrelas para os "recomendados com distinção". Na avaliação de 1999, "eliminou-se a categoria dos não recomendados, e de modo articulado, acrescentaram-se, aos critérios de exclusão, a incorreção e incoerência metodológicas" (BATISTA, 2001, p. 16). Também naquele ano os pareceres dos livros excluídos

---

ABRELIVROS, Centro de Estudos e Pesquisas em Educação/CENPEC e especialistas das áreas de conhecimento. Posteriormente discutiremos a ausência dos movimentos negros e de mulheres deste debate, movimentos que tinham sido, nos anos anteriores, conclamados pelo MEC a participar.

[7] No período anterior, eram realizadas avaliações assistemáticas, por comissões organizadas com esse fim, que pouco ou nada interferiram na seleção das obras a serem adquiridas ou em sanar problemas detectados.

deixaram de ser enviados aos editores, o que fora prática nas avaliações anteriores. No PNLD de 2003/2004, a iconografia com estrelas deixou de ser utilizada, por considerar-se que influenciava os professores a não lerem as resenhas dos livros a escolher.

Na TAB. 4, apresentamos dados das avaliações realizadas pelo MEC, nas referidas categorias. Para cada ano de avaliação, listamos também os dados específicos de Língua Portuguesa, por ser a disciplina escolar cujos livros didáticos nos propomos a analisar.

Os livros de Língua Portuguesa receberam avaliações similares às dos demais: a maioria se situa na categoria "não recomendado" nas duas primeiras avaliações; nota-se aumento significativo na categoria "excluído" em 2000/2001, com diminuição posterior gradativa. Observa-se, ainda, uma tendência geral de aumento gradativo dos percentuais das categorias de melhor avaliação. Tais dados permitem sugerir que os livros (de Língua Portuguesa e no geral) estariam cumprindo mais de perto as exigências das avaliações.

A exclusão, a partir de 1999, da categoria "não recomendado" determinou um acréscimo importante nas duas categorias adjacentes: "excluídos" e "recomendados com ressalvas". A mudança foi significativa. Na categoria "não recomendado", recaíram, nos dois primeiros anos, os maiores percentuais de escolha pelos professores. Em 1997, 71,9% e, em 1998, 41,3% dos livros escolhidos pelos professores (BRASIL/MEC, 2000) foram da categoria "não recomendado". No PNLD 1999 as escolhas recaíram sobre os livros da categoria "recomendado com ressalvas", em 41,33% das opções (BATISTA, 2001, p. 33). Podemos inferir que parte das obras que eram classificadas nos anos anteriores como "não recomendados" passaram a ser classificadas como "recomendadas com ressalvas" e continuaram a ser escolhidas pelos professores. Por outro lado, parte dos livros com piores avaliações não puderam mais ser escolhidos pelos professores, pois passaram à categoria de "excluídos".

A avaliação dos livros utilizou critérios comuns e critérios específicos para cada uma das disciplinas escolares. Os critérios comuns eram subdivididos em dois grupos: a) critérios eliminatórios e b) aspectos gráfico-editoriais. Na prática, os aspectos gráficos foram o primeiro critério de exclusão de livros, visto que, antes de serem encaminhados para as equipes de especialistas contratadas pela Secretaria de Ensino Fundamental do MEC, tais aspectos eram examinados por técnicos do Fundo Nacional de Desenvolvimento da Educação/FNDE. Livros sem identificação editorial, com erros de impressão, com formato, encadernação ou papel em desacordo com normas preestabelecidas, eram já excluídos.

Tabela 4 – Distribuição de livros didáticos, geral e de Língua Portuguesa, avaliados pelo PNLD 1997-2003

Ano	Séries	Excluídos	Não recomendados	Recomendados com ressalvas	Recomendados	Recomendados com distinção	Total de inscritos
1997	1ª a 4ª Língua Portuguesa	80 (17%) 26 (14%)	281 (60%) 133 (71%)	42 (9%) 10 (5%)	63 (14%) 19 (10%)	-	466 (100%) 188 (100%)
1998	Alf., 1ª a 4ª Língua Portuguesa	76 (17%) 10 (9%)	211 (47%) 55 (48%)	101 (22%) 33 (28%)	47 (10%) 9 (8%)	19 (4%) 8 (7%)	454 (100%) 115 (100%)
1999	5ª a 8ª Língua Portuguesa	220 (50%) 43 (36%)	-	151 (35%) 49 (41%)	61 (14%) 26 (21,5%)	6 (1%) 2 (1,5%)	438 (100%) 120 (100%)
2000/ 2001	1ª a 4ª Língua Portuguesa	249 (44%) 99 (51%)	-	210 (37%) 65 (34%)	76 (13%) 19 (10%)	34 (6%) 10 (5%)	569 (100%) 193 (100%)
2002	5ª a 8ª Língua Portuguesa	156 (38%) 56 (39%)	-	172 (41%) 52 (36%)	72 (17%) 36 (25%)	16 (4%) -	416 (100%) 144 (100%)
2003/2004	Alf., 1ª a 4ª, dic. Língua Portuguesa	202 (28%) 52 (31%)	-	295 (40%) 56 (33%)	192 (26%) 40 (24%)	45 (6%) 20 (12%)	737 (100%) 168 (100%)

Fontes: Beisiegel (2001); Brasil/MEC (1996; 1997; 2000; 2001; 2003)

Os critérios eliminatórios foram: a) "os livros não podem expressar preconceito de origem, raça, sexo, cor, idade e quaisquer outras formas de discriminação" (BRASIL/MEC, 1997, p. 13); b) "não podem ser desatualizados, nem conter ou induzir a erros graves relativos ao conteúdo da área, como, por exemplo, erros conceituais" (BRASIL/MEC, 1997, p. 13). A partir do PNLD de 1999, os critérios eliminatórios passaram a ser três: "correção dos conceitos e informações básicas", "correção e pertinência metodológicas", "contribuição para a construção da cidadania". Este último tópico foi assim redigido: "O livro didático não poderá: – veicular preconceitos de origem, cor, condição econômico-social, etnia, gênero e qualquer outra forma de discriminação; – fazer doutrinação religiosa, desrespeitando o caráter leigo do ensino público" (BRASIL/MEC, 1999, p. 15-16). A mudança de cor/raça para cor/etnia não é explicada em nenhum dos documentos relativos ao PNLD a que tivemos acesso (nem a de sexo para gênero). Ao mesmo tempo, o IBGE manteve a denominação cor/raça no Censo e demais pesquisas. É possível que a orientação e a composição racial das comissões responsáveis por tais modificações apresentem elementos explicativos.

> Além disso, o *caput* passou a ser construção da cidadania e da ética para o convívio social. Tais modificações necessitariam ser debatidas, para entender-se seu significado, que permite uma interpretação de restrição de sentido: poderíamos entender as últimas formulações como derivadas de uma proposta de conviver com a diversidade cultural e não com a proposta mais ampla e incisiva de combate à desigualdade racial e, portanto, ao racismo. (ROSEMBERG; BAZILLI; SILVA, 2003, p. 140)

Como vimos, a presença do critério relativo a preconceito e discriminação como eliminatório parece ter sido quase inócua, pois a maioria absoluta dos pareceres que sustentaram a eliminação de livros foram baseados nos outros critérios de exclusão (BEISIEGEL, 2001). Somente um parecer, na amostra que Beisiegel (2001) analisou, excluiu um livro por manifestar discriminação, e o foi devido a indicar uma única orientação religiosa.

Em relação aos aspectos visuais, os guias de Livro Didático trazem uma série de indicações, entre elas a de que as ilustrações "principalmente, não deverão expressar, induzir ou reforçar preconceitos e estereótipos" (BRASIL/MEC, 1997, p. 14). Essa indicação passou a formato mais específico, em nova redação, a partir do PLND 2002: "Principalmente, devem reproduzir a diversidade étnica da população brasileira e não poderão expressar, induzir ou reforçar preconceitos e estereótipos" (BRASIL/MEC, 2001, p. 28).

Para os livros de 1ª a 4ª séries, os critérios para análise de Língua Portuguesa, no Guia de Livros Didáticos PNLD 98, não fazem qualquer alusão à veiculação de preconceitos (BRASIL/MEC, 1997, p. 25-26). No Guia de Livros Didáticos 2000/2001 encontramos, na ficha de avaliação utilizada, somente dois critérios relacionados às discriminações, ambos na parte que trata das ilustrações, que deveriam ser avaliadas em termos de "isentas de estereótipos" e "isentas de preconceitos" (FIG. 4).

Figura 4 - "Ficha de Avaliação de Língua Portuguesa", fragmento do item 7, "aspectos visuais"

7. Aspectos visuais	Sim	Não	Obs
Ilustrações			
Isentas de estereótipos			
Isentas de preconceitos			

Fonte: Guia de Livros Didáticos PNLD 2000/2001, p. 68 (BRASIL/MEC, 2000).

No Guia de Livros Didáticos PNLD 2004, os critérios da ficha de avaliação que fazem alusão à discriminação, transcritos na FIG. 5, determinam o exame, além das ilustrações, dos textos. Mas são critérios que não avançam na tentativa de captar discriminações implícitas.

Figura 5 - "Ficha de Avaliação de Língua Portuguesa", fragmento dos "critérios eliminatórios"

CONSTRUÇÃO DA CIDADANIA	Sim	Não
A coleção, no tratamento dos textos escritos e/ou das imagens, é isenta de preconceitos que levem a discriminações de qualquer tipo?		
A coleção, no tratamento dos textos escritos e/ou das imagens, é isenta de preconceitos contra variedades lingüísticas não-dominantes (dialetos, registros etc.)?		

Fonte: Guia de Livros Didáticos PNLD 2004, p. 68 (BRASIL/MEC, 2003)

No Guia do PNLD 2000/2001 (BRASIL, MEC, 2000), nas partes referentes às áreas de Matemática e Ciências, encontramos alusão à proporção de imagens de negros e de indígenas, que, segundo o texto, aumentaram nos livros avaliados naquele ano, em relação aos anos anteriores, em função das avaliações. Infere-se que foi utilizado algum critério de avaliação da diversidade ("étnica") dos personagens representados em ilustrações. Por outro lado, editores de livros didáticos manifestaram a concordância com o critério de exclusão, do PNLD, baseado em veiculação de mensagens discriminatórias, e descreveram iniciativas das próprias editoras para eliminar, nos livros, expressões e tratamentos preconceituosos (BEISIEGEL, 2001). A principal preocupação dos editores nesse aspecto foi também com as ilustrações. As modificações detectadas pelos estudos foram devido às avaliações ou às iniciativas das próprias editoras?

Nos critérios de avaliação, não é perceptível qualquer preocupação com discurso racista que vá além do genérico "manifesta expressão discriminatória". Afinal, as equipes de avaliadores se preocuparam com manifestações implícitas de racismo?

A resposta de Beisiegel (2001), que tomamos como hipótese de trabalho, é a de que não. Examinando os guias dos livros didáticos (BRASIL/MEC, 1996; 1997; 2000; 2001; 2003), verifica-se que, nos critérios de avaliação das áreas, nas fichas de avaliação e nas resenhas das obras, os critérios se detêm a manifestações explícitas de preconceito. A única preocupação perceptível é a indicação de tratamento mais cuidadoso das ilustrações representando a não brancos, para as áreas de Ciências e Matemática, conforme referência anterior.[8] Se há a indicação de que as ilustrações dos livros devem refletir a diversidade étnica/racial do País, em nenhuma das análises a questão foi aludida.

Ao ler as análises de Língua Portuguesa, percebe-se que o retrato da diversidade étnico-racial do País não foi uma questão levada em consideração pelas avaliações. Nas resenhas das avaliações realizadas pelas comissões constituídas em 1993 (BRASIL/FAE, 1994), em todas as disciplinas, foram expressamente manifestas avaliações sobre o retrato da diversidade étnico-racial brasileira, nos textos e ilustrações. Nas resenhas constantes nos Guias de Livros Didáticos, não encontramos qualquer alusão à essa questão.

As pesquisas sobre estereótipos raciais em livros didáticos, desde a década de 50, sustentam que, no Brasil, a discriminação raramente se apresenta de forma direta. Textos que afirmam uma postura antidiscriminatória podem, ao mesmo tempo, estar veiculando mensagens discriminatórias, o que só pode ser apreendido por análises apropriadas. Faltou à avaliação

---

[8] Para a disciplina de História, os dados de Marco Oliveira (2000) e Cruz (2000) contradizem essa impressão, apontando que as imagens presentes nos livros de História pouco se modificaram.

a integração de instrumentos conceituais e metodológicos utilizados nas pesquisas, que podem captar o racismo "implícito" em textos e ilustrações. Em função disso, Beisiegel (2001) e Silva Júnior (2002) sugerem a inclusão, nas equipes de avaliação dos livros didáticos, de pesquisadores ("orgânicos", em acordo com SILVA JÚNIOR, 2002, p. 77) especializados na temática racial.

Atores sociais envolvidos na produção

Movimentos sociais e avaliação do PNLD

Nas ações do MEC voltadas à avaliação dos livros didáticos, não encontramos qualquer alusão ao movimento negro, a exemplo dos guias do Livro Didático (BRASIL/MEC, 1996; 1997; 2000; 2001; 2003); nos eventos promovidos para discussão sobre o processo de avaliação ("Como melhorar o livro-didático", em maio de 1995; Seminário "Livro didático: Conteúdo e Processo de Avaliação" em outubro de 1995; reunião técnica para discussão dos critérios de avaliação do livro didático, em dezembro de 1995; reunião técnica para informar sobre títulos excluídos na avaliação, em maio de 1996; Seminário "Critérios de Avaliação de Livros Didáticos de 5ª a 8ª séries", em junho de 1997; Encontro Nacional Sobre a Política do Livro Didático, em maio de 2000); no grupo de trabalho para avaliar o desenvolvimento do PNLD, que funcionou no segundo semestre de 1999; nas publicações e documentos do MEC relativos ao PNLD (por exemplo, no texto de BATISTA, 2001, intitulado "Recomendações para uma política pública de livros didáticos", ou nos documentos referentes a oficinas regionais de escolha do livro didático, realizadas em 2001).

Nas fontes do MEC que obtivemos, o movimento negro (ou qualquer outro movimento social) não foi citado como grupo de interesse ou participação no que se refere ao PNLD. Contrariamente, porém, tanto movimentos sociais quanto esferas governamentais têm apresentado particular interesse pelo tema da discriminação em livros didáticos. Como afirmamos na Introdução, um limitado número de pesquisas sobre livros didáticos, pesquisas pouco abrangentes e que estão longe de constituir um campo de conhecimento convivem com um grande interesse no campo político.

Desde seus primórdios, com a Frente Negra Brasileira, o movimento negro priorizou a escola como instrumento de emancipação (GONÇALVES, 1998; PINTO, 1987). Uma posição mais definida de interferir nos currículos das escolas públicas foi iniciada, segundo Gonçalves e Silva (1998, p. 34), nos anos 1950, com onda de protestos do movimento negro no Rio de Janeiro.

> Esse processo desencadeia uma série de seminários reunindo intelectuais negros e brancos. O objetivo primordial era submeter os conteúdos escolares a um exame crítico, sensibilizando os educadores brancos e negros para reconhecerem o valor da cultura afro-brasileira. [...] Mas esse movimento se desenvolveu mais fora do sistema oficial de ensino, ou seja, mais do que uma ação concreta, ele representou o desejo dos negros de mudarem a imagem tão negativa que a sociedade brasileira criou de sua cultura e de sua história. (GONÇALVES; SILVA, 1998, p. 34)

A representação dos negros em livros didáticos foi preocupação explícita a partir da constituição do Movimento Negro Unificado/MNU, em 1979. Uma das principais reivindicações do movimento negro foi a "mudança completa na educação escolar, de modo a extirpar dos livros didáticos, dos currículos e das práticas de ensino os estereótipos e os preconceitos contra os negros, instilando, ao contrário, a autoestima e o orgulho" (GUIMARÃES, 2002, p. 106). Essas reivindicações articulam-se com um projeto político de busca de africanidade como forma de estabelecer identidade cultural. O apelo por um currículo com valorização dos negros e da herança africana, por meio das modificações nos livros didáticos e pela inclusão de conteúdos de história e cultura afro-brasileiras, vem a compor um projeto de sociedade multirracial, com vistas ao acesso à cidadania (afirmação dos direitos civis e combate à discriminação) (GUIMARÃES, 2002).

O movimento negro articulou-se com esferas governamentais desde a década de 1980. Com a abertura política e a mobilização de diversos movimentos sociais, foram criados Conselhos do Negro (o primeiro no Estado de São Paulo, na gestão de Franco Montoro), órgãos de governo com participação dos movimentos sociais. Foram colocados em funcionamento diversos órgãos e projetos, na área da educação, criados entre 1984 e 1986, vinculados às Secretarias Estaduais de Educação de São Paulo e da Bahia e às Secretarias Municipais de Educação de São Paulo e do Rio de Janeiro (PINTO, 1987). Em São Paulo, foi realizado, em 1986, o Seminário "O Negro e a Educação", promovido pela Fundação Carlos Chagas e Fundação Ford, integrado pelo Conselho de Participação e Desenvolvimento da Comunidade Negra de São Paulo, cujos trabalhos foram publicados na revista "Cadernos de Pesquisa" nº 63, no ano seguinte. As comemorações do centenário da Abolição e a participação dos movimentos sociais com vistas à elaboração da nova Constituição (1988) suscitaram uma série de outras iniciativas de projetos, seminários, encontros, publicações. Representando formas de articulação de movimentos sociais com o Poder Público, e voltados para a Educação, foram realizados, em Minas Gerais, o seminário "Educação e discriminação dos negros" (MELO; COELHO, 1988) e, em Recife, o seminário "Livro Didático: discriminação em questão" (JUREMA, 1989).

De acordo com entrevista que realizamos com Rita de Cássia Freitas Coelho, os seminários realizados no final da década de 1980 e início da década de 1990 foram estratégicos para a reestruturação do PNLD. Na década de 1980, o maior programa de assistência da FAE, o Programa de Alimentação Escolar (PAE), foi reorganizado com o principal objetivo de diminuir o poder de influência das grandes empresas de alimentação. Após a bem-sucedida tarefa de diminuição do poder de mando das empresas e o consequente aumento de poder do MEC no programa de alimentação, objetivo similar foi tomado para o PNLD. A reorganização do PNLD visava melhorar a qualidade do livro didático adquirido (a começar pela qualidade física), passar a utilizar livros não descartáveis e organizar bancos de livros didáticos nas escolas. Para tanto, era preciso diminuir a ingerência das grandes editoras no programa. Ao iniciar a contraposição às empresas, o governo chamou os movimentos sociais que criticavam os livros didáticos. Em 1987 foram assinados protocolos entre a FAE e as lideranças representativas do movimento de mulheres e movimento negro. O protocolo de intenções assinado com representantes dos movimentos negros[9] (MELO; COELHO, 1988, p. 11-13) previa cinco conjuntos de ações: intercâmbios com países africanos; "divulgação da real imagem do negro" (p. 12); coedição de obras de caráter didático; cooperação técnica junto às Secretarias de Educação dos Estados; promoção de eventos e debates sobre o livro didático.

Consideramos que a avaliação de 1993 (BRASIL/FAE, 1994) marca o início de um novo processo. Em certa medida, a avaliação tem relações com o processo de articulação com os movimentos sociais. Os temas racismo e sexismo nos livros didáticos aparecem citados diversas vezes, e os critérios utilizados para avaliação dos livros demonstram a clara preocupação com formas de discriminação explícitas e implícitas. Ao mesmo tempo, a avaliação marca a passagem para nova fase, na qual os movimentos sociais deixam de ser partícipes nos eventos relacionados ao PNLD. Os resultados da ava-

---

[9] Assinaram o protocolo com a FAE: Centro de Integração Cultural Comercial Afro-Brasileiro; Instituto Nacional Afro-Brasileiro; Instituto de Pesquisa das Culturas Negras; Centro de Estudos Afro-Brasileiro; Movimento Negro Unificado; Grupo de União e Consciência Negra; Conselho de Entidades Negras da Bahia; Grupo de Trabalho para Assuntos Afro-Brasileiros da Secretaria de Educação de São Paulo; Comissão de Cultura Afro-Brasileira da Secretaria de Cultura Municipal do Rio de Janeiro.

liação apontaram, como relatamos, uma quantidade enorme de problemas nos livros. A estratégia foi a divulgação para a imprensa de passagens das avaliações que continham os erros conceituais grosseiros (a cobertura que MUNAKATA, 1997, denominou "sensacionalista") como forma de diminuir a respeitabilidade das grandes editoras que vendiam para o governo. O uso dessa estratégia foi eficaz para que as editoras aceitassem a "definição de critérios para avaliação dos livros didáticos" (título da publicação BRASIL/ FAE, 1994). A "aliança" com movimentos negros e de mulheres deixou de ser importante. Os eventos, a partir de então, passaram a ser principalmente com representações de editores e de autores. Observa-se, na análise dos documentos relativos ao PNLD, que não mais são citados movimentos negros ou de mulheres. As ações desses movimentos passaram a ser tangenciais, relacionadas a outras esferas do poder público, embora por vezes apontando diretamente a necessidades de modificações nos livros didáticos.

Os movimentos negros continuavam a se preocupar com a questão da discriminação racial nos livros didáticos. Em 1995, ocorreu uma grande mobilização do movimento negro para a Marcha Zumbi contra o Racismo, pela Cidadania e a Vida. O documento encaminhado à Presidência da República incluía, entre as reivindicações, na área da Educação, modificações nos livros didáticos e inclusão de conteúdos de História e Cultura Afro-Brasileira, como vias de valorização do negro na sociedade. A data de Comemoração da Consciência Negra, reivindicada pelo movimento negro, foi assumida pelo Governo Federal, e a Presidência recebeu as reivindicações em 20 de novembro de 1995, com um decreto de criação do Grupo de Trabalho Interministerial/GTI para a Valorização da População Negra.[10] No discurso da Presidência por ocasião da criação do GTI, ocorreu alusão aos livros didáticos:

> Já começamos a tomar algumas medidas práticas na direção que foi aqui proposta. [...] Mais ainda, a revisão da bibliografia no que diz respeito à repetição de ideias pré-concebidas, inaceitáveis, sobre a questão racial no Brasil. Essa revisão está sendo feita pelo Ministério da Educação, precisamente para acabar com isso. (<http://www. presidencia.gov.br/ publi_04/COLECAO/RACIAL2.HTM>, consultado em 29 de janeiro de 2004)

---

[10] Constituído por oito representantes da sociedade civil, ligados aos movimentos negros, mais representantes dos Ministérios da Justiça (presidente do GTI), da Cultura, da Educação e do Desporto, Extraordinário dos Esportes, do Planejamento e Orçamento, das Relações Exteriores, da Saúde, do Trabalho e ainda um representante da Secretaria de Comunicação Social da Presidência da República.

Tal discurso da Presidência incorporou um instrumento que estava em preparação, como forma de dar respostas a uma das reivindicações apresentadas pelo movimento negro (lembremos que o segundo semestre de 1995 foi o período das definições últimas sobre o processo de avaliação dos livros, a ser iniciado em 1996). É possível inferir que a definição do critério de exclusão de livros com passagens discriminatórias tenha sido incorporada também como resposta às reivindicações do movimento negro e de outros movimentos sociais, particularmente o de mulheres (conforme observação de BEISIEGEL, 2001). É possível também sugerir que a acolhida de tais reivindicações pela Presidência refletiria uma adesão governamental a medidas aparentemente simples, sem previsão de recursos.

No âmbito educacional, o GTI tentou elaborar propostas de políticas, entre elas um "laudo técnico" relativo aos Parâmetros Curriculares Nacionais/PCN, à "irradiação" de discussões sobre a temática para Secretarias Estaduais e Municipais e à elaboração do manual *Superando o racismo nas escolas* (ANA SILVA, 2001, p. 25). Nossa impressão é de que o referido GTI exerceu mais o papel de sancionar as políticas governamentais do que levar a termo reivindicações dos movimentos negros. Não apresentou nenhuma crítica, por exemplo, às propostas do PCN Pluralidade Cultural, texto que faz uma apologia da diversidade presente no Brasil que reifica as desigualdades raciais e não dá espaço para propostas mais contundentes de combate às desigualdades (SOUZA, 2001; PIERUCCI, 1999). Os indícios são de que o GTI assumiu a avaliação realizada pelo MEC como suficiente, julgando que os livros que continham discurso racista teriam sido excluídos do processo de seleção e distribuição.

Em 1996, foi adotado o Programa Nacional de Direitos Humanos/ PNDH I, que propunha "estimular que os livros didáticos enfatizem a história e as lutas do povo negro na construção do nosso país, eliminando estereótipos e discriminações" (BRASIL/MINISTÉRIO DA JUSTIÇA, 1996). Seis anos depois, foi lançado o PNDH II, ampliando as metas no campo dos direitos civis e políticos. Na parte que trata da garantia do direito à igualdade, encontramos dois artigos que aludem aos livros didáticos. 1) Relativo a afrodescendentes, a proposição foi "apoiar o processo de revisão dos livros didáticos de modo a resgatar a história e a contribuição dos afrodescendentes para a constituição da identidade nacional" (BRASIL, MINISTÉRIO DA JUSTIÇA, 2002). 2) Relativo a ciganos, a proposta foi "apoiar projetos educativos que levem em consideração as necessidades especiais das crianças e adolescentes ciganos, bem como estimular a revisão de documentos, dicionários e livros escolares que contenham estereótipos depreciativos com respeito aos ciganos". Interessa-nos o processo de definição dessas metas, que "resultam de um abrangente processo de consulta à sociedade civil" (PINHEIRO, 2002). A partir desse documento, apreende-se que as entidades negras consultadas para a organização de propostas para o PNDH II, em 2001-2002, mantiveram a reivindicação de que os livros didáticos tratassem de aspectos de conteúdo que favorecem a formação de identidade negra, mas não mais se preocuparam em coibir representações estereotipadas ou discriminatórias de negros,[11] talvez por concordarem com a afirmativa de que as avaliações do PNLD foram suficientes para extirpar as passagens discriminatórias. Fica a impressão de que setores do movimento negro que se articularam com o Poder Público perderam, no que se refere aos livros didáticos, poder de crítica e reivindicação.

O movimento negro não era unânime sobre as avaliações do MEC terem sido suficientes para extirpar dos livros o discurso racista. Militantes do movimento negro de São Paulo, professores de História, afirmaram que:

> O livro didático, estaria, em síntese, prejudicando a população negra. Em primeiro lugar, por veicular uma organização de conteúdo que não permite ao negro ter visibilidade enquanto sujeito do processo histórico. Em segundo, o livro didático mantém a população negra confinada a determinadas temáticas que reafirmam o lugar social ao qual ela está limitada. Por último, foi criticado o fato dos livros estarem substituindo o mito da democracia racial, pelo mito da mestiçagem que anularia a construção de uma identidade negra. (OLIVEIRA, 2000, p. 127)

A crítica e superação de discriminações raciais nos livros didáticos foi objeto de preocupação no Relatório do Comitê Nacional para a Preparação da Participação Brasileira na III Conferência Mundial das Nações Unidas contra o Racismo, Discriminação Racial, Xenofobia e Intolerância Correlata (2001), nos tópicos referentes a negros e indígenas, não sendo tratada pelos demais grupos (ciganos, homossexuais, portadores de deficiências, migrantes e comunidade judaica) contemplados no relatório. No caso da "comunidade negra", a medida proposta foi a "revisão dos conteúdos dos livros didáticos visando a eliminar a veiculação de estereótipos" (p. 26).

A III Conferência Mundial das Nações Unidas contra o Racismo, Discriminação Racial, Xenofobia e Intolerância Correlata aprovou um

---

[11] Ao passo que o movimento cigano é quem introduziu a necessidade de revisão de livros escolares.

plano de ação que: "Exorta que a UNESCO apoie os Estados na preparação de materiais didáticos e de outros instrumentos de promoção do ensino, com o intuito de fomentar o ensino, capacitação e atividades educacionais relacionadas aos direitos humanos e à luta contra o racismo, discriminação racial, xenofobia e intolerância correlata" (*apud* SILVA JR., 2002, p. 9). Portanto, a revisão dos livros didáticos continuou na pauta.

Nas definições das políticas do PNLD, os movimentos sociais e, em particular, o movimento negro, foram desconsiderados. Ao mesmo tempo, as políticas do PNLD foram espaço de artifício que subsidia o discurso (conservador) sobre a ausência de desigualdades. Paralelamente, o movimento negro conseguia maiores espaços de ação em outros pontos do aparato estatal.

> A posição do estado como arena de conflitos de classe, raça e gênero, a forma como essas lutas são "resolvidas" dentro do aparato estatal; a forma segundo a qual as editoras reagem a esses conflitos e soluções e, em última análise, que impacto essas soluções ou acordos vêm a ter sobre as questões em torno dos textos escolares oficialmente recomendados e o reconhecimento que esses transmitem – são tantos pontos que necessitam de uma análise consideravelmente maior. (APPLE, 1995, p. 100)

Parece-nos que a forma de resolução de tais conflitos, no Brasil, relaciona-se com o estabelecimento de normas. Além dos documentos relacionados a reivindicações de movimentos sociais, encontramos propostas de modificações nos livros didáticos em leis de diferentes instâncias. Nas leis orgânicas de diversos municípios (coletânea organizada por SILVA JÚNIOR, 1998) estão expressos, além dos princípios gerais sobre não discriminação, artigos ou incisos específicos sobre a discriminação racial nos livros didáticos (Quadro 6).

A reafirmação nos parece uma forma de dar resposta às reivindicações do movimento negro. A prescrição legal aparentemente é, a um tempo, fácil de ser aprovada, mas difícil de ser aplicada. Como vimos, as mudanças observadas são escassas. "Da forma como tem sido enunciada, não implica uso de recursos, sendo, possivelmente, de fácil negociação, atuando como um carimbo, a baixo custo e investimento governamental, de ação antirracista" (ROSEMBERG; BAZILLI; SILVA, 2003, p. 142).

Quadro 6 - Leis Orgânicas Municipais e Constituição Estadual que se referem ao combate ao racismo em livros didáticos

Município	Referencial
Salvador	Capítulo II. Art. 183 §6°. É vedada a adoção de livro didático que dissemine qualquer forma de discriminação ou preconceito.
Goiânia	Capítulo III. Seção I. Art. 236. O ensino será administrado com base nos seguintes princípios (...) VIII – educação igualitária, eliminando estereótipos sexíferos, racistas e sociais da sala de aula, livros e manuais destinados à população infantojuvenil.
São Luís do Maranhão	Capítulo III. Seção I. É proibida toda e qualquer manifestação preconceituosa ou discriminatória de qualquer natureza nas escolas públicas municipais e nas conveniadas com o município.
Belo Horizonte	Capítulo V. Art. 163. §4°. É vedada a adoção de livro didático que determine qualquer forma de discriminação ou preconceito.
Rio de Janeiro	Capítulo IV. Art. 321, VIII. Educação igualitária, eliminando estereótipos sexistas, racistas e sociais das aulas, cursos, livros didáticos ou de leitura complementar e manuais escolares.
São Paulo	Capítulo I. Art. 203, II. É dever do município garantir: educação igualitária, desenvolvendo o espírito crítico em relação a estereótipos sexuais, raciais e sociais das aulas, cursos, livros didáticos, manuais escolares e literatura.

Fonte: Leis Orgânicas Municipais e Constituição do Estado de Goiás (*apud* SILVA JR, 1998).

A outra reivindicação do movimento negro, a inclusão de conteúdos que tratam da contribuição dos negros (e indígenas) para a construção do País, recebeu resposta similar, mas em lei federal. Já havia uma afirmação na Lei de Diretrizes e Bases da Educação Nacional/LDB, de 20 de dezembro de 1996, quando fora estipulado que "o ensino da História do Brasil levará em conta as contribuições das diferentes culturas para a formação do povo brasileiro, especialmente das matrizes indígena, africana e europeia"

(Capítulo II, Seção I, Art. 26, § 4º). Mesmo com essa prescrição, o movimento negro juntou forças para a sanção, mais recente, pelo presidente Luiz Inácio Lula da Silva, da Lei nº 10.639, de 9 de janeiro de 2003, que estabelece a obrigatoriedade do ensino da história e cultura afro-brasileira (nos diversos níveis de ensino, conforme interpretação do Parecer 03/2004 CNE). De forma análoga à retirada das passagens racistas, a aprovação é mais fácil que a aplicação, o que sugere apreensão em relação à sua influência na produção dos livros didáticos:

> Teme-se que, para suprir esse novo mercado editorial que se abre, possamos ter uma nova enxurrada de livros que se comprazam em representar a África do tempo da colonização do Brasil, que fortaleçam o trio feijoada, futebol e samba, ou que mantenham o debate sobre relações raciais no Brasil focalizado exclusivamente nos negros, retardando, ainda mais, o questionamento da construção da identidade racial branca. (ROSEMBERG; BAZILLI; SILVA, 2003, p. 142)

Mais que o estabelecimento de normas, parece-nos significativa a busca de mecanismos que direcionem as políticas para o cumprimento das existentes. No caso da produção dos livros didáticos, a impressão é de que os movimentos sociais desempenham papel aquém de outros segmentos de interesse no PNLD.

Alguns atores com interesses no PNLD

Observamos que O PNLD gerou um tipo de relação específica entre governo e iniciativa privada. O investimento público nos programas do livro didático tem sido significativo desde a década de 1980. As gestões do Governo Federal têm dado prioridade em seus gastos ao PNLD, independentemente da administração considerada. Esse aumento adquire sua consistência na análise dos gastos, na qual se observa:

a. ao comparar períodos de governo (85-89, Sarney; 90-92, Collor; 92-93, Itamar; 94-97, Fernando Henrique Cardoso I), observa-se que o primeiro ano de cada governo foi sinônimo de aumento na alocação de recursos no PNLD. Os menores valores de uma determinada gestão nunca foram menores aos de gestão anterior (CASTRO, 1996; CASTRO, 2001).

b. A diminuição da proporção de recursos alocados para o MEC não significou a diminuição de recursos alocados para o PNLD e para assistência ao educando. Em relação aos gastos totais com assistência, os gastos com o PNLD representavam 12% no governo

Sarney, passaram a 23% no governo Collor, chegaram a 27% no governo Itamar, e retornaram aos 23% no primeiro mandato de FHC (CASTRO, 1996; CASTRO, 2001).

c. Entre 1985 e 1993, o MEC apresentou uma variação anual de gastos com crescimento inferior ao da União, e o PNLD, ao contrário, obteve variação superior à dos gastos da União (CASTRO, 1996). Entre 1994 e 1997, os gastos públicos federais com a Educação sofreram contínuas reduções (CHAGAS, 2001). Os gastos com o PNLD, por sua vez, foram de 125 milhões de reais em 1995, 196 milhões em 1996 e 223 milhões em 1997 (BATISTA, 2001).

A presença marcante do Governo Federal como comprador levou à afirmação de que a produção de livros didáticos no Brasil é dependente dos recursos públicos (FREITAG; MOTTA; COSTA, 1989; BATISTA, 2001). Editores e dirigentes da Associação Brasileira de Autores de Livros Educativos/ABRALE defendem que a questão é mais complexa, as editoras não podem depender do Estado, têm que ter iniciativas próprias e consolidar alternativas outras no mercado (MUNAKATA, 1997; GATTI JÚNIOR, 1998). Mesmo aceitando a afirmação de que as editoras não dependem comercialmente do Estado, é inegável o papel do Estado no mercado brasileiro de livros didáticos e no aumento da produção observado nas décadas de 1980/90.

Em relação ao primeiro período do PNLD, 1985-1993, Castro (1996) aponta que os gastos dos programas foram movidos pelos interesses de dois grupos: dirigentes governamentais, que usavam os programas de assistência (entre os quais o programa do livro) como estratégia clientelista e ramo da indústria do livro interessado em aumentar a acumulação de capital. "Se existiu, em algum momento, a intenção de atender às necessidades educacionais dos alunos do ensino fundamental, essa esteve diretamente subordinada aos interesses citados" (CASTRO, 1996, p. 63).

No final do período estudado por Castro (1996), em 1993, o PNLD deixou de ter que competir anualmente com os outros programas de governo, passando a ter recursos assegurados de fonte determinada. Os dirigentes do Fundo Nacional para o Desenvolvimento da Educação/FNDE lançaram resolução que vinculou recursos para a compra de livros didáticos, obrigando-se a: "Destinar, anualmente e em caráter prioritário, recursos da ordem de duzentos e setenta milhões de UFIR, equivalente à média de doze UFIR por aluno, da Quota Federal do Salário-Educação, para a aquisição de livros didáticos para os alunos da rede pública de ensino fundamental" (art. 1º da Resolução 06/2003 do FNDE). A vinculação de recursos correspondeu a aumento significativo nas compras do governo em 1993. O mais significativo, porém, foi o estabelecimento de um fluxo contínuo de financiamento. Os recursos vinculados determinavam que o PNLD deixaria de estar à mercê do jogo político de definições orçamentárias ano a ano. Segundo Castro (1996), a vinculação de recursos foi uma importante vitória dos editores de livros representados pela SNEL, dos políticos interessados nos bônus dos programas de assistência, dos burocratas do MEC ligados ao programa e dos transportadores. Após 1993, a vinculação de recursos do FNDE garantiu níveis elevados de aplicação de recursos no PNLD, até os dias atuais.

Para o período posterior a 1993, dados corroboram a hipótese de Castro de que os interesses que prevalecem no PNLD são principalmente os de empresários do setor livreiro e políticos assistencialistas. Entre 1994 e 1997, a diminuição de recursos aplicados na Educação (CHAGAS, 2001) conviveu com aumentos significativos nos montantes de compras do PNLD (BATISTA, 2001). O aumento do número de volumes comprados pelo MEC poderia estar relacionado com o aumento no número de alunos no ensino fundamental. Entre 1984 e 1995, o crescimento do PNLD foi superior ao crescimento das matrículas (MUNAKATA, 1997, p. 53). No período seguinte, o aumento das compras do PNLD manteve índices muito superiores ao aumento de alunos no ensino fundamental (TAB. 5). O número de matrículas, conforme os dados do INEP, apresentou aumento "acanhado" em comparação com os incrementos no total de volumes adquiridos e de recursos aplicados no PNLD (TAB. 5). Isso significa que aumentou o número de livros recebidos por cada aluno matriculado no ensino fundamental.

Tabela 5 - Variação anual de matrículas no ensino fundamental, volumes adquiridos para o PNLD e recursos aplicados no programa, 1995-1999 (1995 = 100)

Ano	Matrículas no ensino fundamental	Volumes adquiridos	Recursos aplicados
1995	100	100	100
1996	102	141	157
1997	106	149	178
1998	112	148	202
1999	113	192	298

Fonte: Sinopse estatística do Instituto Nacional de Estudos e Pesquisas Educacionais/INEP e Brasil/MEC (2000).

Outro fator explicativo do crescimento é a extensão do atendimento. Desde a criação do PNLD, em 1985, a meta era atingir todo o ensino fundamental. Até 1995, porém, eram comprados apenas livros para alfabetização e de 1ª a 4ª séries do fundamental. A partir de 1996, foi iniciada a compra para 5ª a 8ª séries, o que explica o significativo incremento nesse ano. Para o mercado do livro, significou o aumento do consumo médio desse segmento (maior número de livros por aluno), aumento do número de consumidores e aumento das compras do cliente preferencial, o Estado. São dados que reforçam o papel do Estado como "cliente" privilegiado do mercado do livro didático brasileiro.

Outros dados, particularmente os relativos às avaliações do PNLD, contrariam a visão de que os interesses dos empresários do livro didático e de políticos assistencialistas foram soberanos quanto às políticas do livro didático. A avaliação dos livros levou a significativas modificações nas relações entre MEC e editoras. As compras dos livros, que antes das avaliações eram pactuadas em reuniões fechadas (CASTRO, 1996), passaram a fazer parte de um processo complexo, de inscrição, avaliação, publicação de resultados, indicação dos professores e, finalmente, de compras. Problemas nas partes gráficas, como impressão ilegível, papel de baixa qualidade, encadernações inadequadas, etc., passaram a ser critério eliminatório. Significaram a exigência de que as editoras apresentassem material com melhor qualidade de papel, impressão, encadernação, diagramação, etc. As avaliações forçaram as editoras a rever também aspectos de conteúdo e de metodologia dos livros. O MEC passou a negociar preços e conseguiu baixar os valores pagos por unidade (CASTRO, 2001), em função dos quantitativos de compras. O fato levou as editoras a ter que trabalhar com margens de lucros menores, só interessantes, em termos comerciais, pelas grandes tiragens encomendadas.

O MEC passou, em determinados momentos, a uma disputa pública com editoras, que criticaram as avaliações e tentaram utilizar seus recursos para minorar o poder das ações do Governo. Uma crítica recorrente nas falas de editores e autores (entrevistados por Munakata, 1997, e Gatti Júnior, 1998) é a de que as avaliações são demasiado exigentes em aspectos de conteúdo, o que estaria em desacordo com a realidade dos professores e da escola brasileira. As falas, reificando a dicotomia do ensino público brasileiro, apontam a existência de dois tipos de livro: os voltados para a elite (os "estrelados" nas avaliações) e os voltados para a massa, que não devem cumprir as exigências das avaliações, que seriam muito sofisticadas para a escola pública brasileira.

Os produtores de livros didáticos formam um grupo heterogêneo, mas que congrega interesses comuns em relação ao PNLD, qual seja, o de manter e ampliar o seu "mercado cativo" de vendas de livros e aumentar a acumulação de seu capital (CASTRO, 1996). O Sindicato Nacional dos Editores de Livros/SNEL tem participação ativa e importante na negociação das empresas com o MEC desde a década de 1960, com os acordos MEC/ USAID/SNEL (CASTRO, 1996). Com a capacidade de organizar o grupo de editores e, principalmente, a liderança e organização das principais produtoras de livros, o MEC conseguiu absorver os conflitos entre as empresas, para assegurar "a principal fonte de acumulação deste segmento industrial" (CASTRO, 1996, p. 63).

As negociações diretas, segundo Castro (1996), ajudaram a moldar vínculos formais e informais entre os empresários do setor de didáticos e os burocratas do MEC envolvidos, o que determinou o aumento da teia de poder informal sobre o processo decisório do PNLD. A década de 1990 parece ter sido de modificações nessas relações e diminuição do poder de influência dos empresários e do SNEL. As relações passaram a ser mais formais, seguindo os trâmites da burocracia instituída para a inscrição de livros e avaliação. O MEC passou a realizar reuniões e seminários, mais abertos, para a discussão de diferentes fases das avaliações. O SNEL continuou com espaço de interlocução, foi chamado para as diversas reuniões de discussão das avaliações, mas deixou de ser a única entidade de representação.

Além do SNEL, na década de 1990, passaram a figurar entre os interlocutores do MEC a Câmara Brasileira do Livro/CBL, a Associação Brasileira de Editores de Livros/ABRELIVROS, e a Associação Brasileira de Autores de Livros Educativos/ABRALE. Entidades distintas, com interesses distintos, significam, hipoteticamente, uma dissolução do poder de negociação do SNEL. A ABRALE foi fundada em 1992, apresentando entre seus objetivos a representação junto à FAE e ao MEC. "Em 1995, a ABRALE desencadeou uma ofensiva em relação à FAE, reivindicando participação na definição da política de livros didáticos" (MUNAKATA, 1997, p. 195). Os autores de livros didáticos se organizaram para ampliar suas possibilidades de participação nas definições e negociações relativas ao PNLD.

Com as modificações das relações e com os novos procedimentos, esperava-se que, após o processo de avaliação, as vendas para o MEC fossem realizadas por número maior de editoras, e que editoras pequenas aumentassem a sua participação nas vendas ao PNLD (MUNAKATA, 1997, p. 69-70). Entre os produtores de livros, ocorrem também instituições públicas, Universidades e Secretarias Estaduais, mas que continuaram contribuindo com uma parcela ínfima no montante da produção, e tendo atuação regionalizada.

Entre 1982 e 1984, as cinco editoras com maior volume de vendas ao programa do livro responderam por 51% do total, e 90% das vendas foram realizadas para um grupo de treze editoras.[12] Os dados de 1985, após a criação do PNLD, revelam maior participação de determinadas editoras, em relação ao período anterior. No primeiro ano desse período, ocorreu enorme concentração, com 38% das compras realizadas de uma única editora, a IBEP, e a soma das cinco com maiores índices chegando a 77%. A tendência geral foi uma manutenção da regularidade nas vendas dessas principais editoras para o PNLD. Entre 1985 e 1993, um grupo de sete editoras atendeu cerca de 80% das compras do PNLD (CASTRO, 1996).

Em 1996 e 1997, 29 editoras repartiram o fornecimento de livros para o PNLD. No entanto, apenas cinco editoras (Ática, FTD, Nacional, Saraiva e Scipione) concentraram em 1995 e 1996, respectivamente, 78,3% e 73% das vendas de livros (CASTRO, 2001).

> Assim, a estratégia desse grupo de editoras não variou durante toda a existência do PNLD, o que ratifica seu grande comando sobre os recursos de poder e seu alto grau de organização, principalmente por parte das editoras líderes, as quais conseguiram manter uma repartição de recursos que lhes era extremamente favorável. (CASTRO, 2001, p. 160)

Em 2000, participaram do PNLD 25 editoras. As seis primeiras (Ática, Brasil, FTD, Nacional, Saraiva/Atual, Scipione) concentraram 78% das vendas, e as 11 primeiras (incluindo Formato, Moderna, Quinteto, IBEP e Módulo) foram responsáveis por nada menos que 96,6% das vendas (BATISTA, 2001). O processo de avaliação trouxe novas demandas às produtoras de livros didáticos e modificou as relações com o MEC. A manutenção de concentração de vendas por limitado número de editoras indica que essas se adequaram às modificações e conseguiram manter a concentração das compras do PNLD e sua hegemonia no mercado. Pequenas editoras, ligadas a universidades ou movimentos sociais (entre eles movimentos negros e de mulheres) continuaram com restritas possibilidades de participação no PNLD.

---

[12] Nos EUA, ocorre uma grande concentração da produção de livros didáticos (APPLE, 1995). Em 1980, as quatro principais editoras representavam 40% do mercado, as dez principais editoras, 75%, e as 20 maiores, 90%.

As respostas das editoras às novas demandas das avaliações passam também pela relação com os professores. O PNLD assumiu, desde 1985, a escolha dos livros pelos professores. As editoras organizaram uma sofisticada estrutura de *marketing* direto junto aos professores, potenciais "consumidores" de seus produtos. Autores assinalam que a participação dos professores na escolha dos livros tem sido excessivamente determinada pela estrutura de publicidade das empresas (Castro, 1996; Munakata, 1997; Gatti Júnior, 1998; Batista, 2001). Apesar dos recursos à disposição dos professores, esses poucos têm influenciado nas esferas de políticas e de produção do livro didático.

Não encontramos, na literatura consultada, alusão à participação de entidades de representação de professores de educação básica na discussão sobre as políticas do PNLD. A única exceção que localizamos foi a Confederação Nacional dos Trabalhadores em Educação/CNTE constar na lista de instituições que discutiram o documento "Recomendações para uma Política Pública de Livros Didáticos" (Batista, 2001). Os professores, quando referidos na literatura e nos documentos oficiais, o são em função de suas falhas: por sua formação precária, escolhem manuais de menor qualidade, mas que suprem deficiências em sua formação, e esse material, embora mais compreensível, é mais superficial e mecânico (Munakata, 1996; Gatti Júnior, 1997; Beisiegel, 2001; Batista, 2001).

Nas comissões de avaliação dos livros didáticos, a participação de professores do ensino fundamental e do ensino médio foi mínima. As comissões foram formadas quase exclusivamente por professores universitários. Editores encontraram aí um ponto para criticar a avaliação, que, segundo seu ponto de vista, estaria ancorada na perspectiva dos professores universitários, com exigências próprias da academia, mas muito distantes da realidade das escolas (Munakata, 1997; Gatti Júnior, 1998).

As críticas à participação de pesquisadores nas comissões entendem que, embora detenham um conhecimento específico de suas áreas de conhecimento, desconhecem as necessidades dos alunos e professores no cotidiano das escolas. Entidades que abrigam especialistas e pesquisadores, como a Associação Nacional de Pós-Graduação e Pesquisa em Educação/ANPEd, o Centro de Estudos e Pesquisas em Educação/CENPEC e especialistas das áreas de conhecimento de diversas universidades, tiveram papel muito mais ativo nas definições e discussões relativas ao PNLD.

Apesar da participação nos seminários, reuniões, encontros e comissões, de instituições de pesquisa, universidades e pesquisadores, os estudos sobre livro didático continuaram limitados (BATISTA, 2000; ROSEMBERG; BAZILLI; SILVA, 2003). As lacunas no conhecimento sobre como e por meio de quem os livros didáticos chegam a ser como são (APPLE, 1995, p. 98) continuam importantes.

A literatura aponta que os atores sociais que têm maior influência nas políticas de produção dos livros didáticos continuam os mesmos. Editores de livros didáticos, burocratas ligados ao PNLD e políticos vinculados à assistência social vêm em primeiro plano. Continua sem resposta a questão sobre em que medida têm sido atendidas demandas de movimentos sociais e interesses de professores do ensino fundamental.

Parte III

Análise formal e reinterpretação das formas simbólicas

Procedimentos da análise formal

As pesquisas do NEGRI são orientadas pela concepção de que o papel da pesquisa na elaboração e avaliação de políticas públicas deve ser o de instrumentar os atores sociais, particularmente os que ocupam posição de subordinação, para participarem de negociações com o maior acervo de conhecimentos possível (ROSEMBERG, *apud* ANDRADE, 2004). Nesse sentido, é importante o detalhamento e rigor de método e procedimentos que visam atender o princípio definido por Thompson (1995) como o da "não imposição".

> Oferecendo-se o "caminho das pedras", tem-se o desejo, não de impor, mas de propor uma interpretação, entre outras possíveis, que pode ser provada, questionada, melhorada ou corroborada a partir de exposição transparente na construção argumentativa, teórico-metodológica e processual. (ANDRADE, 2004, p. 22)

Nesta parte do livro, são apresentados os resultados da análise, em perspectiva diacrônica, de unidades de leitura de livros didáticos de Língua Portuguesa, dirigidos à 4ª série do ensino fundamental, publicados entre 1975 e 2003. Essa escolha foi motivada pela busca de maior homogeneidade da amostra, e pelo diálogo que esta pesquisa buscou realizar com o estudo de Pinto (1981), que analisou, em perspectiva diacrônica, livros de leitura para a 4ª série, publicados entre 1946 e 1975. No que se refere a relações raciais, esta pesquisa visou atualizar a pesquisa de Pinto (1981), analisando livros didáticos de Língua Portuguesa comprados por programas de distribuição de livros didáticos, publicados de 1975 até 2003.

Para a análise diacrônica, delimitamos três períodos, relacionados às políticas federais para o livro didático: 1°) de 1976 a 1984, correspondente à execução do Programa do Livro Didático de Ensino Fundamental/PLIDEF; 2°) de 1985 a 1993, correspondente ao início de execução do Programa Nacional do Livro Didático/PNLD; 3°) de 1994 a 2003,[1] em 1994 foi publicada avaliação dos livros comprados pelo PNLD (BRASIL/FAE, 1994), o que deu início ao processo de avaliação sistemática que passou a ocorrer a partir de 1996.

O estudo de Pinto (1981) analisou livros indicados pela Secretaria Estadual de Educação de São Paulo. Nosso intuito inicial foi analisar livros indicados para compra pelos programas do livro didático, nos três períodos. Porém, não encontramos listagens de livros indicados ou adquiridos nos diferentes períodos, o que nos levou a utilizar critérios múltiplos de delimitação da amostra, que relatamos a seguir. Segundo informações que coletamos, nos dois primeiros períodos não eram definidas ou divulgadas listas de indicação de livros para a compra. Durante o PLIDEF, segundo Castro (1996), a definição dos livros e montantes a serem adquiridos se dava em reuniões entre representantes dos produtores e técnicos da FAE. Para o segundo período, a partir de 1985 (PNLD 1), foi implementada a indicação pelos professores dos livros a serem adquiridos. Também não havia listas de livros indicados pelo MEC. Foi mantida a prática das reuniões entre técnicos do MEC e representantes dos editores, nas quais eram definidos os quantitativos de compras, participação de cada editora e preços. As compras dos livros indicados pelos professores foram paulatinamente implementadas, levando em conta, para a definição das compras, outras questões, como a capacidade de produção das editoras e os problemas relacionados à distribuição dos livros. Como não havia listas de indicados, tentamos obter listagens dos títulos de Língua Portuguesa que foram adquiridos pelo MEC nos dois períodos. Obtivemos respostas negativas em diversos contatos telefônicos com funcionários e bibliotecários do Fundo Nacional de Desenvolvimento da Educação/FNDE e com a Secretaria de Ensino Fundamental/SEEF do MEC.

Encontramos em Castro (1996, p. 64-66) as listagens e montantes de todas as editoras que venderam para o MEC em dois períodos:

---

[1] Delimitamos o ano de 2003 para a composição da amostra. Após a busca dos títulos a serem analisados, trabalhamos com um livro publicado em 2004.

1977-1984 e 1985-1991. Como os períodos se aproximam dos definidos para nosso estudo, tomamos tais listagens de editoras como parâmetros para o primeiro e segundo períodos. As tabelas organizadas por Castro (1996, p. 64-66) apresentam as editoras que venderam para os programas do livro, mas não apresentam indicações de títulos. Em função disso, resolvemos recorrer ao depósito legal dos livros na Biblioteca Nacional (BN).

Orientados por bibliotecária da BN, utilizamos base de dados alternativa (http://consorcio.bn/consorcios/bases.html), obtendo acesso aos índices dos livros didáticos de Língua Portuguesa. O índice geral de Língua Portuguesa deu como resposta 4.689 entradas. Os subíndices específicos foram "Língua Portuguesa (primário)", com 31 entradas (livros que foram depositados antes da Lei 5.692 de 1971); "Língua Portuguesa (primeiro grau)", com 1.493 entradas (depósitos após a Lei 5.692 e anteriores à aprovação da LDB e mudança na nomenclatura); "Língua Portuguesa (ensino fundamental)", com 571 entradas, e "Língua Portuguesa (ensino fundamental) estudo e ensino", com 329 entradas (depósitos pós-LDB). A partir dessas entradas, foram separadas as referências de livros voltados à 4ª série. Excluíram-se as repetições de livros com dados catalográficos iguais. Retiradas todas as repetições, chegamos a uma listagem com 190 referências de livros didáticos de Língua Portuguesa, para a 4ª série, depositados na BN entre 1975 e 2003.

Organizamos num quadro os títulos depositados na BN nos dois períodos iniciais, 1975-1984 e 1985-1993. A seguir, consideramos somente os livros publicados por editoras que venderam para o MEC nos respectivos períodos, cruzando com os dados de Castro (1996). Em cada um dos períodos, foram eliminadas as repetições de entradas (anos de depósito diferentes, mas mesmo título, autor e editora), com o propósito de diversificar ao máximo a amostra. Chegamos a um total de 35 títulos de livros didáticos de Língua Portuguesa, 4ª série, depositados entre 1975 e 1984, por editoras que, nesse período, venderam para o PLIDEF. Para o período seguinte, 1984-1993, o total foi de 43 títulos. O Quadro 7, a seguir, apresenta os quantitativos de títulos, nos três períodos, conforme as fontes e critérios de seleção.

Nossa definição para o terceiro período (1994-2003) foi dupla. Trabalhamos com as listagens dos livros resenhados nos guias do Livro Didático, com os livros que, nas avaliações sucessivas, foram classificados como "recomendado com ressalvas", "recomendado" e "recomendado com distinção". Para os anos 1994-1995 (anteriores à publicação do Guia do Livro Didático), utilizamos a lista de livros de Língua Portuguesa para 4ª série que constam na publicação da FAE para a definição de critérios de avaliação (BRASIL/FAE, 1994). Além do critério de divisão dos períodos em acordo com marcos do PNLD, optamos, para manter os períodos com duração similar (9-10 anos), por utilizar o duplo critério para o terceiro período.

Quadro 7 - Títulos listados e sorteados, por período, critério e fonte

Períodos/ Programa	Critério	Fonte	Ano	Quantidade	Sorteio
1975-1984 PLIDEF	Editora vendeu para PLIDEF	Depósitos na Biblioteca Nacional	1975	2	1
			1976	0	-
			1977	1	-
			1978	3	1
			1979	2	1
			1980	1	-
			1981	4	1
			1982	8	1
			1983	11	3
			1984	3	1
			Total parcial	35	9
1985-1993 PNLD 1	Editora vendeu para PLIDEF	Depósitos na Biblioteca Nacional	1985	10	4
			1986	11	2
			1987	5	1
			1988	6	1
			1989	3	2
			1990	4	1
			1991	1	-
			1992	1	-
			1993	1	-
			Total parcial	43	11
1994-2003 PNLD 2	a) Avaliado e comprado pelo PNLD b) Avaliado e indicado para compra no PNLD	Definição de critérios para avaliação dos Livros Didáticos Guia do Livro Didático 1997 Guia do Livro Didático 1998 Guia do Livro Didático 2000 Guia do Livro Didático 2004	1994	10	1
			1995	-	-
			1996	6	2
			1997	6	2
			1998	-	-
			1999	-	-
			2000	9	2
			2001	-	-
			2002	-	-
			2003	23	6
			Total parcial	54	13
			Total geral	132	33

Os títulos correspondentes a cada período foram dispostos em listas e numerados e, com o auxílio da Tábua de Números Aleatórios, foram sorteados, em ordem cronológica crescente, correspondendo a 25% do total de livros. O número de títulos definidos para a composição da amostra foi de 9 para o período de 1975 a 1984, 11 para 1985 a 1993 e 13 para 1994 a 2003, perfazendo um total de 33 títulos. Com essa listagem (Quadro 8), passamos à busca dos títulos em bibliotecas, realizando, paralelamente, buscas virtuais e *in loco*.

Iniciamos a busca dos livros nas bibliotecas da cidade de Curitiba, no sistema de busca da Biblioteca Pública do Paraná, interligado com as bibliotecas das universidades estaduais. Na Biblioteca de Ciências Humanas e Educação da UFPR, os livros didáticos não constam nos catálogos (eletrônico e fichário), o que determinou a necessidade de busca nas estantes. As buscas no sistema da PUC/PR foram realizadas eletronicamente. Após, passamos a visitar escolas públicas, municipais e estaduais. Selecionamos escolas cujos acervos pudessem, potencialmente, conter livros didáticos das séries iniciais do ensino fundamental. Foram visitadas seis escolas estaduais, oito escolas municipais, uma biblioteca da Fundação Cultural de Curitiba e 15 bibliotecas da rede da "Gerência de Faróis do Saber" da Secretaria Municipal de Educação de Curitiba (são bibliotecas anexas às escolas municipais, que atendem aos alunos dessas e à comunidade local). Realizamos contato telefônico com a biblioteca do Fundo Nacional de Desenvolvimento da Educação (FNDE), que, com a reformulação institucional do MEC em 1997, incorporou as finalidades básicas da FAE (CASTRO, 2001). Recebemos a informação de que a biblioteca do FNDE recebeu somente uma pequena parte do acervo da biblioteca da FAE e que a maior parte desse teve destino incerto. Realizamos visita à biblioteca do FNDE (em Brasília), que dispunha de um número limitado (três livros) de nossa amostra. Passamos a buscas nos bancos de dados da USP, UNICAMP e PUC/SP. Foram realizadas visitas a diversas bibliotecas escolares da cidade de São Paulo, pela partícipe da pesquisa, Neide Cardoso de Moura. Ainda não havíamos localizado todos os livros, e a Biblioteca Nacional (BN) estava fechada devido à greve de funcionários do Ministério da Cultura. Obtivemos a informação de que havia sido constituído um acervo com os livros didáticos comprados pela FAE para o PNLD, entre os anos 1986 e 1993, na biblioteca do Instituto de Recursos Humanos

João Pinheiro (IRHJP), em Belo Horizonte, que deixou de existir em 2003. Procuramos localizar o seu acervo. Após uma série de contatos telefônicos, soubemos que parte do acervo da biblioteca do IRHJP foi distribuído por diversas outras bibliotecas e outra parte, incluindo os livros didáticos, fora abandonada ou doada.

Após o término da greve da BN, contatamos a Divisão de Informação Documental e agendamos datas para trabalhar nessa biblioteca. Fomos autorizados a fotografar a amostra de unidades de leitura dos livros. Desta forma, preenchemos a ficha catalográfica e fotografamos, utilizando tripé e câmera digital (resolução máxima de 5.0 megapixel e zoom ótico de 4x), as unidades de leitura dos seis livros faltantes. Posteriormente, utilizamos as fotografias para proceder à análise dos personagens nas unidades de leitura, nas ilustrações e nas capas.

No Quadro 8 apresentamos os anos de sorteio dos livros que compuseram a amostra e os anos de edição dos livros localizados e analisados. As diferenças entre os anos de sorteio e os de edição, quando existiram, foram pequenas, sendo a maioria dos livros analisados publicada no mesmo período em que o título foi sorteado, característica importante para a análise que empreendemos, pois indica fidedignidade dos dados coletados em relação aos períodos definidos como marco para a análise diacrônica.

Quadro 8 – Títulos, anos de referência para sorteio e datas de edição analisada, por períodos

Períodos/ Programa	Nº	Título e autor	Ano de referência para sorteio
1975-1984 PLIDEF	1	Pense, imagine e escreva – comunicação e expressão Maria do Carmo Maia de Oliveira	1975
	2	Brincando com as palavras, primeiro grau Joanita Souza	1978
	3	ABC, aprender, brincar, comunicar. Primeiro grau João Teodoro D'Olim Marote	1981
	4	Estude conosco Ana Luz e Geraldo Mattos	1982
	5	Atividades de Comunicação Hermínio G. Sargentim	1983
	6	Era uma vez Therezinha Casasanta	1984

Quadro 8 – Títulos, anos de referência para sorteio e datas de edição analisada, por períodos (*continuação*)

Períodos/ Programa	Nº	Título e autor	Ano de referência para sorteio
1975-1984 PLIDEF	7	A conquista da linguagem Zélia Almeida	1979
	8	Aprenda comigo - comunicação e expressão 1º grau Domingos Paschoal Cegalla	1983
	9	Eu gosto de aprender comunicação e expressão Maria da Glória Mariano Santos e Rosemary Faria Assad	1983
	10	Caminho suave Branca Alves de Lima	1985
	11	Texto e contexto Janice Janet Persuhn	1987
	12	A criança e a comunicação Rosilda Vargas	1989
	13	Língua Portuguesa João Teodoro d'Olim Marote	1989
	14	Ponto de partida em comunicação e expressão Zélia Almeida	1986
	15	Pingos e respingos Elisa Barbosa Campos	1985
1985-1993 PNLD 1	16	Vamos ler e escrever bem Maria Helena Portilho e Eponina Portilho	1985
	17	Que boa ideia! Gilda Figueiredo Padilha	1988
	18	Conversar, ler e escrever Hildebrando A. de André	1990
	19	Descobrindo as palavras Gilio Giacomozzi	1985
	20	Aprendo com outras palavras Mª Lucia de Magalhães e Mª do Carmo Maia de Oliveira	1986
	21	Integrando o aprender Maria Eugênia Bellucci; Luiz Gonzaga Cavalcanti	1994
	22	Da palavra ao mundo Maria do Rosario Gregolin; Claudete Moreno Ghiraldelo	1996
	23	Linguagem e interação Edna Pontes; Elisiani Tiepolo; Marlene Araújo; Reny Guindaste e Sonia Medeiros	1996
	24	Desenvolvimento da linguagem Eloísa B. Gianini; Mara S. Avilez e Márcia M. S. Prioli	1997
	25	Produzindo leitura e escrita Denise M. Rocha; Rosane Teixeira; Tânia Mª B. Garcia	1997
	26	Língua Portuguesa com certeza! Júlia Fraga; Norma Benjamim	2000
1994-2003 PNLD 2	27	Construindo a escrita – leitura e interpretação de textos Carmen Silvia Torres de C. Carvalho	2000
	28	Bem-Te-Li – Língua Portuguesa Angiolina D. Bragança e Isabella P. de M. Carpaneda	2003
	29	L.E.R. Leitura, escrita e reflexão – Língua Portuguesa Cristina Mantovani e Leite Bassi; Márcia das Dores	2003
	30	Letra, palavra e texto – Língua Portuguesa e projetos Mércia Procópio; Jane Passos; Irvânia Pinto e Tânia Silva	2003
	31	Língua Portuguesa Vera Simoncello; Amalia Almeida; Angelina Andrade	2003
	32	Pensar e viver – Língua Portuguesa Claudia Regina S. Miranda; Maria Luiza D. Rodrigues	2003
	33	Português na ponta do lápis... e da língua Rita de Cássia Braga; Márcia Magalhães; Ilza Gualberto	2003

A estrutura dos livros da amostra manteve uma forma quase universal. O formato em 205 mm por 275 mm, com impressão em retrato, foi o mais frequente em todos os períodos, passou a ser obrigatório para inscrição no PNLD (portanto obrigatório para os livros do terceiro período). As capas, geralmente ilustradas, na maioria com figuras de crianças, trazem grafados título e autor(es). Após, contracapa com praticamente os mesmos dados e no verso dessa, em geral, ficha catalográfica e créditos da produção do livro (funções e nomes de profissionais envolvidos na produção). Tais informações tornaram-se progressivamente mais completas, do primeiro ao terceiro período. A seguir, na maior parte das vezes, o sumário ou índice. Em alguns casos, no primeiro e segundo períodos, os livros trouxeram no sumário a listagem de títulos das unidades de leitura (em vez de divisão em capítulos). Uma apresentação dirigida aos alunos/leitores esteve presente em quase todos os livros, podendo estar disposta antes ou depois do sumário. Posterior, em geral, à divisão em capítulos (ou unidades, ou lições). A maioria absoluta dos capítulos iniciou com textos, para leitura e interpretação pelos alunos/leitores (denominamos tais textos "unidades de leitura"). Na maior parte das vezes, tais textos se destacam com características específicas de impressão (tipo maior em muitos casos), paginação e diagramação. Acompanharam as "unidades de leitura", amiúde, exercícios ou propostas de atividades que abordaram temáticas relacionadas ao conteúdo do texto, por vezes tarefas de interpretação ou exercícios de compreensão, por outras, exercícios gramaticais. Bastante frequente foi, entre ou ao final dos exercícios, a presença de textos explicativos sobre os itens gramaticais trabalhados na parte específica do livro. Alguns livros trouxeram ainda informações relacionadas aos textos, biografias dos autores, informações históricas, geográficas ou científicas, provérbios, máximas. Essa disposição básica, capítulos (ou "lições") com texto(s) para leitura e exercícios, continuou, em geral, pelos diversos capítulos dos livros. Ao final, diversos livros do primeiro e segundo períodos trouxeram glossários, ao passo que vários outros terminaram abruptamente. No terceiro período, passou a ser obrigatória a apresentação de referências bibliográficas e foram também observados glossários e indicações de leituras complementares.

O uso de ilustrações diferiu bastante de livro para livro e, particularmente, de período a período. Os livros do primeiro período contavam com número limitado de ilustrações, seguindo padrão único, com uso limitado de cores. Basicamente, observaram-se ilustrações coloridas nas capas e ilustrações das unidades de leitura, por vezes preto e branco, mas com o uso de limitadas cores na maioria. No livro "atividades de comunicação", notamos estrutura gráfica mais próxima dos livros dos períodos posteriores: o uso elevado de fotografias; muitas cores; comum complementação de mensagens dos textos por imagens. No segundo período, o uso de fotografias passou a ser mais comum, assim como aumentou a quantidade de ilustrações, o uso de cores e a variedade de padrões. Essa diferença foi ainda maior no terceiro período, com o uso de número maior e padrões mais diversificados de ilustrações, fotografias, cores, ícones. Além das ilustrações que acompanhavam as unidades de leitura, observamos ilustrações dos mais diversos tamanhos, padrões gráficos detalhados, mais cores, mais ícones, recursos gráficos diversificados em quase todas as páginas dos livros. As ilustrações ganharam em número, complexidade e importância na apresentação dos livros. Aspecto também a considerar é que as ilustrações em geral são originais, produzidas para o próprio livro didático, diferente das unidades de leitura, que, na maioria absoluta, são transcrições.

Os textos para a leitura/análise pelos alunos foram de formatos diversos: textos de ficção, trechos históricos, biografias, narrativas informativas, poesias, letras de música, provérbios. Nos livros do terceiro período, observou-se maior variedade de formas, com tiras de quadrinhos, peças publicitárias, fotografias, quadros, esculturas. Além da diversificação de formas, no terceiro período observamos maior "fragmentação" dos textos, justaposição de inúmeros textos, frases, ilustrações. Recursos gráficos foram utilizados para compor a fragmentação observada: caixas de texto, frases, explicações, ícones. A crítica à chamada "disneylândia pedagógica" (MUNAKATA, 1997) nos parece pertinente à tendência à poluição visual e fragmentação observada na maior parte dos livros. A impressão é que, apesar das críticas à comunicação de massa, os livros didáticos, de forma similar à literatura infantojuvenil, assimilaram processos e técnicas desses meios, afinal, "estamos na era do movimento, da rapidez de informações, de inúmeras imagens por segundo" (ESCANFELLA, 1999).

Na análise qualitativa, foram considerados todos os formatos textuais e ilustrativos. Mas na análise quantitativa não consideramos as poesias, as tiras de quadrinho, as peças publicitárias, as pinturas, as fotografias e outros formatos baseados em imagens. Os textos que compunham os capítulos foram denominados "unidade de leitura" e definidos como "peça" para a análise quantitativa. Os livros didáticos trazem, em geral, fragmentos de outros livros, o que limita e tende a padronizar o tamanho das unidades de leitura e o número de personagens nelas observados. Como o número de "unidades de leitura" seria excessivo para o tempo de que dispúnhamos, definimos usar um novo critério de constituição de subamostra, analisando 30% das unidades de leitura de cada livro, que foram numeradas. Com auxílio da Tábua de Números Aleatórios, foram sorteados os 30% de unidades de leitura a serem analisadas. Quando o percentual correspondia a número fracionário, arredondamos para cima, o que resultou na análise de 32% do total de unidades de leitura numeradas.

Posteriormente, definimos utilizar critério correlato para constituir amostra das ilustrações, que foi relacionada às unidades de leitura selecionadas, ou seja, foram analisadas quantitativamente somente as ilustrações contíguas (na maior parte das vezes na mesma página) aos 32% de unidades de leitura da amostra, mais as ilustrações das capas.

À medida que localizávamos os livros, iniciamos os procedimentos para análise de conteúdo. Observamos, anteriormente, que Thompson (1995) não particulariza um determinado procedimento para a análise discursiva. Pode-se recorrer a uma ampla gama de procedimentos, em função do objeto de estudo, dos objetivos e de circunstâncias particulares da investigação. Esta pesquisa busca articular a análise de conteúdo, conforme utilizada por Bardin (1977) e Rosemberg (1981), à proposta metodológica de Thompson (1995).

> As proposições da análise de conteúdo associam-se à metodologia proposta por Thompson (1998) em três aspectos principais: o estudo das formas simbólicas com ênfase na dimensão de sua significação; a necessidade de procedimentos sistemáticos e objetivantes de descrição e caracterização dos textos, que servem como suporte empírico à pesquisa, no momento de sua análise; e a consideração de que os significados dos produtos simbólicos são construídos a partir de sua contextualização social e histórica. Além disso, a explicitação de procedimentos para efetuar cortes e categorizar textos, habitual em análise de conteúdo, encaminha mais facilmente a interpretação da interpretação, tal como sugere Thompson. (CALAZANS, 2000, p. 91)

A análise de conteúdo consiste em conjunto de procedimentos que auxiliam a descrever, de forma sistemática e "objetivável", aspectos selecionados das formas simbólicas. No nosso caso, o uso de técnicas de análise de conteúdo constitui instrumento descritivo auxiliar para a interpretação dos textos e ilustrações de livros didáticos de Língua Portuguesa/LDs, destacando aspectos subjacentes, de acordo com os objetivos propostos neste estudo: a expressão de discurso racista em textos didáticos ocorre, via de regra, por formas implícitas, não diretas, conformando-se a novas práticas sociais.

O processo de análise de conteúdo visou, neste sentido, categorizar partes do discurso (texto e ilustração) dos livros da amostra, "tentado, assim, desvendar significados poucos claros ou trazer, para o primeiro plano, aspectos comuns subjacentes e sossobrados na diversidade estilística" (ROSEMBERG, 1981, p. 70), com o objetivo de reinterpretar os aspectos das mensagens selecionados. Com base na proposição de Bardin sobre análise de conteúdo, foram definidos: como unidade de contexto as "unidades de leitura" e, como unidade de análise, o personagem, no texto e nas ilustrações. Como unidade de conteúdo, foram definidas as informações catalográficas, as informações sobre a unidade de leitura, os atributos dos personagens, as conotações e denotações relacionadas aos personagens.

Definidas as unidades de contexto, de análise e de conteúdo, seguiu-se à categorização do discurso. Foram adaptados os manuais utilizados por Bazilli (1999) e Escanfella (1999). As categorias foram conceituadas e explicitadas em suas características específicas em manuais e resumos – Manual de Ficha Catalográfica; Manual 1 (Dados Catalográficos dos Livros Didáticos); Manual 2 (Unidades de Leitura); Manual 3 (Personagens no Texto); Manual 4 (Personagens nas Ilustrações) —, que visaram orientar e uniformizar o procedimento de coleta de dados, tendo em vista que essa foi realizada por diversos pesquisadores: para a codificação dos dados catalográficos e dos personagens nas ilustrações, contamos com o auxílio da bolsista de Iniciação Científica Elisângela de Farias; a codificação de dados relativos às unidades de leitura e aos personagens nos textos foi realizada por este autor e pela pesquisadora do NEGRI Neide Cardoso de Moura.

Os dados catalográficos dos livros didáticos continham, basicamente, categorias sobre edição e informações sobre os diversos profissionais relacionados à produção dos livros (autores, editores, diagramadores, etc.). Os dados relativos às unidades de leitura continham maior diversidade de variáveis, que estão listadas no Quadro 9.

Quadro 9 - Categorias para codificação dos
dados catalográficos das unidades de leitura

1 - número do arquivo;
2 - número do livro;
3 - número de unidades de leitura;
4 - número da unidade de leitura;
5 - número do autor;
6 - sexo do autor;
7 - cor/etnia do autor;
8 - data de nascimento do autor (ou primeiro autor em coautoria);
9 - data de nascimento do 2º autor;
10 - currículo literário do autor;
11 - escola literária do autor;
12 - fonte;
13 - gênero;
14 - origem;
15 - ponto de vista/foco narrativo;
16 - sexo do narrador;
17 - cor/etnia do narrador;
18 - idade do narrador;
19 - gênero do título.

Fonte: Manual 2 – análise e codificação da unidade de leitura

A ampla definição de personagem, adotada a partir das referências de Rosemberg (1985) e Bazilli (1999), determina o uso de regras complexas. O Manual 3 (análise do personagem no texto) contém a definição detalhada dos componentes utilizados para definição de personagem. Sinteticamente, o personagem foi definido como equivalente ficcional de pessoa, podendo assumir naturezas distintas (humana, antropomorfizada ou fantástica); existir no contexto ficcional ou fora dele, realizar ações ou somente ser mencionado. Os personagens individuais foram enumerados uma única vez, assim como os coletivos. Aquele que se destacou do coletivo constituiu novo personagem. Não foram considerados personagens: seres genéricos indeterminados, personagens sonhados ou de mentira e personagens somente evocados que não tinham ação própria ou antropomorfizada.

Os personagens foram descritos utilizando uma série de atributos listados no Quadro 10. As categorias que compõem o quadro formaram a grade de análise dos personagens.

Quadro 10 - Atributos utilizados para descrever personagens no texto

1 - natureza;
2 - individualidade;
3 - sexo;
4 - cor-etnia;
5 – denominação racial;
6 – idade ou etapa da vida;
7 – nome;
8 – nacionalidade;
9 – Estado e/ ou região de origem;
10 – contexto geográfico;
11 – vida e morte;
12 – deficiências;
13 – importância do personagem;
14 – língua e linguagem;
15 – religião;
16 – valor do personagem;
17 – profissão;
18 – atividade escolar;
19 – origem familiar;
20 – relação conjugal;
21 – relação de parentesco entre personagens: pais biológicos;
22 – relação de parentesco entre personagens: pais adotivos;
23 – relação de parentesco entre personagens: filhos biológicos;
24 – relação de parentesco entre personagens: filhos adotivos;

25 – relação de parentesco entre personagens: irmãos;

26 – relação de parentesco entre personagens: posição na família: irmãos;

27 – relação de parentesco entre personagens: família ampla hierarquicamente superior;

28 – relação de parentesco entre personagens: família ampla hierarquicamente inferior;

29 – relação de parentesco entre personagens: família ampla sem hierarquia;

30 – relação de parentesco entre personagens: família geral;

31 – informações complementares;

32 – classificação das ocupações.

Fonte: Manual 3 - manual para análise do personagem no texto.

Para os personagens das ilustrações, foi redigido um novo manual (Manual 4) no qual constou reduzido número de atributos dos personagens, a saber: natureza, individualidade, sexo, cor-etnia e idade.

Para cada um dos manuais (dados catalográficos; dados catalográficos das unidades de leitura, personagens no texto, personagens nas ilustrações dos textos e personagens nas ilustrações das capas), foram criadas planilhas eletrônicas específicas (usando o programa Excel), nas quais foram anotados, para cada variável, os códigos definidos nos manuais. Posteriormente, esses dados foram tratados utilizando o programa SPSS, versão 12.0. Para cada um dos manuais e cada uma das variáveis, foram geradas tabelas de frequência simples. Em seguida, foram geradas novas tabelas de frequência simples, para os três diferentes períodos, também para cada um dos manuais e cada um dos atributos. Finalmente, para os dados relativos aos personagens, foram elaboradas tabelas de cruzamentos da variável dependente (cor-etnia) com todas as demais. Esses procedimentos geraram um elevado número de tabelas. Selecionamos de tais tabelas os dados que subsidiam a análise sistematizada a seguir, a começar com os dados catalográficos dos livros didáticos e das unidades de leitura que compuseram a amostra.

Interpretação e reinterpretação

Neste capítulo apresentamos os dados da análise de conteúdo empreendida. Foram analisados 33 livros didáticos de Língua Portuguesa para a quarta série do ensino fundamental, publicados entre 1975 e 2003. Contamos um total de 794 unidades de leitura, das quais analisamos 252 (32%). Nas unidades de leitura analisadas, foram individuados 1.372 personagens. Nas ilustrações que acompanham esses mesmos textos, foram observados 650 personagens, e nas ilustrações das capas 120 personagens.

O capítulo está dividido em quatro partes. A primeira discute os resultados relativos aos dados catalográficos dos livros didáticos e das unidades de leitura que compuseram a amostra e descreve algumas características gerais e atributos predominantes dos personagens das unidades de leitura, dos personagens das ilustrações[1] e dos personagens das ilustrações das capas. A segunda seção aprofunda a discussão sobre personagens brancos e negros (agrupamentos dos resultados obtidos para as categorias preta e parda). O universo se restringe aos personagens classificados como branco ou negro, passando a ser de 741 personagens dos textos, 515 personagens das ilustrações e 109 personagens das ilustrações das capas. Na terceira parte, foi realizada a análise diacrônica, comparativa dos três períodos que definimos (primeiro período, 1975-1984; segundo período 1985-1993; terceiro período 1994-2003). Foram analisados, nos distintos períodos, os dados catalográficos e os atributos relativos aos personagens dos textos, das

---

[1] Doravante utilizaremos o termo personagens das ilustrações, mas a análise quantitativa restringiu-se às ilustrações que acompanharam as unidades de leitura da amostra.

ilustrações e das capas, com o intuito de apreender permanências e modificações nos discursos sobre os personagens negros e brancos. Finalmente, na quarta seção, realizamos uma síntese comparativa com outros estudos sobre discurso racista em livros didáticos e em literatura infantojuvenil.

Caracterização dos livros e unidades de leitura

Foram analisadas 794 unidades de leitura provenientes de 33 livros didáticos. Tais livros foram predominantemente publicados no eixo São Paulo (79%) – Rio de Janeiro (12%), segundo tendência de concentração que aludimos no capítulo 5. Os autores, na sua quase totalidade (91%), dedicaram-se exclusivamente à produção de livros didáticos; em somente um caso (3%), uma autora de livro didático da amostra dedicou sua produção literária principalmente à literatura infantil (Quadro 11).

Quadro 11 - Características predominantes de dados catalográficos

Características predominantes			N (%)
Local de publicação (N = 33)		Rio de Janeiro	04 (12%)
		São Paulo	27 (82%)
		Belo Horizonte	02 (06%)
Autor	Currículo literário (N = 33)	Exclusivamente livros didáticos	30 (91%)
		Principalmente literatura infantil	01 (03%)
		Indeterminado	02 (06%)
	Sexo (N = 33)	Masculino	05 (15%)
		Feminino	24 (73%)
		Misto	04 (12%)
	Cor-etnia (inclusive coautores) (N = 60)	Branco	16 (27%)
		Pardo	01 (02%)
		Indeterminado	43 (71%)

Fonte: Tabelas 1.1 a 1.8; 1.35; 1.40 a 1.47; 1.49 a 1.57; 1.62 a 1.69.

A distribuição por sexo revelou maioria feminina (73%). Não obtivemos informação sobre cor-etnia para a maioria (71%) dos 60 autores enumerados, mas, para os que identificamos, a predominância foi de brancos (94% dos identificados).

Identificamos a participação no processo de produção dos livros didáticos (além dos autores), das seguintes quantidades de profissionais (indivíduos ou grupos, listados por livro e função): edição, 13; edição de texto, 6; preparação de texto, 5; diagramação, 15; edição de arte, 11; pesquisa iconográfica 7; ilustração, 24; capa, 22. No que se refere à cor-etnia, somente identificamos a de 6% desses profissionais, todos brancos. Pode ser interessante analisar a distribuição dos grupos de cor nas diversas funções relacionadas à produção de livros didáticos, mas é objetivo que vai além dos desta pesquisa. Embora com um percentual pequeno de dados sobre grupo racial, a unanimidade de brancos serve como indicador sobre a distribuição racial nas esferas de decisão sobre a produção do livro didático.

Nas 252 unidades de leitura analisadas, foram computadas 148 autorias distintas. Os autores de livros didáticos da amostra utilizaram, principalmente, de compilação de textos de outros autores para a composição dos livros. A distribuição geral foi de predominância de autores dedicados à literatura infantojuvenil (50%), seguidos de autores de literatura e de alguns autores de obras não ficcionais para adultos. Somente 8% de autores das unidades de leitura que se dedicaram principalmente aos livros didáticos. A lista de autores das unidades de leitura é um passeio por nomes da literatura infantojuvenil brasileira. O autor com maior recorrência foi Monteiro Lobato, com escritos presentes em todos os livros didáticos dos dois primeiros períodos e na maioria dos livros do terceiro, com 14 textos de sua autoria em nossa amostra. Na compreensão de Brookshaw, mesmo matizado pelo nacionalismo de Lobato, a perspectiva negrofóbica do autor prevalece em seus escritos dirigidos à infância e "contribuiu e reforçou, por gerações afora, o estereótipo do negro como criatura fundamentalmente ilógica" (BROOKSHAW, 1983, p. 71). O fato de ser o autor a quem os compiladores dos livros didáticos mais acorrem é indicativo de que a perspectiva estereotipada sobre o negro pode ter sido transposta da obra de Lobato. O segundo autor mais frequente na amostra, após Monteiro Lobato, foi Érico Veríssimo, com compilação de trechos de textos que fazem parte de sua produção voltada ao público infantojuvenil. Os outros autores de maior recorrência na amostra foram José Mauro de Vasconcelos, com diversas reproduções de trechos de seu romance biográfico *Meu pé de laranja lima* (de 1968), Fernanda Lopes de Almeida, Lygia Bojunga Nunes, Ana Maria Machado, Ganymédes José, Ruth Rocha e Pedro Bloch. As unidades de leitura, portanto, trouxeram principalmente autores de literatura infantojuvenil brasileira, tanto os da produção da primeira metade do século XX quando os "escritores e escritoras que, nos anos 70, encontraram novas propostas e caminhos para a renovação da literatura para crianças" (COELHO, 1995, p. 998). A obra de Ganymédes José é representativa das primeiras tentativas de realismo na literatura infantojuvenil. Lygia Bojunga Nunes e Ana Maria Machado foram inovadoras no uso de procedimentos literários como metalinguagem e intertextualidade (Escanfella, 1999).

Ao contrário do que ocorreu com a composição sexual dos autores dos livros, a autoria das unidades de leitura foi predominantemente masculina (52,6%). Obtivemos informação sobre a classificação étnico-racial da maioria dos autores, com 27,1% (68 casos) de indeterminação (Quadro 12). Do total de 252 unidades de leitura, 180 são de autores brancos (71,7% do total), 2 de autor preto (0,8% do total) e 1 de autor indígena (0,4%). Podemos afirmar que as autoras dos livros didáticos, maioria de mulheres brancas (Quadro 11), selecionaram, para integrarem seus livros, textos de autores predominantemente homens brancos (Quadro 12), de literatura infantil, em geral seus contemporâneos.

A distribuição racial dos autores apresentou indiscutível maioria branca, o que era de se esperar num país em que escritores negros são raros (Brookshaw, 1971, p. 148). A identidade racial do autor não pode ser compreendida como determinante de sua arte literária, mas pode constituir um dos condicionadores importantes, como analisa Piza (1998) no caso da construção de personagens negras por escritoras brancas de literatura infantojuvenil. O fato de ser branco ou negro vai se revestir de importância em relação ao tratamento estético dado aos personagens nos textos. No caso da formação da identidade racial brasileira, o mito da democracia racial contribuiu para a disseminação da perspectiva *naturalizadora* da condição de branco como representante da espécie, com a consequente não problematização da identidade branca. O tratamento estético dos personagens brancos e negros está sujeito à influência de tais processos.

Nas unidades de leitura analisadas, notamos a quase ausência de autores que se preocuparam em tematizar a alteridade do negro. As duas unidades de leitura de autor negro observadas (Quadro 12) são, ambas, de Joel Rufino dos Santos, autor que busca a valorização do negro e, em muitos dos seus escritos, focaliza aspectos da cultura afro-brasileira. Além do número pouco expressivo, em ambos os casos que fazem parte da amostra há personagens que são neutros no texto e foram ilustrados como personagens brancos. Ou seja, a escolha dos compiladores recaiu sobre fragmentos do autor que não tematizam a questão racial. Nas unidades de leitura, além da amostra, observamos dois outros textos do mesmo autor, um deles com personagens negros em primeiro plano (conta a história familiar de Luis Gama). Portanto, do único autor que poderia ser classificado como representante da "literatura negra" (nos termos anteriormente definidos), a escolha recaiu sobre textos que não tratam centralmente da alteridade do negro ou temas afins. Além disso, entre os textos que não compuseram a amostra, observamos unidades de leitura de autores negros que adotaram a "estética branca" (no sentido que faz dela BROOKSHAW, 1983, p. 150 e segs.). Afora a não observação de unidades de leitura ou autores reveladores dos movimentos de expressão da singularidade do negro brasileiro, apreendemos maior diversidade de exemplos de afirmação de singularidade cultural calcada na matriz europeia/branca (Alguns exemplos, não exaustivos, do terceiro período: *Língua Portuguesa com certeza*, 1997, p. 218/219; *Bemte-li*, 2000, p. 188; *Língua Portuguesa 4*, 2001, p. 137/138; *Letra, palavra e texto*, 2001, p. 23/24).

Quadro 12 - Características predominantes
dos autores das 252 unidades de leitura

	Características predominantes do autor	N (%)
Currículo literário	Exclusivamente livros didáticos	20 (08%)
	Principalmente literatura infantil	124 (50%)
	Principalmente literatura ("adulta")	54 (22%)
	Principalmente não ficcionais	21 (08%)
Sexo	Masculino	132 (53%)
	Feminino	104 (41%)
	Misto	03 (01%)
Cor-etnia	Branco	180 (72%)
	Preto	02 (01%)
	Índio	01 (0,4%)
	Indeterminado	68 (27%)

Fonte: Tabelas 2.2, 2.3, 2.4, 2.6

Caracterização geral dos personagens

Nas unidades de leitura, analisamos um total de 1.372 personagens. Nas ilustrações que acompanharam essas mesmas unidades de leitura, observamos 650 personagens, e nas ilustrações das capas, 120 personagens.

No Quadro 13 estão transcritos dados sobre as características predominantes dos personagens das unidades de leitura, em sua maioria individualizados (75%) e de natureza humana (74%), o que, de forma análoga às pesquisas de Pinto (1981), Rosemberg (1985) e Bazilli (1999), os aproximam da definição de equivalente ficcional de pessoa, facilitando a inferência de processos discriminatórios. "O repertório de atributos dos personagens encontra-se mais próximo de pessoas concretas e mais distanciado de seres surreais, folclóricos e míticos" (BAZILLI, 1999, p. 73). Os personagens especificamente masculinos foram maioria (54%) em relação aos especificamente femininos (26%). O padrão de categorias sociais dominantes, homem e adulto, foi seguido pela distribuição dos personagens da amostra. A proporção de personagens adultos foi a mais alta (51%), seguida da de crianças (31%).

Quadro 13 - Atributos predominantes
na caracterização de personagens nos textos

	Atributos predominantes	N (%)
Natureza	Natureza humana (humanos + históricos)	1019 (74%)
	Natureza antropomorfizada (animais + plantas + objetos)	262 (19%)
Individualidade	Individualizados (indivíduos + indivíduos saídos de grupo)	1033 (75%)
	Grupos, multidões e coletivos	329 (25%)
Sexo	Especificamente masculino	738 (54%)
	Especificamente feminino	353 (26%)
Idade	Adultos	698 (51%)
	Crianças (inclusive bebês)	424 (31%)
	Adolescentes	81 (06%)
	Velhos	31 (02%)

Fonte: Tabelas 7.18, 7.21, 7.25, 7.27, 7.29, 7.30, 8.18, 8.21, 8.25, 8.27, 8.29, 8.20, 9.18, 9.21, 9.25, 9.27, 9.29, 9.30, 12.20, 12.23, 12.27, 12.28, 12.30, 12.51, 12.54, 12.58, 12.59, 12.61, 12.82, 12.84, 12.88, 12.89, 12.91

A categoria cor-etnia seguiu o padrão de dominação branca (GRAF. 2). Contaram-se 698 personagens brancas nas unidades de leitura, para somente 28 personagens pretas, 15 pardas e 29 indígenas. A taxa de branquidade[2] foi de 16,2, ou seja, estiveram presentes, nas unidades de leitura analisadas, 16,2 personagens brancas para cada personagem negra.

Gráfico 2 - Distribuição de frequência
de cor-etnia, personagens das unidades de leitura

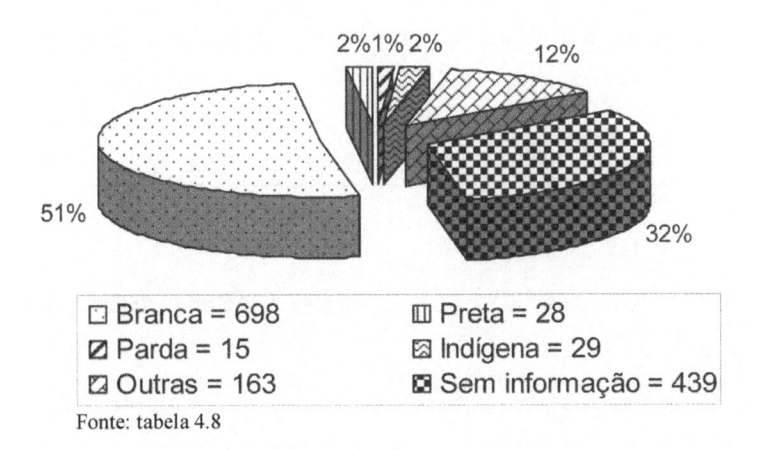

☐ Branca = 698	⛛ Preta = 28
▨ Parda = 15	▩ Indígena = 29
▨ Outras = 163	▣ Sem informação = 439

Fonte: tabela 4.8

O grau de indeterminação foi relativamente elevado, 439 casos, o que representa 32% do total de personagens. Rosemberg (1985, p. 159) argumentara que tais personagens, não classificados por cor-etnia, seriam brancos, que, na condição de cor-etnia representante da espécie, ou "*natural*", prescindiriam de descrição. A observação das formas de apreensão de cor-etnia em nossa amostra reforçou essa interpretação (GRAF. 3). Dos 698 personagens classificados como brancos, 408 (58%) o foram somente pela ilustração. Isto é, sistematicamente personagens não identificados por cor-etnia nos textos foram graficamente representados como brancos. Além disso, a apreensão de cor-etnia dos personagens brancos foi a proporcionalmente menos explicitada nos textos (26 casos, somente 4% do total de personagens brancos – GRAF. 3). Conclui-se, valendo-se desses dados, que prevalece, na amostra analisada, o tratamento à condição de branco como "natural", ou seja, esses resultados reforçam a hipótese de que o discurso racista dos livros didáticos de Língua Portuguesa opera no sentido de *naturalização* da condição do branco.

---

[2] A taxa de branquidade fornece a relação entre número de personagens brancos identificados correspondentes à unidade de personagem negro identificado.

Gráfico 3 - Distribuição de frequência de cor-etnia por forma de apreensão nas unidades de leitura da amostra

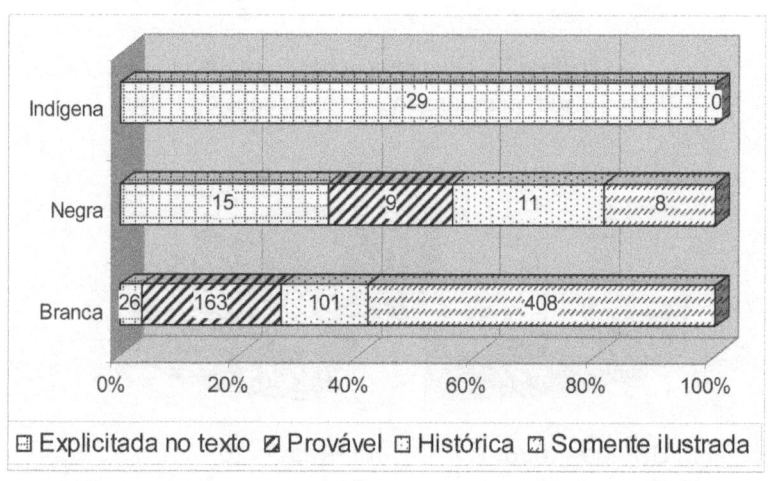

Cor-etnia	Explicitada no texto	Provável	Histórica	Somente ilustrada
Indígena	29			0
Negra	15	9	11	8
Branca	26	163	101	408

Fonte: Tabela 4.7
N: Branca = 698; Negra = 43; Indígena = 29.

As categorias de não brancos precisaram, em proporção muito mais alta, de explicitação nos textos para a sua classificação de cor-etnia. A totalidade (100%) dos personagens indígenas teve sua identidade étnica revelada nos textos, os personagens negros (pretos e pardos) o tiveram em 35% dos casos. A comparação com as formas de apreensão dos personagens brancos reafirma a necessidade de que os "desviantes" em relação à norma branca tenham sua cor-etnia descrita no texto. No entanto, para os personagens negros[3] (pretos e pardos), as outras formas de apreensão foram importantes: personagens históricos (26%), prováveis[4] (21%) e somente ilustrados (19%). Tais dados significariam pôr em suspenso a necessidade de identificar personagens negros de forma bastante explícita nos textos? Parece-nos que não. Os números de personagens pretos e pardos foram muito pequenos. Pequenas variações, portanto, trazem alterações significativas às distribuições, como as que constam no GRAF. 3. Por isso, personagens negros que foram somente evocados, ou personagens antropomorfizados que foram ilustrados negros (casos

---

[3] A categoria negra/o será utilizada como correspondente ao agrupamento das categorias preta/o e parda/o.

[4] Em geral correspondem a personagens classificados a partir da classificação de cor/etnia de ascendentes ou descendentes diretos.

que oportunamente analisaremos), estabeleceram a maior presença de outras formas de apreensão da cor/etnia de personagens negros, além da explicitação no texto.

Como o foco do estudo que deu origem a este livro foram os discursos sobre os segmentos raciais negros e brancos, parte significativa da análise foi com os dados das categorias *brancos* e *negros* (agrupamento dos resultados das categorias *pretos* e *pardos*), sem apresentar os resultados relativos às outras categorias de cor-etnia (*índios, outros* e *sem inferência*). O universo dos resultados passou a ser composto pelos 741 personagens das unidades de leitura que foram classificados por cor, nas categorias branco (698) e negro (43). O número de personagens brancos foi muito elevado em relação aos outros grupos de cor-etnia, e o agrupamento de pretos e pardos visou diminuir as dificuldades de comparação entre os valores tão discrepantes. As diferenças numéricas acentuadas, por vezes, receberam destaque, com o cálculo de taxas de branquidade. Foram analisadas diversas variáveis que buscaram apreender características importantes do tratamento textual dado aos personagens presentes nas unidades de leitura. Os resultados dispostos a seguir foram obtidos pelos cruzamentos das variáveis de atributos dos personagens com a classificação por cor-etnia. Nas tabelas em que estão dispostos percentuais, 100% correspondem ao total de cada categoria em separado, *branca* (N=658) ou *negra* (N=43). Optamos por apresentar os percentuais relativos a cada um dos dois grupos de cor, permitindo comparações de proporções. Tal procedimento ajuda na análise dos comportamentos de variáveis específicas em relação a cada grupo de cor.

Optamos por apresentar uma breve síntese dos resultados gerais relativos aos personagens e analisar com mais detalhe as diversas variáveis na perspectiva diacrônica. Os personagens brancos foram maioria absoluta, afirmação que pode ser sintetizada na taxa de branquidade de 16,2. Além de serem maioria, os brancos foram personagens com características mais bem desenvolvidas e valorizadas. Para atributos diversos de importância dos personagens (por exemplo, personagem principal, atribuição de nome próprio, caracterização como vivo, caracterização como brasileiro, uso de linguagem), os personagens brancos apresentaram índices, além de numericamente, percentualmente superiores aos dos negros, o que indica a construção literária mais elaborada dos personagens brancos. As diferenças entre o tratamento dos personagens brancos e negros foram particularmente elevadas no que se refere à frequência à escola e às relações familiares. A taxa de branquidade foi de 43,2 personagens brancos com relação familiar para cada negro com relação familiar. Tanto as relações de família nuclear quanto as de família ampla foram quase exclusividade do branco, negando as relações familiares aos personagens negros Os textos promoveram uma correlação entre branquidade e estabelecimento de relações familiares, "como acontecimentos de um tipo quase natural" (THOMPSON, 1995, p. 87).

Os personagens negros, por sua vez, obtiveram taxas de indeterminação superior a dos brancos em diversos atributos. O "acabamento ficcional" (ROSEMBERG, 1985, p. 84) dos personagens negros foi mais inconsistente, mais incompleto.

Os diversos indicadores levam a deduzir que o tratamento dos personagens, nas unidades de leitura de nossa amostra, estabeleceu o branco como representante da espécie, como padrão de humanidade. Os resultados sobre os personagens no texto, de forma geral, atuaram no sentido de *naturalização* da condição do branco.

Para os personagens das ilustrações, neste momento apresentaremos somente uma breve síntese, em relação aos cruzamentos dos atributos com a variável cor-etnia. Foram 690 personagens enumerados nas ilustrações que acompanharam as unidades de leitura da amostra e 120 personagens enumerados nas capas. Foi observado um percentual ainda mais elevado de personagens brancos (72%), o índice de personagens pardos passou para 3% (foi somente 1% dos personagens das unidades de leituras), enquanto o de personagens pretos foi para 7% (foi 2% dos personagens das unidades de leitura). Em função desse relativo aumento de personagens negros, a taxa de branquidade baixou para 7,2 personagens brancos para cada personagem negro ilustrado.

Os 120 personagens apreendidos nas ilustrações das capas apresentaram uma distribuição de cor-etnia com percentual similar de personagens brancos (74%), aumento de personagens pretos (13%) e pardos (4%) e diminuição de índios (3%) e outros (6%). Calculando a taxa de branquidade, chegamos a 4,2 personagens brancos para cada personagem negro. A desigualdade persiste, mas com nível inferior ao encontrado nos personagens dos textos (taxa de branquidade de 16,2) e nos personagens das ilustrações dos textos (taxa de branquidade de 7,2). Esses dados sugerem maior cuidado nas formas que são mais aparentes de apresentação de personagens. A prevalência do homem branco adulto ganhou novos contornos nas capas dos livros. Para os personagens das capas, a dominância de sexo e de cor-etnia foi de menor intensidade, ao passo que, na idade das personagens, ocorreu uma inversão. Tais resultados indicam a tentativa de difundir, pelo menos nas capas dos livros, uma imagem de aparente igualdade. A tendência de maior proporção de personagens infantis chegou a patamar mais elevado, com 88% de personagens crianças e 10% de adultos. No que se refere à idade, as imagens nas capas cumprem dupla função: a) a de indicar ao público comprador (adultos) o público a que o uso do livro[5] se destina (crianças em idade escolar); b) a de servir como forma de identificação para o público de alunos/leitores.

Análise diacrônica: modificações
e permanências no discurso racista

Dados catalográficos dos livros e das unidades de leitura

No que se refere às características predominantes dos autores dos livros, o perfil de autores dedicados exclusivamente a livros didáticos se manteve a mesma nos três diferentes períodos de nossa amostra (1º período, 1975-1984; 2º período 1985-1993; 3º período 1994-2003). A distribuição por cor-etnia foi também regular: a maioria na categoria indeterminados e pouco mais de 20% identificados como brancos. O único caso de autora negra foi uma das coautoras do terceiro período. Neste, intensificou-se a tendência à coautoria, observando na própria assinatura de autoria dos livros didáticos a "autoria difusa", com participação de profissionais diversos, indicada por Munakata (1997) e Gatti Junior (1998). Outra tendência que se acentuou ao longo dos períodos foi a autoria feminina dos livros didáticos. No primeiro período, enumeramos 56% de autoria feminina e 22% de masculina, no segundo, 73% de autoria feminina e 27% de masculina e, no terceiro, 85% de autoria feminina e nenhuma autoria masculina, sendo 15% mista.

Sobre a autoria das unidades de leitura, observamos que se manteve praticamente estável a tendência à maioria de autores dedicados à literatura infantojuvenil (50% no primeiro período, 54% no segundo e 57% no terceiro) e a predominância de autores brancos (72% no primeiro período, 78% no segundo e 67% no terceiro).

No Quadro 14 apresentamos a distribuição de frequência de algumas características predominantes das unidades de leitura, por períodos. A prevalência de textos transcritos conforme o original, em lugar de adaptações,

---

[5] Para discussão sobre a noção de uso do livro didático, ver Batista (2000).

foi crescente: 71% no primeiro período, 78% no segundo e 83% no terceiro período. Neste período, ocorreu a diminuição na proporção de crônicas (para 24%) e de trechos de romances (fora 28% no segundo período, passou a 17% no terceiro), com correlato aumento de textos informativos e jornalísticos. Resultado relacionado pode ser apreendido por meio das fontes das unidades de leitura. A literatura infantojuvenil continuou como fonte mais frequente no período mais recente, mas com percentual que baixou de 89% no primeiro período para 77% no segundo e 51% no terceiro. Esta diminuição foi correlata ao aumento, no terceiro período, de textos retirados de jornais e de revistas, que eram raros nos períodos anteriores e passaram a, respectivamente, 19% e 10%.

Quadro 14 - Características predominantes
das unidades de leitura e percentuais, por períodos

	Características predominantes	Primeiro período N = 80	Segundo período N = 81	Terceiro período N = 91
Originalidade	Original	57 (71%)	63 (78%)	75 (83%)
	Adaptação	19 (24%)	08 (10%)	15 (17%)
Fonte	Literatura infantojuvenil	71 (89%)	62 (77%)	46 (51%)
	Literatura	07 (09%)	10 (12%)	15 (17%)
	Jornal	01 (01%)	01 (01%)	17 (19%)
	Revista	01 (01%)	02 (03%)	09 (10%)
Gênero	Romance	14 (18%)	23 (28%)	15 (17%)
	Crônica e vida cotidiana	39 (49%)	39 (48%)	22 (24%))
	Lendas, fábulas, folclore	07 (09%)	10 (12%)	10 (11%)
	Informativo	02 (03%)	01 (01%)	18 (20%)
	Jornalístico	–	01 (01%)	10 (11%)

Fonte: Tabelas 3.9 a 3.15; 3.24 a 3.30; 3.39 a 3.45

A presença majoritária de textos da literatura infantojuvenil e que foram transpostos do original, via de regra sem alterações, possibilita o confronto com os estudos da produção que faz análise desta literatura (ROSEMBERG, 1985; NEGRÃO, 1988; PIZA, 1998; BAZILLI, 1999; ESCANFELLA, 1999). As unidades de leitura são, via de regra, transposição, na íntegra, de textos publicados em outras mídias, o que aponta para uma limitação importante na produção dos livros didáticos. O que é produzido especificamente para os livros didáticos são principalmente as ilustrações.

Esses processos indicam limitações a possíveis intervenções na produção de livros didáticos, pois as unidades de leitura são reproduções de outros meios.

A diminuição relativa de textos de literatura infantil e o correlato aumento de matérias de jornais e revistas têm relação com as políticas do livro. Um dos critérios classificatórios dos livros de Língua Portuguesa é que os gêneros "devem abranger uma gama tão ampla e diversificada quanto possível" (BRASIL/MINISTÉRIO DA EDUCAÇÃO, 1997, p. 25). Essa prescrição influenciou para que os livros didáticos passassem a apresentar formas textuais diversas e, no caso específico que estamos discutindo, para o aumento de frequência de textos retirados de jornais e revistas. A transposição do discurso midiático para outro meio de produção/difusão simbólica precisa ser estudada. O discurso de um meio midiático tem suas próprias peculiaridades e objetivos. A transposição de textos da mídia escrita para os livros didáticos gera uma complexidade a ser considerada na análise. O papel da mídia na orientação de pautas públicas, na produção e veiculação de determinadas formas simbólicas (THOMPSON, 1995) e as especificidades dos meios técnicos de reprodução são pontos a observar. As fontes de tais textos oferecem indicativos de análise. Os textos transcritos de jornais apresentam uma grande concentração na *Folha de S.Paulo* (16 de 19 textos), principalmente do suplemento infantil *Folhinha* (13 dos 19 textos). Andrade (2004, particularmente p. 65-89) discute como os critérios comerciais, entre os quais o perfil do leitor, definem o tratamento da notícia pelo jornal *Folha de S.Paulo*. A perguntar: como tais notícias que têm um público alvo determinado e que atendem a certos interesses mercadológicos são transpostas para os livros didáticos, com nicho de mercado e público peculiares?

A maior parte dos textos jornalísticos com os quais nos deparamos fez alusão a algum problema social e, muitos deles, tematizaram a infância. Não é qualquer infância a que faz parte desses textos, mas a infância pobre. A correlação entre negros e miséria social esteve presente, pois foram, principalmente nesses cenários que encontramos, os personagens negros dos livros do terceiro período. Além disso, os textos trataram particularmente de determinados "problemas sociais". O mais frequente foi o trabalho infantil; muito comum foram os meninos/as em situação de rua e programas sociais para adolescentes infratores. Dos temas identificados pelos estudos do Núcleo de Estudos de Relações de Gênero, Raça e Idade/ NEGRI (CALAZANS, 2000; ANDRADE, 2004; FREITAS, 2004) como presentes na tematização da mídia, somente não estiveram presentes, nas unidades de leitura transpostas de jornais e revistas, em nossa amostra, a prostituição infantojuvenil e a gravidez na adolescência. A impressão é a de se manter a interdição do tratar da sexualidade, observada por Escanfella (1999) na literatura infantil.

Pode-se argumentar que a presença de tais textos nos livros didáticos cumpre uma função de apresentar contradições da sociedade e contribuir para uma visão crítica da mesma. É um ponto de vista ingênuo sobre o tratamento midiático das notícias, como bens simbólicos, que estão submetidos a específicas condições de mercado e critérios de redação. Vamos tentar elucidar algumas das possíveis contradições com um exemplo. O trabalho infantil foi tema com tamanha recorrência que identificamos o que Ponte (2000) nomeou de "jornalismo de cruzada" sendo apropriado pelos livros didáticos de Língua Portuguesa (Passagens sobre trabalho infantil em *Integrando o aprender*, p. 52; *Produzindo leitura e escrita*, p. 156; *Língua Portuguesa com certeza*, p. 24; *Construindo a escrita*, p. 32 e p. 126-127; *Bem-te-li Língua Portuguesa*, p. 71 e p. 75; *Letra, palavra e texto*, p. 48-49 e p. 56-58. São exemplos não exaustivos, que apontam algumas unidades de leitura de parte dos livros analisados.). Uma unidade de leitura intitulada *Geração condenada* (*Letra, palavra e texto*, p. 56-58) "descreve" um relatório da Organização Internacional do Trabalho/OIT sobre trabalho infantil na África. A peça jornalística assume um discurso de catástrofe de alta magnitude, enunciando cifras astronômicas, realizando previsão de aumento de 100 milhões de crianças trabalhadoras na África, até 2015, descrevendo consequências nefastas ao desenvolvimento infantil, não poupando adjetivações como "questão [...] das mais dramáticas de todas as que estão em debate em nível internacional"; "uma tragédia"; "um problema tão grave". A influência das agências multilaterais, como a OIT, na construção de "problemas sociais" e sua participação na arena de negociações sobre as políticas sociais em países subdesenvolvidos, como o Brasil, foi analisada, numa perspectiva crítica, por Rosemberg e Freitas (2002) e por Freitas (2004). No caso dos livros didáticos de Língua Portuguesa, parece-nos que a compilação passa à margem desta análise crítica, fazendo uso da "midiação do sofrimento" numa posição favorável à sua associação com o humanitarismo, mas pouco atenta à criação de uma retórica da piedade, "terreno propício à produção de estigmas" (ANDRADE, 2004, p. 81). O vocabulário que destacamos no exemplo dá mostras de que o discurso do texto em questão assume estilo sensacionalista,[6] com uso de

---

[6] Utilizamos a definição do termo "sensacionalismo" na mídia conforme Andrade, 2004, p. 76.

manchetes e boxes destacando aspectos impactantes ("Geração condenada" é o título da matéria. O subtítulo mais importante, destacado em corpo de texto maior e em vermelho, é "Uma tragédia"; fotos e boxes dão ênfase a aspectos de miséria social). Além da *estigmatização* da infância pobre, a unidade de leitura do exemplo (assim como outras da amostra) correlacionou trabalho infantil à criança negra. Lembremos que os personagens negros são raros nas unidades de leitura, e a transposição de textos jornalísticos sobre infância influenciou para que estivessem geralmente circunscritos a situações de miséria social.

Na discussão sobre características predominantes das unidades de leitura, demos ênfase ao aumento de textos jornalísticos no terceiro período, e nos exemplos apareceram alguns aspectos dos personagens de tais textos. Passemos a uma análise mais detalhada sobre os aspectos de mudança e continuidade dos personagens das unidades de leitura.

Personagens nos textos

A distribuição dos personagens brancos e negros, nas unidades de leitura, nos três diferentes períodos de nossa amostra (1º período, 1975-1984; 2º período 1985-1993; 3º período 1994-2003) (GRAF. 7) aponta aumento gradativo dos personagens brancos, menos acentuado do primeiro para o segundo período (15%) e de maior amplitude do segundo para o terceiro (55%). Os personagens negros oscilaram negativamente do primeiro para o segundo período (40%), apresentando aumento bastante acentuado no terceiro em relação ao segundo (122%), mas, em relação ao primeiro período, representa acréscimo discreto (26%).

Gráfico 4 - Número de personagens brancos e negros, por período

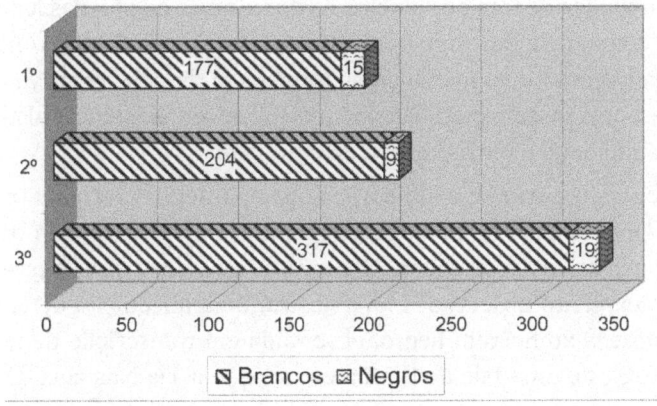

Fonte: Tabelas 7.1, 8.1, 9.1

Refletem essas modificações as taxas de branquidade: no primeiro período, 11,8 personagens brancos para cada personagem negro; no segundo período, 22,7 e, no terceiro, 16,7. O aumento da taxa de branquidade no segundo período veio da combinação de aumento de personagens brancos e diminuição de personagens negros. No terceiro período, o aumento do número de personagens negros foi acompanhado de também aumento na quantidade de personagens brancos, o que manteve a taxa de branquidade bastante elevada e próxima da taxa média dos três períodos (16,2).

Para a análise a seguir, dispusemos e discutimos os casos individuais dos 43 personagens negros, por período, nos Quadros 15, 16 e 17, considerando que "os modos de existência das personagens no discurso são significativas" (ORLANDI, 1993, p. 50).

No primeiro período, o personagem negro humano praticamente não existiu (Quadro 15). Em grande parte os personagens negros eram antropomorfizados (urubu, retalhinho preto, retalhinho marrom, urubu vaidoso, nuvem preta, pato negro e gato malhado). Outra parcela foi de personagens somente evocados, sem nenhuma participação na trama (Aleijadinho, Chico Rei, Tia Nastácia, Pelé, por duas vezes). Outros dois personagens desempenharam papéis similares, de acompanhar ações de protagonista branco. Em um dos casos, um menino negro, Tico, acompanhava o protagonista branco, Dudu, em incursão pela mata; em outro, o personagem negro foi espectador passivo, um dos ouvintes atentos das histórias contadas por um menino branco.

Outro personagem negro humano figurou numa crônica. Um menino que acompanhara o pai ao aeroporto brincava com os óculos escuros e observava a mudança de tom dos objetos, vistos através ou não das lentes. Ao se deparar com a pele do "preto simpático e bem vestido", o menino ficou inconformado com a não mudança na tonalidade da pele, observada com os óculos escuros ou sem eles. O homem negro teve a existência justificada para dar comicidade a uma situação de cotidiano.

No segundo período, o único personagem negro antropomorfizado foi o boto Tipiti. O saci foi personagem em duas histórias, em ambas com seus traços negativos destacados. Observam-se as duas únicas passagens de racismo explícito observadas na amostra, uma atribuição de criminalidade intrínseca ao homem negro, observada em transcrição de texto de Cecília Meireles e uma fala de Emília em relação à Tia Nastácia. Ou seja, a tendência a estereotipia foi muito presente.

Quadro 15- Descrição dos personagens negros nas unidades de leitura, primeiro período

Primeiro período – 1975-1983

Nº	Nº livro (L) e Nº texto (T)	Nome	Caracterização	Vocabulário Racial
1	L1T2	Tico	Menino negro que acompanha protagonista branco em incursão por mata. Tem uma fala no texto, que apresenta gagueira. Foi ilustrado preto e descalço.	
2	L1T6	Aleijadinho	Somente evocado	
3	L1T6	Chico Rei	Somente evocado	
4	L1T10		"um preto simpático e bem vestido" que, devido à cor de sua pele, provoca a curiosidade de "Ruizinho", menino filho de português, no aeroporto.	Preto
5	L2T10	Tia Nastácia	Somente evocada	
6	L2T13	Urubu	O sapo enganou o urubu para ser levado à festa no céu.	
7	L2T28	Pelé	Somente evocado	
8	L4T28	Pelé	Somente evocado	
9	L7T4	Retalhinho	Voou e "ficou preto, pretinho, da cor da noite escura".	
10	L7T4	Retalhinho	"Foi se arrastando, se esfregando na terra, e quando viu, estava todo marrom, da cor do chão".	
11	L7T10		Em um vilarejo os meninos se encantam com descrições de um circo que chegará ao lugar. Antonico (ilustrado branco) fala do circo a grupo de meninos, um deles ilustrado preto.	
12	L7T13	Urubu	O "urubu vaidoso" recebe, do sabiá, lição à sua arrogância.	
13	L7T23	Nuvem	"Nuvem preta e feia" que escondeu o Sol	
14	L7T25	Pato Negro	História se passa num jardim, entre diversos habitantes locais, há o casal do Pato Negro com a Pata Branca	
15	L7T25	Gato malhado	É o principal protagonista da trama, temido pelos outros habitantes do jardim, foi ilustrado na cor parda.	

Quadro 16- Descrição dos personagens negros nas unidades de leitura, segundo período

Segundo período – 1985-1993

Nº	Nº livro (L) e Nº texto (T)	Nome	Caracterização	Vocabulário Racial
1	L 11 T 13	Joãozinho	Menino pobre, filho de peão de obra e empregada doméstica, que queria muito ter uma bicicleta. Quando observava algum menino rico andando de bicicleta se perguntava sobre a pobreza e desigualdade. Foi ilustrado com pele escura, mas de costas, com certa dificuldade para a classificação de cor-etnia.	
2	L 11 T 13	Pai de Joãozinho	"Era muito pobre. [...]Trabalhava tanto. [...] Era um operário, destes que constroem casas"	
3	L 11 T 13	Mãe de Joãozinho	"era uma empregada em uma casa muito bonita, onde ela cozinhava, arrumava a casa, lavava a roupa e cuidava de um menino que tinha a mesma idade que Joãozinho"	
4	L 12 T 10	Saíra-Pereira	O saci, na história, queria ter outra perna, e foi movido pela inveja, ameaçou, cuspiu, zangou, xingou.	
5	L 13 T 26		"Talvez tenha sido atacado por esses crioulos fortes que agora saem do mato e atiram sem razão nenhuma contra o primeiro vivente que encontram"	crioulos
6	L 14 T 13	Engraxate	"tinha olhos escuros [...] nas costas uma caixa pintada verde-sujo [...] usava sandálias brancas". No texto não foi classificado por cor-etnia. Na ilustração foi classificado pardo.	
7	L 15 T 13	Tia Nastácia	Emília, ao falar sobre a necessidade de reformar o mundo, dispara: "para que tanto beijo em Tia Nastácia?"	
8	L 16 T 10	Saci Pererê	"parece que era o diabinho do Saci-Pererê que escondia todas os lápis e canetas da casa, para rir das maldades que fazia" (p. 53).	
9	L 19 T 4	Tipiti	Boto que mora na baía de Guanabara, "moreninho, cumprido".	moreninho

Em duas narrativas do período, observamos a "criança que sofre", segundo Lajolo (1997) forma de abordagem importante da infância na literatura brasileira. O engraxate, listado no Quadro 19, fez o papel de levar a "Anja Terezinha" (personagem de Ganymédes José, com diversas passagens compiladas em diferentes livros dos dois primeiros períodos, sempre ilustrada loira) a conhecer um pouco de sua realidade, que mistura as agruras da pobreza com o caráter sonhador. O outro, Joãozinho, integra uma narrativa quase didática sobre a pobreza brasileira:

> O pai de Joãozinho era um operário, destes que constroem casas. Ele construía casas muito bonitas. Joãozinho não entendia por que o pai não construía para eles uma casa bonita, também. [...] A mãe de Joãozinho era empregada numa casa muito bonita, onde ela cozinhava, arrumava e cuidava de um menino [...] Joãozinho não entendia por que a mãe cuidava de outro menino e não ficava com ele. (*Texto e contexto*, p. 124)

Em ambos os casos, as crianças que sofrem foram ilustradas com pele escura, ganharam cor determinada por meio da ilustração. Ambos foram personagens raros nos textos do segundo período e que praticamente anunciaram o que ocorreria com mais frequência no período posterior. Personagens negros com maior complexidade, mas circunscritos às situações de miséria, a começar pelo trabalho infantil.

No terceiro período, configurou-se uma diversidade um pouco maior de personagens negros. Não contamos nenhum personagem negro antropomorfizado neste período, ao passo que personagens negros caracterizados como grupos/multidões foram frequentes.

A primeira personagem listada, no Quadro 17, para o terceiro período, foi Laurinha, a menina do leite[7], que não foi classificada racialmente no texto, mas foi ilustrada com traços de parda. Parece-nos que o ilustrador apreendeu o sentido dado pelo autor à "caboclice". Na história, narrada por Monteiro Lobato, é uma menina que leva o leite de sua vaquinha para vender e vai pelo caminho divagando sobre a aplicação do dinheiro ganho com a venda do leite, as novas compras, a multiplicação dos produtos, novos investimentos e novas multiplicações. Mas, no caminho, derrama o leite e vê seus sonhos irem por terra. A narrativa pode ser vista como representativa do ponto de vista do autor sobre a miscigenação e o papel

---

[7] Adaptação de história popular europeia, mas a fonte não foi citada.

do "mulato", considerado causa das mazelas nacionais "este funesto parasita da terra que é o caboclo" (LOBATO, 1945 *apud* BROOKSHAW, 1983, p. 70), caracterizado na obra do autor, particularmente, pelo Jeca Tatu. A "caboclinha" sonhadora que, desajeitada, põe tudo a perder, carregou esses sentidos *estigmatizadores*.

Outro exemplo de tipo de personagem negro que apareceu no terceiro período foi Aleijadinho. Diferentemente do texto do primeiro período, no qual fora somente citado, no texto do terceiro período sua vida e obra foram tematizadas. Na descrição de sua família, foram citados dois outros personagens negros, sua mãe e seu filho. O plano pelo qual Aleijadinho foi tratado no texto promoveu a valorização desse personagem negro. Identificamos, no terceiro período, algumas outras unidades de leitura que não fizeram parte dos 30% de nossa amostra, que valorizaram personagens negros (*Letra, palavra e texto*, p. 121, texto sobre explorador marroquino Ibn Battuta, p. 123-124, texto sobre quilombos; *L.E.R. Leitura, escrita e reflexão*, p. 184, texto sobre Esta, menina massai[8]; *Português na ponta do lápis... e da língua*, p. 130-133, texto sobre origem de Luis Gama[9]). A observação é que são textos em frequência muito baixa e, em geral, circunscritos a partes dos livros didáticos que têm como objetivo trabalhar com questões relativas à pluraridade cultural (principalmente a atender aos preceitos dos temas transversais dos Parâmetros Curriculares Nacionais/PCNs). Nas partes específicas de tais livros que trataram de questões relacionadas à diversidade cultural, a dominância de personagens brancos diminuiu. Os personagens negros foram mais frequentes e, em casos específicos, valorizados e apresentados como atuantes. Portanto, são trechos (capítulos, partes) que retrataram os negros de forma em geral positiva. No entanto, essa mesma estratégia é forma de negar a alteridade ao negro. Ou seja, o personagem negro só existe quando é preciso discutir a desigualdade racial, o que, mais uma vez, opera no sentido de negar a possibilidade do negro de existência plena e reforçar a branquidade normativa.

---

[8] A opção para representar a África, entre crianças representantes dos diversos continentes, foi de uma menina de um grupo que apresenta características típicas que receberam tratamento textual folclorizado, além das características de pobreza e de aspectos de povo "primitivo" delineadas.

[9] Luiz Gama é um dos raros personagens negros representado em livros de leitura anteriores à década de 1950 (BAZZANELA *apud* NEGRÃO, 1988, p. 53) e entre 1945-1975 (PINTO, 1981, p. 144).

Quadro 17- Descrição dos personagens negros nas unidades de leitura, terceiro período

Terceiro período – 1994-2003

Nº	Nº livro (L) e Nº texto (T)	Nome	Caracterização	Vocabulário Racial
1	L 21 T 10	Laurinha	"A menina do leite", que é uma menina do campo, sonhadora em demasia e, desajeitada, coloca seu sonho a perder.	
2	L 22 T 4		O texto refere-se ao uso ritual da dança, para preparar para guerra ou invocar chuva. A ilustração mostra um homem preto dançando com grande máscara, que lembra as utilizadas na África central. Ao fundo nuvem com chuva ilustrados.	
3	L 22 T 4		Texto fala sobre o sapateado, dança "criada pelos negros de Nova York" que "os brancos logo aprenderam a sapatear".	
4	L 23 T 33		Nordeste tem "novas espécies humanas": "homem-gabiru", "ou nanicos", que "como os ratos, vivem do lixo". Foto transposta de jornal mostra o "homem-gabiru", pardo, ao lado de jornalista, branco.	
5	L 26 T 6		"crioulinho mal-encarado" que, do ponto de vista de participante da história, foi ameaçador.	
6	L 28 T 10		No texto não há descrição de cor-etnia. Na ilustração, no grupo de crianças de maioria branca, uma delas, o "coelhinho", foi ilustrada com pele escura.	
7	L 30 T 4		Rei de Melinde tem ações de enfrentar os portugueses e de pedir ao (Vasco da) Gama para lhe narrar a história de Portugal.	
8	L 30 T 4			
9	L 30 T 6	Aleijadinho	"habitantes locais", população de Melinde.	
10	L 30 T 6		Tornou-se o maior escultor do Brasil. Filho de Manoel Francisco Lisboa, português, e de uma escrava deste, africana, de nome Izabel.	
11	L 30 T 6	Izabel	Escrava, africana, de nome Izabel, mãe de Aleijadinho.	
		Manoel Fº Lisboa	"Aleijadinho nunca se casou, mas deixou um filho, a quem deu o nome de Manoel Francisco Lisboa, em homenagem ao pai".	
12	L 30 T 9		"Geração condenada", crianças africanas exploradas pelo trabalho infantil.	
13	L 30 T 9		Meninos, "de cinco anos em média", carregam em suas costas pesados sacos de açúcar, de Uganda ao Quênia.	
14	L 30 T 9		Meninas, "de cinco anos em média", carregam em suas costas pesados sacos de açúcar, de Uganda ao Quênia.	
15	L 31 T 6	Diabo	Crônica faz sátira sobre o trânsito em São Paulo, mostrando que nem o Diabo a aguenta. No texto não há referência à cor-etnia. A ilustração mostra uma imagem de face escura, com chifres, com traços distorcidos, nariz largo, com certa dubiedade em relação a classificação racial.	
16	L 31 T 10		Crônica sobre assaltos, o texto não tem informações sobre cor-etnia. Um dos assaltantes foi ilustrado pardo (três outros foram ilustrados brancos).	
17	L 33 T 23		Cidade onde cada morador tinha uma estrela de sua cor que o seguia. "Os pretos tinham estrelas pretas, em tons variados, é claro".	Preto
18	L 33 T 23		Mesma cidade anterior. "Os mestiços, estrelas marrons e cinzas, em vários tons de marrom e cinza".	Mestiço
19	L 33 T 23		Mesma cidade anterior. Uma pessoa que dá encontrão em outra pessoa. A ilustração mostra um pardo e um branco.	

Outros personagens listados no quadro, além de Aleijadinho e família, estiveram presentes em partes dos respectivos livros que visaram discutir o preconceito racial. Alguns foram os habitantes de cidade onde as pessoas eram acompanhadas por estrelas de sua mesma cor e, devido à segregação, o céu se dividia em parte quase exclusiva de estrelas brancas e parte de estrelas pretas, marrons e cinzas. Primeiro o texto estabeleceu que a divisão era entre ricos, que tinham estrelas maiores e mais brilhantes, e pobres, que tinham estrelas menores e com pouco brilho. Depois o texto fez a correlação das cores das estrelas com as cores das pessoas. A divisão de cores no céu estabeleceu relação de causa e efeito entre brancos-riqueza e negros-pobreza. A solução proposta pelo texto foi um menino de uma escola de classe média ter descoberto que as estrelas misturadas tornavam o céu mais bonito. Ou seja, as desigualdades raciais foram tratadas de forma lírica, "quase ingênua", assim como a solução proposta. Numa perspectiva de sociedade que se dirige para a harmonia, para o equilíbrio, bastou anunciar a paz para que as desigualdades fossem resolvidas.

O outro personagem que integrou texto que objetiva discutir o preconceito racial foi o descrito no texto como "crioulinho mal-encarado". Em fragmento da obra "Raul da ferrugem azul" de Ana Maria Machado, a compiladora selecionou trecho no qual o personagem título analisou falas racistas proferidas por conhecidos seus. Uma primeira observação diz respeito à repetição de alocuções racistas, primeiro quando enunciadas, depois quando descritos os pensamentos que povoavam a cabeça de Raul. Outra observação é sobre o estabelecimento dos "neguinhos" como *out-group*, como outros do protagonista e seus pares, brancos. Finalmente, a postura antirracista foi estabelecida somente pelo protagonista branco, enquanto os negros foram discursivamente colocados em situação passiva, de objeto (uso da estratégia de *passifização*). As formas discursivas atuaram, conjuntamente, no sentido de *diferenciação* do negro, estabelecido como grupo diverso, que não tem possibilidade de ação antirracista; o poder de crítica e mudança é atribuído ao branco.

Esse último exemplo foi um dos poucos casos de utilização de vocabulário racial. Em geral os textos foram extremamente econômicos no uso de termos que fizessem alusão à classificação de cor-etnia, o que se observa no Quadro 20 no que se refere aos personagens negros. Podemos interpretar essa tendência a não utilizar vocabulário racial como forma de camuflar as relações racializadas. O uso parcimonioso de vocabulário racial teria o sentido de complementar a tentativa de ocultar a identidade racial pelo branco (GIROUX, 1999, p. 139). No caso dos personagens brancos, observamos ausência quase total de vocabulário de classificação racial, o que atua nesse sentido. A busca de uma suposta neutralidade teria o sentido de *dissimulação* da situação de privilégio do branco e das desigualdades raciais. Consideramos que a manifestação do silêncio tem significância própria, "no silêncio o sentido *é*" (ORLANDI, 1993, p. 33, grifo da autora), discussão que merece ser aprofundada.

> O silêncio não é diretamente observável e no entanto ele não é vazio [...] Para torná-lo visível, é preciso observá-lo indiretamente por métodos (discursivos) históricos, críticos, desconstrutivistas. [...] Sem considerar a historicidade do texto, os processos de construção dos efeitos de sentidos, é impossível compreender o silêncio. (ORLANDI, 1993, p. 47)

Interpretamos a parcimônia no uso de vocabulário racial como uma das formas de operar do silêncio, do que "não-pode-ser-dito" (GONÇALVES, 1987, p. 27). Duas formas correlatas de silêncio, segundo Gonçalves (1987, 1988) operam na escola brasileira, uma que se cala para as particularidades culturais da população negra brasileira e outra que nega os processos de discriminação. Ambas podem ser compreendidas como manifestação do que Orlandi (1993, p. 12) define como *silenciamento*, "aquilo que é proibido dizer em certa conjuntura" (1993, p. 24). O sentido do silêncio se articula com a complexa *etiqueta das relações raciais* do "racismo à brasileira" (conforme discussão que realizamos no capítulo 4). É o silêncio que mantém o discurso, na escola, que tenta "construir a igualdade entre os alunos a partir de um ideal de democracia racial" (GONÇALVES, 1987, p. 28), ocultando os processos de discriminação.

Além disso, captamos uma característica que foi recorrente em diversas unidades de leitura de livros do terceiro período, a do branco que atua para "salvar" o negro ou, mais sutilmente, para "corrigir" suas crenças, opiniões, valores (em perspectiva análoga à criticada por Giroux, 1999, p. 116-121, na análise do filme *Dangerous Minds*). Algumas das unidades de leitura apresentaram uma tendência mais sutil, como a do personagem Raul, branco, que se revolta contra o racismo, implicitamente indicando que o branco é quem pode libertar o negro do racismo. Interpretamos como exemplos similares as crianças trabalhadoras africanas, dependentes de ações da OIT, dirigida por um francês; o denominado "homem-gabiru", em interação com jornalista branco; os componentes dos grupos musicais *Meninos do Morumbi* (ilustram unidade de leitura no livro *Língua Portuguesa 4*, p. 28 e 29).

Outros exemplos foram observados em unidades de leitura para além da amostra: Bilo, o engraxate (ilustrado negro) depende da ajuda de seus professores (ilustrados brancos; no livro *Integrando o aprender*, p. 52); recenseador (ilustrado branco) que criou o "correio da rocinha", onde trabalham adolescentes que foram ilustrados em foto, a maioria de negros (*Construindo a escrita*, p. 10). Mesmo em unidade de leitura do autor negro Joel Rufino dos Santos (O filho de Luíza, *Português na ponta do lápis... e da língua*, p. 130-133), determinada passagem descreve como o pai de Luis Gama, Oliveira (branco), salvou da prisão a mãe do abolicionista, Luíza (negra), após a revolta dos Malês. O texto destaca e repete, por duas vezes, a gratidão de Luíza pelo namorado branco tê-la salvado.

Dois exemplos mais acabados estão nas unidades de leitura "Estética é remédio" (*Letra, palavra e texto*, p. 65-68), sobre adolescentes autores de ato infracional (em sua maioria negros) que participam de projeto de arte-educação dirigido por um artista plástico (branco) italiano. O texto da unidade de leitura colocou em plano privilegiado o trabalho do diretor. Duas caixas de texto (*boxes*), que acompanharam o texto principal, tiveram grafados os títulos "salvar a infância" e "humanizar", evidenciando clara relação com o princípio de nossa crítica: a difusão de posições hierarquizadas, nas quais o personagem branco atua como "salvador" ou "humanizador" do negro. Na unidade de leitura "Elói, o guerreiro de Lagoa Santa" (*Letra, palavra e texto*, p. 45-49), o destaque foi para o adolescente de classe média (branco) Elói, que coordenou trabalho para "reintegração" de crianças (pobres e negras) à escola. Do ponto de vista da hierarquia de idade, a unidade de leitura é interessante, pois focaliza o protagonismo de um adolescente, mas ancorado em hierarquização de raça e classe. A mencionar que os personagens com essa marca foram observados, principalmente, em unidades de leitura transcritas da mídia escrita.

A unidade de leitura "Raul da ferrugem azul", apesar das limitações descritas, pelo menos tematiza o preconceito racial contra o negro no Brasil. Nessa parte do livro que se propõe a discutir a "pluraridade cultural", a unidade de leitura disposta em seguida é uma notícia de jornal que descreve o processo de discriminação sofrido por uma criança Albina num grupo indígena. Ou seja, o preconceito racial é apontado como característica do outro, característica típica do novo racismo tanto na Europa e nos EUA quanto na América Latina (van Dijk, 2003, p. 102). Interpretamos a organização das sequências das unidades de leitura e o próprio conteúdo do texto sobre a discriminação exercida pelos indígenas como estratégia de *dissimulação* do racismo atuante nas relações sociais brasileiras. No livro

Desenvolvimento da linguagem encontramos exemplo de *dissimulação*, que consideramos similar. Não observamos no livro personagens negros (os únicos, implicitamente negros, são meninos de rua descritos em unidade de leitura à p. 122), ao passo que a discussão sobre preconceito figura em unidade de leitura que narra as dificuldades dos imigrantes italianos, logo após a imigração, tratados como "carcamanos". O foco sobre discriminações sofridas por italianos atua também como forma de *dissimulação* do racismo contra negros, indígenas e ciganos, os grupos racializados no Brasil. Além disso, a bibliografia especializada considera que os imigrantes italianos sofreram discriminação que impediu seu desenvolvimento, no período após a imigração, nos EUA e na Argentina, mas não no Brasil (GHIRELLI, 1993). Novamente podemos compreender tais passagens como manifestação do *silenciamento* (ORLANDI, 1993), sobre a escolha entre aquilo que se fala e aquilo sobre o que se silencia.

Uma última observação sobre os personagens negros, descritos no Quadro 20, diz respeito ao diabo, personagem de uma das unidades de leitura, que foi representado por figura negra, o que remete a uma longa tradição europeia. Desde o Concílio de Trento (447), o diabo foi representado como figura negra e monstruosa, associado, nas pregações aos fiéis, a objetos e animais negros (FALOPPA, 2000, p. 83). Sucessivamente, foi associado, sob influência do tomismo aristotélico, à ausência de luz. A tradição de associação do negro ao inferno manteve-se bastante difundida também na literatura, com descrições de demônios deformados e negros, sendo exemplo significativo a Comédia dantesca. O texto da amostra não se referiu à classificação racial e apresentou leitura do cotidiano de São Paulo, no qual o diabo cumpriu papel de dar dramaticidade e comicidade. A ilustração representou o demônio em negro, com características de deformidade e ausência de luz. A ilustração, nesse caso, significou a retomada da tradição, de uma tradição secular que impregna o negro de sentidos pejorativos e negativos.

A tendência de aumentar a proporção de personagens de natureza humana e grupo/multidão entre os personagens negros pode ser verificada na TAB. 6. No terceiro período, a maioria dos personagens negros (57%) foi de grupos/coletivos, indicando sua menor importância nos textos.

No caso do sexo, observamos na TAB. 6 índices muito baixos de personagens negras especificamente femininas, ou seja, a mulher negra praticamente não existiu como personagem nas unidades de leitura, tendência que se acentuou no último período.

Tabela 6 - Atributos ficcionais e demográficos predominantes de personagens brancos e negros, por períodos, em amostra de 252 unidades de leitura

Atributos		Primeiro período Cor-etnia		Segundo período Cor-etnia		Terceiro período Cor-etnia	
		Branca N=177	Negra N=15	Branca N=204	Negra N=09	Branca N=317	Negra N=19
Natureza	Humana	156 (88%)	08 (53%)	185 (90%)	06 (67%)	285 (89%)	19 (100%)
	Antropomorfizada	11 (06%)	07 (47%)	06 (03%)	01 (20%)	04 (01%)	0
Individualidade	Indivíduo	157 (88%)	15 (100%)	182 (89%)	08 (89%)	233 (74%)	08 (42%)
	Multidão ou grupo	20 (11%)	0	22 (10%)	01 (11%)	84 (27%)	11 (57%)
Sexo	Masculino	103 (59%)	13 (87%)	122 (60%)	06 (67%)	190 (60%)	08 (42%)
	Feminino	52 (30%)	02 (13%)	69 (34%)	02 (22%)	78 (25%)	03 (15%)
Idade	Adultos	67 (38%)	10 (67%)	87 (43%)	03 (33%)	183 (58%)	08 (42%)
	Crianças	76 (43%)	02 (15%)	81 (40%)	03 (33%)	72 (23%)	05 (26%)

Fonte: Tabelas 7.1, 7.2, 7.3, 7.6, 8.1, 8.2, 8.3, 8.6, 9.1, 9.2, 9.3, 9.6

Tabela 7 - Indicadores de importância na caracterização de personagens negros e brancos, por períodos, nas 252 unidades de leitura da amostra

Indicadores de importância	Primeiro período Cor-etnia		Segundo período Cor-etnia		Terceiro período Cor-etnia	
	Branca N=177	Negra N=15	Branca N=204	Negra N=09	Branca N=317	Negra N=19
Estuda e/ou estudou	36 (20%)	01 (07%)	53 (26%)	0	52 (16%)	01 (05%)
Brasileiro	124 (70%)	07 (47%)	174 (85%)	08 (89%)	183 (58%)	08 (42%)
Caracterizado como vivo	159 (90%)	12 (80%)	192 (94%)	08 (89%)	279 (88%)	08 (42%)
Possui nome próprio	80 (45%)	07 (47%)	150 (74%)	07 (78%)	168 (53%)	06 (32%)
Personagem principal	91 (51%)	02 (13%)	90 (44%)	04 (44%)	87 (53%)	06 (32%)

Fonte: Tabelas 7.7, 7.8, 7.11, 7.13, 7.18, 8.7, 8.8, 8.11, 8.13, 8.18, 9.7, 9.8, 9.11, 9.13, 9.18.

Em relação às crianças e aos jovens, a distribuição aponta que os personagens infantojuvenis foram bastante presentes, particularmente nos dois primeiros períodos, mas não para os negros. Os personagens negros de idade similar aos potenciais leitores, alunos de 4ª série, somente no segundo período (38%) deixaram de ser proporção muito reduzida.

Observa-se tendência de que as histórias da literatura infantojuvenil sejam vividas predominantemente por personagens infantis e mais centradas no universo infantil, por meio dos quais ocorre maior proximidade com a "realidade" dos leitores. Nossos resultados trouxeram grande desproporção entre personagens infantis brancos e negros, em todos os períodos. Interpretamos que as unidades de leitura se dirigiram a leitores presumidamente brancos. De acordo com Negrão (1988, p. 57), o grupo étnico-racial dos personagens é indicador do público leitor a quem os textos se dirigem, isto é, os personagens infantis quase que totalmente brancos indicam que os textos foram escritos para leitores supostamente brancos.

Trabalhamos também com indicadores selecionados de complexidade dos personagens (TAB. 7). Os personagens negros que tiveram menção no texto sobre estudar ou ter estudado praticamente inexistiram, tendendo a zero em todos os períodos. Na quase totalidade dos outros atributos, os índices dos personagens negros do terceiro período foram inferiores em relação aos períodos anteriores. Estes são indicativos de menor complexidade dos personagens negros do terceiro período, comparados com os personagens negros dos períodos anteriores. Os atributos de importância dos personagens negros foram, em relação aos personagens brancos, numericamente muito inferiores, em todos os períodos.

Proporcionalmente, a única exceção foi o percentual de personagens principais negros (32%) no terceiro período, mais alto que o percentual de personagens brancos principais no mesmo período (28%). Calculando as taxas de branquidade, temos, para cada personagem negro principal, 45,5 personagens brancos principais no primeiro período, 22,5 personagens brancos principais no segundo período e 14,5 personagens brancos principais no terceiro período. Portanto, a diminuição da desproporção, nesse aspecto em específico, foi importante. Mas a desigualdade na relação branco-negro continuou acentuada.

O aumento de proporção de um dos atributos de complexidade dos personagens negros, no terceiro período, foi coerente com as observações anteriores. Os personagens negros, no terceiro período, foram um pouco mais numerosos, mais frequentemente humanos e, por um lado, mais elaborados que os personagens humanos negros somente evocados dos períodos anteriores, mas, por outro lado, com indeterminações mais frequentes.

A observação sobre a ausência de atributos dos personagens reforça esta conclusão (TAB. 8). Os personagens negros do terceiro período, em relação aos personagens negros dos períodos anteriores, apresentaram maior grau de indeterminação de uso da linguagem, indicação de profissão e nacionalidade. Por outro lado, foram decrescentes os índices de indeterminação de Estado/região, religião, origem familiar e relação de parentesco, significando que os personagens negros do terceiro período ganharam em certos traços de complexidade e perderam em outros. Também significativo foi o uso da linguagem decrescente. Significa que os personagens negros mais frequentemente humanos do terceiro período fizeram menor uso da linguagem que os urubus, retalhinhos e sacis dos períodos anteriores, um indicativo de que a existência humana veio acompanhada de menor possibilidade de se expressar.

Em relação aos personagens brancos, os personagens negros apresentaram, no terceiro período, maior grau de indeterminação em relação ao uso de linguagem e atribuição de profissão. Nacionalidade e Estado/região apresentaram proporções próximas, ao passo que, em referência à religião, o grau de indeterminação dos personagens brancos foi maior que os dos personagens negros no mesmo período. Tais dados indicam um ganho de complexidade dos personagens negros do último período que, embora numericamente muito inferiores, apresentariam uma complexidade literária mais próxima à dos personagens brancos.

Vamos examinar com um pouco mais de detalhe os resultados relativos à família, uma questão que foi alvo de críticas nos estudos sobre livros didáticos da década de 1980 (PINTO, 1981; ANA SILVA, 1988). Comparando os dados relativos aos negros no terceiro período com os dados relativos aos negros nos períodos anteriores, observa-se uma mudança gradativa (TAB. 9). No primeiro período, não observamos relações familiares de personagens negros. No segundo, elas passaram a ocorrer, em baixa frequência e formas limitadas de relação familiar. No terceiro período, mantiveram as baixas frequências, e ampliaram-se, ligeiramente, as formas de relação.

Tabela 8 - Frequência da categoria "ausência de informação" em atributos de personagens brancos e negros, por períodos, em amostra de 252 unidades de leitura

Ausência de atributos	Primeiro período Cor-etnia		Segundo período Cor-etnia		Terceiro período Cor-etnia	
	Branca N=177	Negra N=15	Branca N=204	Negra N=09	Branca N=317	Negra N=19
Língua/linguagem	76 (32%)	09 (60%)	34 (40%)	05 (56%)	169 (53%)	18 (95%)
Profissão	123 (70%)	10 (67%)	163 (80%)	05 (63%)	209 (66%)	15 (79%)
Nacionalidade	28 (16%)	01 (07%)	06 (03%)	0	11 (04%)	01 (04%)
Estado/região	136 (77%)	13 (87%)	181 (89%)	07 (88%)	279 (88%)	16 (84%)
Religião	150 (85%)	13 (87%)	192 (94%)	08 (100%)	273 (86%)	13 (68%)
Origem familiar	175 (99%)	15 (100%)	204 (100%)	09 (100%)	286 (90%)	14 (74%)

Fontes: Tabelas 7.8, 7.9, 7.14, 7.15, 7.17, 7.19, 8.8, 8.9, 8.14, 8.15, 8.17, 8.19, 9.8, 9.9, 9.14, 9.15, 9.17, 9.19

Tabela 9 - Atributos predominantes relativos às relações familiares de personagens brancos e negros, presentes em amostra de 252 unidades de leitura

Relações familiares	Primeiro período Cor-etnia		Segundo período Cor-etnia		Terceiro período Cor-etnia	
	Branca N=177	Negra N=15	Branca N=204	Negra N=09	Branca N=317	Negra N=19
Família geral com parentesco	69 (39%)	0	70 (34%)	03 (33%)	120 (38%)	03 (16%)
Casado	12 (07%)	0	24 (12%)	02 (22%)	51 (16%)	01 (05%)
Pai e/ou mãe biológicos	35 (20%)	0	01 (09%)	01 (11%)	21 (07%)	02 (11%)
Filho/a biológico mencionado	29 (16%)	0	18 (09%)	02 (22%)	33 (10%)	02 (11%)
Irmãos	16 (09%)	0	08 (04%)	0	22 (07%)	0
Família ampla superior	08 (05%)	0	04 (02%)	0	15 (05%)	01 (05%)
Família ampla inferior	05 (03%)	0	04 (02%)	0	11 (03%)	01 (05%)
Família ampla sem hierarquia	03 (02%)	0	02 (01%)	0	06 (02%)	0

Fontes: Tabelas 7.20, 7.21, 7.23, 7.25, 7.27, 7.28, 7.29, 7.30, 8.20, 8.21, 8.23, 8.25, 8.27, 8.28, 8.29, 8.30, 9.20, 9.21, 9.23, 9.25, 9.27, 9.28, 9.29, 9.30

Na comparação com os brancos, os resultados dos personagens negros, no terceiro período, apontam desigualdades importantes. Os personagens brancos foram mais frequentemente associados, apresentaram maior presença e maior diversidade de familiares. A taxa de branquidade foi de 40, ou seja, para cada personagem negro com relação familiar, no terceiro período, foram observados 40 personagens brancos com relação familiar. Algumas formas de relação familiar não contaram com um único caso de personagem negro. Os poucos casos do terceiro período de pais e filhos negros mencionados (11% para ambos) foram, proporcionalmente, ligeiramente superiores aos personagens brancos com pais e filhos (7% e 10%, respectivamente). As taxas de branquidade para essas categorias foram 10,5 pais brancos para cada pai negro e 16,5 filhos brancos para cada filho negro. Somente a primeira delas é inferior à média geral e, no entanto, permanece em nível de desigualdade muito elevado. Interpretamos que permanece a *naturalização* da família como atributo do branco.

Levantamos contra-hipótese que as diferenças que encontramos nos atributos dos personagens poderiam ser explicadas pelas idades, ou seja, seriam influenciadas pelos resultados relativos a personagens crianças. Realizamos tabulações separando para os personagens adultos de personagens crianças (incluímos as categorias bebê, criança e jovem). De forma geral, os indicadores de importância dos personagens e as ausências de informação sobre os atributos foram similares aos dados gerais (adultos e crianças). Detectamos maiores diferenças entre os dados relativos a crianças e gerais, para personagens negros e brancos, em frequência à escola e relações familiares (TAB. 10).

Os personagens crianças brancas aumentaram a frequência à escola em relação aos outros grupos de idade, o que não se repetiu para os personagens crianças negras. No caso de irmãos identificados, observa-se que a maioria dos casos está concentrada nos personagens crianças (no primeiro período, todos os 16 casos de irmãos identificados foram de personagens brancos crianças). Mas, relativo a relações familiares em geral, praticamente não observamos diferenças entre as personagens crianças e os resultados gerais, para ambos os grupos de cor. Ou seja, as diferenças nos atributos dos personagens não podem ser atribuídas à idade.

Tabela 10 – Frequência à escola e relações familiares de personagens brancos e negros, geral e crianças, observados em amostra de 252 unidades de leitura

	Primeiro período Cor-etnia		Segundo período Cor-etnia		Terceiro período Cor-etnia	
Geral (adultos + crianças)	Branca N=177	Negra N=15	Branca N=204	Negra N=09	Branca N=317	Negra N=19
Estuda e/ou estudou	36 (20%)	01 (07%)	53 (26%)	0	52 (16%)	01 (05%)
Família geral com parentesco	69 (39%)	0	70 (34%)	03 (33%)	120 (38%)	03 (16%)
Pai e/ou mãe biológicos	35 (20%)	0	01 (09%)	01 (11%)	21 (07%)	02 (11%)
Irmãos	16 (09%)	0	08 (04%)	0	22 (07%)	0
Família ampla superior	08 (05%)	0	04 (02%)	0	15 (05%)	01 (05%)
Família ampla sem hierarquia	03 (02%)	0	02 (01%)	0	06 (02%)	0
Crianças	Branca N=177	Negra N=15	Branca N=204	Negra N=09	Branca N=317	Negra N=19
Estuda e/ou estudou	19 (22%)	01 (33%)	33 (38%)	0	26 (36%)	0
Família geral com parentesco	39 (44%)	0	24 (28%)	01 (33%)	27 (38%)	01 (20%)
Pai e/ou mãe biológicos	33 (38%)	0	07 (08%)	01 (33%)	15 (21%)	01 (20%)
Irmãos	16 (18%)	0	06 (07%)	0	13 (18%)	0
Família ampla superior	07 (08%)	0	03 (04%)	0	11 (14%)	01 (20%)
Família ampla sem hierarquia	02 (02%)	0	0	0	02 (92%)	0

Fontes: Tabelas 7.18, 7.21, 7.25, 7.27, 7.29, 7.30, 8.18, 8.21, 8.25, 8.27, 8.29, 8.30, 9.18, 9.21, 9.25, 9.27, 9.29, 9.30, 12.20, 12.23, 12.27, 12.28, 12.30, 12.51, 12.54, 12.58, 12.59, 12.61, 12.82, 12.84, 12.88, 12.89, 12.91.

A síntese dos resultados comparativos, entre os três períodos, de personagens das unidades de leitura, aponta mudanças e permanências. Personagens negros antropomorfizados deixaram de ser tão frequentes, ao passo que personagens negros humanos passaram a ser mais comumente observados nos textos recentes. O personagem negro adquiriu o status de humano, mas continuou limitado em presença e a determinados contextos sociais. Os personagens negros mais frequentes foram sujeitados à estratégia de *passifização* (tratados como objeto e com menor possibilidade de uso da palavra) e *diferenciação* (constituídos discursivamente como outro com pouca possibilidade de participação no exercício de poder).

As mudanças captadas foram em atributos específicos dos personagens negros. No entanto, os resultados gerais se mantiveram. Os personagens negros foram menos complexos que os brancos do mesmo período, menos individualizados, recebendo em menor percentual nomes próprios e, particularmente, não tendo relações familiares. Além disso, identificamos número muito limitado de personagens negros infantis, em todos os períodos, indicando que os autores das unidades de leitura se dirigiram a crianças leitoras supostamente brancas.

Os personagens brancos, por sua vez, aumentaram em número e em proporção e mantiveram a complexidade maior que dos personagens negros, o que gerou uma série de indicadores de desigualdade, particularmente alguns índices de branquidade, piores no terceiro período que nos períodos anteriores. No terceiro período, os personagens brancos históricos aumentaram em muito, e os brancos somente ilustrados continuaram maioria, mantendo a apresentação do branco como representante natural da espécie, como brasileiro- padrão. Esses resultados, aliados aos descritos nos parágrafos anteriores, indicam a manutenção da branquidade normativa, a *naturalização* da condição do branco.

Além disso, observamos indicativos na ausência de uso de vocabulário racial, que permaneceu nos três períodos, de uso da estratégia de *dissimulação* da racialização das relações e da situação de privilégio dos brancos. Manifestação da "expressão radical do silêncio" (GONÇALVES, 1987, p. 27) que opera como na direção de manutenção das desigualdades raciais.

Os resultados relativos aos personagens nas unidades de leitura indicam que foram muito limitados os impactos de toda a mobilização social nos discursos sobre brancos e negros nos livros didáticos analisados. Mesmo em aspectos criticados desde a década de 1980, por movimento negro e estudos da área, como o caso de relações familiares, atividades laborais e relação do negro com a pobreza, as modificações foram tênues ou inexistentes.

Personagens nas ilustrações

A distribuição de personagens, brancos e negros, das ilustrações que acompanharam as unidades de leitura, está apresentada no GRAF. 5.

Gráfico 5 - Número de personagens brancos e negros, nas ilustrações dos textos, por período

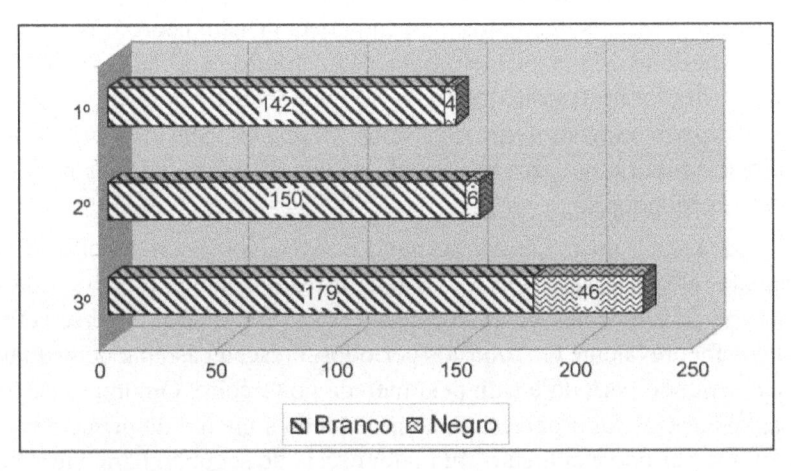

Fonte: Tabelas 10.17; 10.22 e 10.27

Os personagens brancos foram prevalentes, nas ilustrações, em todos os períodos. O aumento no número de personagens brancos foi gradativo, um pouco maior do segundo para o terceiro período (142, 150 e 179 personagens, respectivamente). Os personagens negros foram poucos no primeiro e segundo períodos (4 e 6 personagens negros ilustrados, correspondendo, respectivamente, a 2% e 3%) e se multiplicaram no terceiro (46 personagens negros, 20% no período). Os personagens negros ilustrados, que praticamente inexistiram nos dois primeiros períodos, mantiveram presença mais representativa no período recente, embora ainda minoria. Um exemplo ajuda a ilustrar a modificação detectada. Em duas fotografias dos grupos de percussão *Meninos do Morumbi* e *Moleque de Rua* (que ilustram uma reportagem intitulada *Batuque contra a miséria* no livro *Língua Portuguesa 4*, p. 28 e 29), conta-se a maioria dos personagens negros ilustrados do terceiro período: 33 personagens negros ilustrados (ou seja, 71% dos personagens do período estão nessas fotos). Os personagens negros das imagens praticamente não existiram na unidade de leitura. Os personagens individualizados citados no texto foram brancos. Os grupos musicais *Meninos do Morumbi* e *Moleque de Rua* foram mencionados no texto, mas, graças à presença de alguns integrantes brancos, foram computados como personagens mistos. Essa foi uma forma frequente nos livros do último período: personagens negros figuraram nas ilustrações; nas mesmas unidades de leitura, os papéis individualizados e mais importantes foram desempenhados por personagens brancos.

Calculadas as taxas de branquidade, temos: no primeiro período, 35,5 personagens brancos ilustrados para cada personagem negro ilustrado; no segundo período, 25 personagens brancos ilustrados para cada personagem negro ilustrado; no terceiro período, 3,9 personagens brancos ilustrados para cada personagem negro ilustrado. O personagem negro ilustrado continuou minoria no terceiro período, mas a diferença para os períodos anteriores foi notável.

No caso das ilustrações das capas dos livros, observam-se certas peculiaridades nos resultados (GRAF. 6), mas as tendências gerais são similares às dos personagens nas ilustrações dos textos. O número de personagens brancos foi prevalente em todos os períodos, cresceu bastante do primeiro para o segundo período e caiu pela metade no terceiro. O número de personagens negros foi progressivo, com pequeno aumento do primeiro para o segundo período e aumento em maior escala do segundo para o terceiro.

Gráfico 6 - Número de personagens brancos
e negros, nas capas, por período

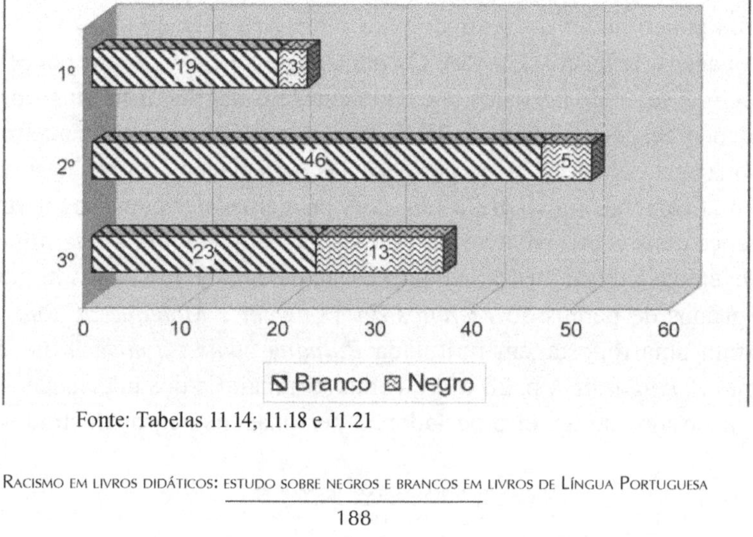

Fonte: Tabelas 11.14; 11.18 e 11.21

Calculadas as taxas de branquidade, para o primeiro período, foram 6,3 personagens brancos ilustrados nas capas para cada personagem negro; no segundo período, 9,2 personagens brancos nas capas para cada personagem negro. No terceiro período, 1,8 personagem branco para cada personagem negro; o aumento de personagens negros do segundo para o terceiro período gerou a menor taxa de branquidade dos resultados do estudo.

O aumento de personagens negros ilustrados nas capas, no período mais recente, pode ser interpretado como forma de dar resposta à grande mobilização social em torno do livro didático (descrevemos, anteriormente, a complexidade das relações envolvidas nas esferas de produção do livro didático: as críticas pelos movimentos sociais e por pesquisadores, o processo de avaliação dos livros didáticos envolvendo uma série de atores sociais, as mudanças nas formas de produção dos livros). Esse aumento nos parece tentativa de responder às críticas que se dirigiram a este aspecto específico: ausência de negros em ilustrações de capas e primeiros planos. Desse ponto de vista, o incremento de personagens negros detectado e a representação de personagens negros com aspectos fenotípicos valorizados, nas capas dos livros, podem ser considerados propícios. No entanto, o maior número de personagens negros somente na situação de grande visibilidade, nas capas, pode servir também para mascarar as desigualdades que permanecem nos outros níveis. Podemos interpretar esse resultado como forma de *dissimulação* das desigualdades, mantidas nas unidades de leitura e ilustrações que as acompanham.

Na introdução das avaliações da área de Ciências (BRASIL/MEC, 2000), a equipe de responsável anotou: "A figura do negro e do índio passaram a ser retratadas nos livros didáticos como nunca o tinham sido; da mesma forma, em relação aos diferentes segmentos sociais têm-se evitado associações simplistas e francamente grosseiras, quando não desrespeitosas" (p. 458). O mesmo trecho foi transcrito para a introdução da avaliação de Matemática. O texto, embora não seja da área de Língua Portuguesa, é de interesse. As outras áreas que não se manifestaram nos *Guia(s) do Livro Didático* (BRASIL/MEC) em relação à questão preocuparam-se com tais formas de discriminação? Sua preocupação foi similar à das áreas que se manifestaram? (o aumento da quantidade de representações de negros e o coibir de "associações grosseiras").

No texto dos especialistas de Ciências e Matemática, a análise é positiva sobre as avaliações, no sentido de terem influenciado o aumento da presença de negros e indígenas nas ilustrações. O fato de terem sido observadas mais ilustrações de personagens negros nas capas dos livros didáticos recentes é salutar e devemos pensar na ampliação do número de negros nas capas, para a representação da composição da sociedade brasileira (49,9% de brancos e 49,4% de negros, conforme PNAD 2006). Esse aspecto, no entanto, não significaria a ausência de discurso racista nas ilustrações. Uma primeira observação diz respeito ao próprio critério. Aumentar o número é um passo, mas não significa tratamento igualitário. Em nossa amostra de livros de Língua Portuguesa, encontramos resultado compatível com a observação dos avaliadores de Ciências e Matemática. Nos livros publicados após as avaliações, observamos incremento no número de personagens negros. O aumento do número de personagens negros ocorreu, em nossa amostra, em pequena escala nos textos, em escala um pouco maior nas ilustrações desses textos e, nas ilustrações das capas, em maior amplitude. Tal resultado, no entanto, não significa o tratamento de personagens brancos e negros em regime de igualdade. Alguns aspectos que observamos ajudam a aprofundar a análise.

Um primeiro aspecto diz respeito à ilustração de negros. Pinto (1981) apreendera, nas unidades de leitura publicados entre 1941 e 1975, o tratamento estético empobrecido do negro em relação ao branco e, frequentemente, o negro ilustrado de maneira grotesca. Em nossa amostra, encontramos alguns exemplos de ilustração de negros com um traço grotesco em particular. Dos nove livros do primeiro período: em três não observamos nenhuma ilustração de negros; em dois somente uma ilustração de negro; e, nos quatro que apresentam um número um pouco maior de ilustrações de negros, em **todos** os negros foram ilustrados com lábios exagerados, desproporcionais aos traços da face. O uso de estereótipos fisionômicos como forma de difusão de ideias raciais foi utilizado na Europa desde o século XVIII (Pallottino, 1994). No caso dos negros, as representações de traços estereotipados serviram como mensagem emotiva de que se tratavam de povos não civilizados, impuros, sujos e selvagens (Goglia, 1994, p. 32). Ao observar ilustrações de tiras de quadrinhos, de cartões postais e de reportagens da revista fascista *La difesa della Razza*, encontramos diferentes traços de estereotipia dos negros, mas particularmente estão presentes os lábios agigantados. A circulação desse tipo de imagem pelo continente americano é notória. Mas não esperávamos que livros didáticos publicados no Brasil, entre os anos 1975 e 1986, mantivessem esse tipo de representação racista. No segundo período, as ilustrações de negros aumentaram ligeiramente em relação ao período anterior, embora mantida a grande desproporção em relação aos brancos. Nos onze livros do período, observamos a representação distorcida dos lábios em dois livros. Um deles continha uma das poucas passagens abertamente racistas que encontramos em toda a amostra. Os traços estereotipados da doméstica Zefa (*Ponto de partida em Comunicação e Expressão*, p. 167) foram acentuados com uma ilustração de mulher negra (o texto não faz alusão à classificação de cor-etnia), com lenço na cabeça, lábios exagerados, rindo de uma situação que lhe foi desfavorável e com somente dois dentes, em posição antagônica. Em outro livro, numa das outras passagens abertamente racistas, a personagem Emília[10] fez comentário sarcástico sobre o tamanho dos lábios de Tia Nastácia (conforme transcrição no Quadro 16). Ilustrações rememoraram traços estereotipados comuns nas histórias em quadrinhos da época do racismo científico. Nos livros do terceiro período, não mais encontramos ilustrações de negros com tais traços grotescos. Nesse aspecto específico, encontramos diferença em relação aos livros editados nos períodos inicial e final, com uma passagem gradativa da ilustração distorcida da face do negro à ilustração sem tal estereotipia.

Podemos afirmar que ocorreram modificações nas ilustrações do negro, mas que o discurso racista tomou outro formato. Se no terceiro período imagens estereotipadas do negro, as mais comuns no período inicial, deixaram de ocorrer, as imagens que acompanham as unidades de leitura limitaram os personagens negros a duas situações sociais em particular: miséria e escravidão (por exemplo, *Linguagem e interação*, 1996, p. 78). As imagens mais frequentes dos personagens negros, no terceiro período, trouxeram personagens em situação de desvantagem social. Foram principalmente fotos reproduzidas da mídia, de reportagens ou campanhas publicitárias. Imagens que valorizaram aspectos fenotípicos dos negros, acompanhando as unidades de leitura, foram exceção, não a regra.

Em geral ocorreu um jogo entre ilustrações e personagens descritos nos textos, com a complementação ou o acentuar de determinados traços dos personagens. Observamos que personagens que tinham aspectos positivos destacados no texto foram, via de regra, ilustrados como brancos. Por exemplo, observamos diversas alusões a trabalho infantojuvenil e quase que invariavelmente as ilustrações apresentaram crianças negras nessas condições (por exemplo, *Bem-te-li*, 2000, p. 75). As imagens concorreram para estruturar um contexto em que a formação humana infantil foi comunicada como branca e a exploração infantil como negra. No entanto, num caso em que um trabalhador infantil é descrito com uma série de atributos

---

[10] Em acordo com Coelho, a boneca Emília cumpre função de *alter ego* de Monteiro Lobato, "irreverente porta-voz de suas ideias" (COELHO, 1995, p. 853).

positivos, o ilustrador optou por uma criança branca (*Integrando o aprender*, 1996, p. 26).

Consideramos que as ilustrações muitas vezes operaram como formas complementares aos textos de comunicar determinados sentidos. "A ilustração comporta sempre um juízo de valor e, portanto, transfere sentidos àquilo que mostra, fornecendo uma interpretação" (MANSOUBI, 1998, p. 248, tradução nossa). Além disso, as representações icônicas interagem com aquilo que as circundam, com outras imagens, títulos, legendas, textos. Na nossa amostra, captamos algumas passagens na quais as imagens orientavam o contexto, "preparavam terreno" para algum texto que apareceria algumas páginas adiante. Em determinados casos, eram imagens sobre um determinado tema, por exemplo, sobre família, com personagens brancos, por vezes com mais de uma ilustração em páginas distintas (exemplo em *Desenvolvimento da linguagem*, 1993, p. 116 e segs.). Mais à frente, observamos um texto sobre o mesmo tema (no exemplo que estamos citando sobre família) aparentemente neutro. A indicação de tratar-se de família branca fora dada pela(s) ilustração(ões) anterior(es) (exemplo similar em *Bem-te-li*, 2000, p. 70, em ilustração de capítulo sobre infância e formação humana). Em outro exemplo, o livro *Língua Portuguesa com certeza*, nas páginas 11 e 12, traz textos sobre meninos de rua, ilustrados com crianças negras. À frente, na p. 24, um texto sobre trabalho infantil foi ilustrado com criança negra. A seguir, na página 27, um contraponto à "criança que sofre": a frase "nem toda infância é escravizada" foi título de foto com duas crianças, sorrindo e batendo os pés à beira de uma piscina. Duas crianças brancas. A leitura da sequência informa (implicitamente) que a infância branca de classe média não é escravizada, ao contrário da infância pobre e negra. A norma branca, modelo de bem-estar, foi afiançada pela imagem, sem necessidade de qualquer alusão à condição racial das crianças. A categoria racial branca foi afirmada como modelo, passando por invisível, forma que não oferece margens ao questionamento sobre a norma da branquidade (GIROUX, 1999, p. 139).

Ao mesmo tempo, apreendemos algumas tentativas de ilustração do negro de forma distinta, destacando aspectos positivos. Observamos, por exemplo, a imagem de uma família com personagens negros, composta por pai, mãe e filha, sorrindo, sentados num jardim florido num dia de sol, no livro *L.E.R. Leitura, escrita e reflexão* (2000, p. 188). Além de apresentar aspectos que valorizam as personagens negras, a foto ilustra uma família negra (em unidade de leitura que não fez parte da amostra analisada quantitativamente). A imagem dialoga com um texto escrito pela menina da foto, onde ela descreve a si mesma e a sua família. Portanto, representa um contraexemplo de aspecto no qual detectamos grande desigualdade entre personagens negros e brancos, o estabelecimento de relações familiares. Certamente é interessante e valoriza os personagens negros. Deparamo-nos com algumas outras imagens que valorizam personagens negros. Mas foram raros, e a do exemplo foi a única que estabeleceu contexto para compreensão de personagens negros positivados no texto e em família. É muito pouco, acaba ficando como contradiscurso isolado, num universo que tende a manter a valorização quase exclusiva dos personagens brancos.

Identificamos outra forma de uso de imagens que passou a estar presente, particularmente, no último período: o uso de figuras humanas, principalmente crianças, ilustrando passagens nas quais os textos dialogam diretamente com o leitor, ou ilustrando pedidos de tarefas ao aluno/leitor. Trata-se de estratégia pouco utilizada nos primeiros períodos, que passou a ocorrer com bastante frequência no último. Observamos, nos livros do terceiro período, centenas de ilustrações, de tamanhos distintos, em muitos casos utilizadas como ícone, em várias trazendo somente uma parte do corpo, particularmente a mão. Contabilizamos mais de 1.000 imagens desse tipo, com personagens brancas acompanhando falas diretas aos alunos/leitores. Notam-se apelos diversos aos alunos/leitores: para passar à posição de autor, explorar a escrita, para pôr mãos à obra; para criar e recriar; para fazer seu próprio texto, resumir, expressar oralmente. Nos textos que acompanham essas imagens, as referências ao leitor foram, em geral, diretas, particularmente com o uso dos pronomes *você* e *nós*. O interjogo entre imagens e textos definiu mensagens em que tanto o *você* quanto o *nós* foram discursivamente estabelecidos como *naturalmente* brancos. As imagens atuaram na estruturação de um discurso generalizante e naturalizante do branco.

Foram também observados alguns contraexemplos, imagens de personagens negras em situações de fala direta aos leitores. Foram pouco mais de uma dezena, ou seja, em frequência muito inferior às ilustrações, em situação similar, de brancos. Além disso, a personagem negra, quando figurou nessa situação, foi em geral acompanhada da branca (uma única ocorrência foi a exceção). Ou seja, o negro pôde, em raras oportunidades, integrar o *nós*. Quase nunca pôde, nas ilustrações de nossa amostra, representar a espécie humana, individualmente, ou em grupos exclusivamente de negros (forma corriqueira para os brancos). A alteridade, a existência plena, foi sistematicamente negada ao negro via ilustração de personagem. A ilustração de uma mão negra pode ser tomada como um indício de ruptura à possibilidade de existência plena somente legada ao branco. No entanto, tal ilustração foi localizada numa parte de livro que trata da "pluraridade cultural", anteriormente discutida. Ou seja, o negro pôde tomar existência somente quando se discutiu a discriminação racial. Ao invés de negar, o contexto acabou, contraditoriamente, reafirmando a branquidade normativa.

A presença majoritária das ilustrações de personagens brancas junto a apelos diretos aos leitores pode ser relacionada com as mudanças nas técnicas de produção dos livros didáticos, com o tratamento mais elaborado de imagens. A "modernização" (GATTI JUNIOR, 1998) da produção tornou mais complexo o uso de imagens e ilustrações nos livros didáticos, o que ampliou as possibilidades de uso de imagens e envolveu equipes de profissionais cada vez mais elaboradas. Foram viabilizadas por tais mudanças as novas formas de discurso racista que observamos, uso de imagens como forma de estabelecer contextos para os textos e estabelecimento de diálogo com leitor supostamente branco (em acordo com as ilustrações). Em nossa amostra, observamos o surgimento dessas novas formas de discurso racista em uma minoria de livros do primeiro e segundo períodos, nos quais o tratamento de imagens fora mais elaborado (envolvendo, por exemplo, o uso de fotografias). Ou seja, modificações nas condições de produção, particularmente na praticabilidade de uso de imagens, possibilitaram o surgimento de outras formas de discurso racista, mais elaboradas, que prescindem do uso de representações grotescas do negro.

Finalmente, observamos duas imagens que apresentam a posição de personagens brancas como "colonizador" ou "salvador" de personagens negras, de forma similar a personagens nos textos que anteriormente analisamos. No livro *Letra, palavra e texto* (2001), uma foto registrou um homem branco que cuida de uma criança negra, ilustrando unidade de leitura que trata de crianças aidéticas (transposta da mídia escrita). Em outro exemplo, *Linguagem e interação* (1996, p. 81), o tema foi campanha da Cruz Vermelha. A imagem apresenta o humanista branco, a criança negra raquítica e as mães negras impotentes. A composição reafirma a hierarquia de raça (e de gênero) e promove a *estigmatização* dos pobres, nesse caso negras africanas, em forma peculiar à mídia (conforme ANDRADE, 2004), transpondo para o livro didático mensagens ideológicas de outro meio.

Em síntese, as ilustrações dos livros didáticos mantiveram a desigualdade nas proporções de personagens brancas e negras; tenderam à *diferenciação* do negro, ilustrado particularmente em situações de miséria social; mantiveram a *naturalização* da condição do branco como representante da espécie, estabelecendo contextos de valorização do branco e propondo interlocução com leitores brancos, promovendo a *universalização* desta condição.

Comparações com outros estudos

Na medida em que analisamos os dados nas seções anteriores, realizamos algumas comparações pontuais com resultados de outros estudos. Nesta seção fizemos comparações mais sistemáticas. Inicialmente nos reportamos aos resultados que apresentamos no Quadro 1 (p. 28, síntese de resultados de pesquisas sobre o negro em livros didáticos brasileiros), comparando os resultados da síntese com os compatíveis de nosso estudo.

De forma geral, os personagens brancos continuaram a ser os representantes *naturais* da espécie, e o negro permaneceu, nos nossos resultados, sub-representado (nos textos e nas ilustrações), de forma similar a diversos outros estudos (PINTO, 1981, 1987; ROSEMBERG, 1985; ANA SILVA, 1988, 2001; BRASIL/FAE, 1994; BAZILLI, 1999; CRUZ, 2000).

No que se refere à família, observamos a tendência apontada por Pinto (1981, TAB. 5.1) de diminuição das relações familiares dos personagens (nos anos 1971-1974 em relação aos 1941-1945, no estudo de PINTO). Os negros raramente estiveram presentes em contexto familiar, permanecendo omitidos e menos numerosos os papéis familiares dos negros (PINTO, 1981, 1987; ROSEMBERG, 1985; ANA SILVA, 1988, 2001; BRASIL/FAE, 1994; BAZILLI, 1999; CRUZ, 2000).

A tentativa de romper com estereótipos produziu associação com personagens folclorizados (CRUZ, 2000). Por exemplo, ao selecionar crianças de diversas partes do mundo para comporem uma coletânea de textos sobre lugares e diferenças culturais, para a África foi escolhida uma menina massai, cujos aspectos estéticos e culturais são de grande diversidade em relação aos padrões ocidentais, com uma tendência a observar o *outro* nos seus aspectos de peculiaridade que tendem ao bizarro.

Observamos, em nossa amostra, a tendência a situar personagens negros sem possibilidade de atuação nas narrativas, mantendo posição coadjuvante ou como objeto da ação do outro, em contraponto aos personagens brancos, com maiores possibilidades de atuação e autonomia (PINTO, 1981, 1999; CHINELLATO, 1996; CRUZ, 1996).

Também foram mantidas, em nossa amostra, a prevalência de perspectiva eurocêntrica, com difusão de valores e valorização da cultura europeia, ao passo que o contexto sociocultural do negro foi em geral omitido, e a complexidade das culturas africanas não foi abordada.

A tendência de livros publicados na década de 1990 foi manter os personagens negros confinados a determinadas temáticas e limitando as posições sociais do negro às situações de desvalorização social (CHINELLATO, 1996; PINTO, 1999; OLIVEIRA, 2000; CRUZ, 2000).

O tratamento estético das ilustrações com traços grotescos ou estereotipados (PINTO, 1981, 1987; ROSEMBERG, 1985; ANA SILVA, 1988; OLIVEIRA, 2000) foi substituído, no terceiro período de nosso estudo, por novas formas de tratamento diferenciado de negros e brancos.

No que se refere a atividades laborais, os personagens negros, em nosso estudo, desempenharam número limitado de profissões, em relação aos brancos (PINTO, 1981, 1987; ROSEMBERG, 1985; ANA SILVA 1988, 2001; BRASIL/FAE, 1994; BAZILLI, 1999; CRUZ, 2000). Observamos que os negros deixaram de ser representados de forma quase exclusiva executando trabalhos braçais. Nesse aspecto específico, diferindo, portanto, dos resultados de Pinto (1981, 1987); Rosemberg (1985); Ana Silva (1988) e Cruz (2000).

Nos nossos resultados, nota-se uma tendência dos personagens brancos em concentrarem-se mais nas profissões mais valorizadas socialmente, e os negros, ao contrário, uma tendência em ocupar principalmente as posições menos valorizadas. No entanto, essa foi uma leve tendência, diferente dos dados de Pinto (1981, tabela 2.5), Rosemberg *et al.* (1979, p. 271) e Bazilli (1999, p. 89), pois, nos resultados dessas autoras, os negros ocuparam com alta prevalência os baixos cargos, e os brancos, o contrário. A relação de negros com atividades manuais socialmente desvalorizadas e de brancos com atividades intelectuais socialmente valorizadas foi criticada por estudos diversos, pela avaliação da FAE (BRASIL/FAE, 1994) e é citada no Guia do Livro Didático 2000/2001 (BRASIL/MEC 2000).

Podemos sugerir que os resultados menos desfavoráveis ao negro sofreram parcela de influência dessas movimentações sociais. Não afirmamos, porém, como fizera Ana Silva (2001), que observamos tendência à diversificação de papéis e funções profissionais dos negros e à representação dos negros com poder aquisitivo. Observamos, somente, a diminuição da relação inexorável do negro com profissões manuais socialmente desvalorizadas.

De forma similar, nossa interpretação está em desacordo com a de Ana Silva no que se refere à "transformação da representação dos negros nos livros didáticos" (2001, p. 27). Nossos resultados apontam algumas mudanças no discurso racista, mas limitadas e circunscritas. Por exemplo, no terceiro período encontramos alguns exemplos de ilustrações e de fotografias que ressaltam aspectos positivos do negro. Determinados resultados de Ana Silva (2001) podem ser expressos por tais ilustrações: a representação do negro em interação com outros grupos raciais; a localização no centro ou em primeiro plano em ilustrações; a prática de atividades de lazer, características fenotípicas representadas positivamente. No entanto, o surgimento dessas novas formas de ilustração e a não ocorrência de tratamento estético estereotipado ou grotesco não significaram a superação ou transformação do discurso racista. Foram mudanças, a maior parte limitadas e circunscritas, que operaram, de forma distinta, a desqualificação do negro e a manutenção da norma branca.

As mudanças observadas apontam, contraditoriamente, para a permanência de uma característica apontada por outros estudos. Observamos a ocorrência concomitante de discurso igualitário e de tentativas antirracistas com a "veiculação de discriminações mais ou menos latentes" (ROSEMBERG, 1985, p. 80, resultado também observado por PINTO, 1981 e BAZILLI, 1999). Podemos interpretar essa característica de formas distintas.

Uma primeira possibilidade é compreender o discurso igualitário como manifestação das diferentes formas de relação racial no Brasil, discutidas por Telles (2001, p. 20): as relações verticais e horizontais. Isso é, estaríamos, ao observar o discurso do livro didático, deparando-nos com a ocorrência concomitante de duas diferentes dimensões, uma na qual as relações tendem a ser igualitárias, outra marcada por desigualdades profundas.

Outra possibilidade de interpretação, relacionada à anterior, é compreender a associação entre discurso igualitário e veiculação de discriminações como exemplo do que o informante de Bastide (1971, p. 148) descreveu como "preconceito de ter preconceito". O discurso que prega a igualdade seria uma forma de se manifestar contra o preconceito, sem, no entanto, enfrentá-lo de fato. Isto pode ser interpretado como forma de *dissimulação*, ao usar formas simbólicas determinadas para ocultar ou obscurecer as desigualdades no tratamento discursivo dado aos personagens brancos e negros. O resultado: a manutenção da supremacia branca (TWINE,1998; TELLES, 2001, P. 41). Como observamos, o fato de personagens negros terem sido mais frequentes e somente com direito à existência quando abordado o tema da diversidade acaba, contraditoriamente, reafirmando a branquidade normativa.

Considerações finais

A análise do contexto de produção dos livros didáticos de Língua Portuguesa e a análise formal permitiram desenvolver a tese de que, a despeito de intensa movimentação no campo de produção dos livros didáticos, do tema racismo nos livros didáticos ter participado na agenda das políticas educacionais do Brasil contemporâneo, das avaliações promovidas pelo Ministério da Educação/MEC, o livro didático continua produzindo e veiculando discurso racista. Os livros didáticos de Língua Portuguesa apresentaram modificações após o início do ciclo de avaliações do Programa Nacional do Livro Didático/PNLD, mas continuam produzindo e veiculando discurso que *universaliza* a condição do branco, tratando-o como representante da espécie, *naturaliza* a dominação branca e *estigmatiza* o personagem negro, situando-o como *out-group*, mantendo-o circunscrito a determinadas temáticas e espaços sociais.

No discurso racista com o qual nos deparamos nos livros didáticos que analisamos, observamos características já detectadas por estudos brasileiros sobre racismo em livros didáticos (PINTO, 1981; NEGRÃO, 1988; OLIVEIRA, 2000) e sobre racismo na literatura infantojuvenil (ROSEMBERG, 1985; NEGRÃO, 1988; BAZILLI, 1999): concomitantemente com negação aparente do racismo, são apresentadas formas simbólicas que atuam no sentido de estabelecer e manter a hierarquia entre brancos e negros (aspecto comum ao descrito na literatura internacional como peculiar ao discurso do "novo racismo" culturalista, nesse caso com possibilidade de tratar desigualmente outros grupos racializados, em acordo com VAN DIJK, 1993).

Interpretamos as estratégias ideológicas apreendidas na análise formal como meio de operação dos modos gerais da ideologia, conforme proposto por Thompson (1995). Formas simbólicas, em contextos específicos, atuaram por meio da *universalização*[1] de interesses dos brancos, operando como forma de **legitimação** das desigualdades raciais. Outras vezes ocorreu o *deslocamento* de sentidos relativos à discriminação racial, **dissimulando** processos sociais de desigualdade entre brancos e negros. Ainda atuaram no sentido de *diferenciação* ou *estigmatização* dos personagens negros, estabelecendo e difundindo sentidos que dificultam a possibilidade do negro brasileiro de assumir posições de exercício de poder, ou seja, conforme modo de operação da ideologia denominado por Thompson (1995) como **fragmentação**. Mas, principalmente, as formas simbólicas atuaram de forma a *naturalizar* os personagens brancos como representantes da espécie e como interlocutores em potencial dos textos, ao passo que os personagens negros foram sujeitos à *passifização*. O discurso racista com o qual nos defrontamos particularmente atuou para a **reificação** das relações de desigualdade raciais entre brancos e negros no Brasil.

A análise diacrônica nos permitiu apreender mudanças e permanências no discurso racista. Classificaríamos as mudanças como "epidérmicas", no sentido de que a forma de produção dos livros didáticos, no Brasil contemporâneo, determina grandes limites às possibilidades de mudança. Como descrevemos, os livros didáticos de Língua Portuguesa brasileiros são organizados por meio, principalmente, da compilação de textos de outros meios, particularmente da literatura infantojuvenil, da literatura e da mídia escrita.

O que há de produção própria para os livros didáticos de Língua Portuguesa, em maior medida, são as ilustrações. A análise diacrônica apontou que, nas ilustrações, modificações no discurso racista foram mais perceptíveis. Ilustrações de negros com traços deformados passaram a não ser observadas. O discurso racista nas ilustrações tomou formato mais elaborado. Ilustrações com estereótipos deram lugar a imagens que, principalmente, circunscrevem o negro em situações de miséria e escravidão. Foi observada ocorrência de imagens que valorizam aspectos fenotípicos de personagens negros, mas em número muito inferior às de personagens brancos. Observou-se a disposição de imagens de forma a relacionar personagens brancos a sentidos positivos e a representante da humanidade do brasileiro, ou da criança/aluno brasileiro. Além disso, o uso de figuras de personagens brancos acompanhando textos que se referiam diretamente aos leitores, instituindo a esses como universalmente brancos.

---

[1] As estratégias típicas da ideologia estão grafadas em itálico, e os modos gerais de operação ideológica, em negrito, conforme convenção que vimos adotando desde o capítulo 2.

Como observamos anteriormente, deixou de ser requerida a participação dos movimentos negros nas políticas relacionadas ao livro didático após a vigência do protocolo de intenções com a FAE, no início dos anos 1990, coincidindo com o início do processo de avaliação sistemática pelo MEC/FAE. Beisiegel (2001) e Silva Júnior (2002) sugerem que as equipes de avaliadores incorporem pesquisadores com capacidade de análise de desigualdades raciais e de gênero e militantes dos movimentos sociais de negros e mulheres, com o intuito de agregar às avaliações critérios de representatividade de negros e mulheres que têm sido relegados. Caso os movimentos sociais e professores participassem mais ativamente dos processos decisórios, que modificações poderíamos esperar?

Visto que somente as ilustrações são produzidas especificamente para os livros didáticos, as modificações possíveis, na atual forma de fabricação dos livros, ficariam limitadas a apenas essa arena. A expectativa seria de modificações neste âmbito, o que poderia trazer aspectos relevantes. Por exemplo, personagens positivos, sem identificação de cor-etnia nos textos, que poderiam ser ilustrados negros (ou indígenas); a ampliação de proporção de personagens negros com características fenotípicas representadas positivamente; o uso de ilustrações de figuras de negros (de indígenas e de amarelos) nas partes que se referem diretamente aos leitores, orientando a interlocução implícita como multirracial. No entanto, mesmo aqui, as possibilidades de modificações são limitadas pelo repertório escrito disponível que vem sendo transposto para os livros didáticos. As principais fontes para compilação para os livros didáticos (a literatura infantil, a literatura e a mídia escrita) limitam a transformação discursiva caso esse seja o interesse. O discurso racista, produzido nesses outros meios, para públicos diversos, por empresas diversas, por equipes e formas de produção múltiplas, tem sido transposto para os livros didáticos de Língua Portuguesa. Dificilmente uma mudança de composição de avaliadores teria um alcance sobre essas outras áreas de produção. Ou seja, o repertório/acervo disponível, para ser modificado, implica repercussões em áreas de produção diversificadas e muito mais abrangentes que a do livro didático, para além do domínio da ação educacional propriamente dita.

Nas unidades de leitura, a produção de discurso racista no livro didático de Língua Portuguesa está arraigada à sua concepção de coletânea de fragmentos de textos. Podemos inferir que o impacto limitado dos movimentos sociais e da movimentação social em torno ao livro didático tem enfrentado esse condicionante, isto é, o pequeno impacto observado talvez seja o possível nesse contexto de produção. Mudanças de maior amplitude envolveriam ações multifacetadas, envolvendo pluralidade de setores dos movimentos sociais e atingindo multiplicidade de áreas de produção midiática e de empresas.

Poderíamos pensar em modificações nos critérios de seleção dos textos compilados para compor os livros didáticos. Analisamos sobre quais textos e quais autores recaíram as escolhas para compor os livros didáticos. Textos e autores com objetivos de expressar ou problematizar a alteridade e singularidade do negro brasileiro, ou outras concepções sobre relações raciais no Brasil, tiveram presença quase nula nos livros que analisamos. Uma proposta seria buscar modificações nos processos de escolha, incluindo ao máximo textos de literatura negra, isto é, unidades de leitura voltadas à afirmação da cultura afro-brasileira, à busca de um "eu-enunciador" negro (BERND, 1988) e à discussão dos problemas do negro na sociedade brasileira, mas carecemos de estudos e reflexões sistematizados sobre essa produção para crianças ou escolas.

Portanto, mesmo considerando a proposta como viável, dificuldades se antepõem. A literatura negra, no Brasil, além da discussão sobre seu *status* e mesmo sobre a sua existência, é pouco conhecida e difundida, mesmo em universidades. Na literatura infantojuvenil, o representante solitário foi Joel Rufino dos Santos. A escolha dos compiladores, no entanto, recaiu principalmente sobre textos do autor que não tratam da questão racial ou de personagens negros. As opções disponíveis na literatura infantojuvenil são quase nulas nesse sentido, além de marcadas, em geral, pelo tratamento discursivo desigual para negros e brancos (BAZILLI, 1999). Um exemplo disso pode ser tomado da passagem ilustrada por foto de família negra que analisamos como contraexemplo. O texto que acompanha a foto, no qual uma menina negra detém a palavra e descreve sua família, tem características peculiares, que não encontramos em nenhuma outra unidade de leitura. O texto atua na desconstrução da branquidade normativa, apresentando personagem negra autônoma, valorizada e discorrendo sobre sua família. O referido texto não tem descrita a fonte. Não foi retirado da literatura infantojuvenil, nem da literatura, nem da mídia. Podemos considerar que, nessas fontes, as principais para compilações que vêm a compor os livros didáticos de Língua Portuguesa, é difícil encontrar textos com as qualidades do exemplo, que *desnaturalizam* a condição do branco. Ou seja, as mudanças são limitadas pelas próprias especificidades de diferentes campos de produção dos discursos que são transpostos para o livro didático de Língua Portuguesa.

Relacionados a esse processo estão outros aspectos das condições de produção dos livros didáticos. As avaliações influenciaram para a produção de livros didáticos cada vez mais similares. Os critérios excludentes dos livros, a começar pelos aspectos gráfico-editoriais, determinaram tendência à homogeneização dos livros. No decorrer dos anos, o PNLD passou a negociar preços com as editoras e conseguiu, dados os grandes quantitativos de compras, baixar os valores pagos por exemplar. As editoras, por sua vez, reclamam que as vendas para o governo deixaram de ser lucrativas, mas continuam disputando as vendas para o Governo Federal. Novas exigências que requeiram o aumento dos recursos aplicados no desenvolvimento dos livros certamente causarão tomada de posições contrárias e novas necessidades de negociações com representações de editores e autores dos livros. Ou seja, a remodelação do modo de produção do livro de leitura no Brasil contemporâneo, que poderia permitir ou impulsionar alterações discursivas, implicaria gastos públicos ou diminuição de lucro em escala muito superior aos gastos do governo para reunir a comissão de avaliação ou das editoras para contratar ilustradores e compiladores.

No entanto, o PNLD vem aplicando recurso público considerável na compra de livros de qualidade questionável. Na forma atual de organização dos livros didáticos, os textos de literatura infantojuvenil, por exemplo, são em geral textos que não conseguem reproduzir a qualidade dos originais, particularmente em função da fragmentação a que os originais são submetidos, via de regra, para a sua adaptação ao livro didático. Processo similar pode ser observado no que se refere à literatura (adulta). A diversificação de formatos textuais exigida pelas avaliações influenciou para que os livros passassem a reproduzir mais textos da mídia escrita e da publicidade, e o que observamos foi a reprodução, nos livros da amostra, de textos que trazem conteúdo midiático ideológico. Estes, por sua vez, tendem a estigmatizar a infância negra e pobre. Abre-se, então, uma questão para um novo debate no tema livro didático e racismo: a política do livro didático, que adquire livros de qualidade duvidosa, atinge predominantemente o sistema público, com grandes contingentes de crianças negras, contribuindo, entre outras estratégias pedagógicas, para a manutenção do racismo estrutural: aprendizagem deficiente da leitura e da escrita como atestam os resultados do Sistema de Avaliação do Ensino Básico/SAEB.[2] Não estamos querendo superestimar o

---

[2] Em 2003 os alunos de 4ª série tiveram um desempenho médio, em leitura, de 169,4 pontos, ao passo que o desempenho considerado adequado seria de, pelo menos, 200 pontos (BRASIL/MEC, 2004, p. 7). Na região Nordeste, a média foi de 152,3 e, na região Norte, 158,8, ou seja, nas regiões com maior proporção de negros, os resultados foram os piores.

papel dos livros didáticos como responsáveis pelas diferenças no desempenho escolar; os fatores são múltiplos e sua relação é complexa. Apontamos, no entanto, que as políticas do livro didático são partícipes nesse processo.

Em termos de políticas educacionais, podemos afirmar que os alunos recebem uma produção homogeneizada, que veicula discurso racista, normalizando a condição de branco e desvalorizando a condição de negro. Os textos dos livros de Língua Portuguesa que analisamos não permitiram ao negro "encontrar a própria fala" (BELL HOOKS, 2000, p. 385). A perspectiva homogeneizante implica uso de linguagem destituída de sua base social e abstraída dos conflitos da história social (GIROUX, 1999b, p. 195). Podemos sugerir a hipótese de que a desconsideração da diversidade cultural ativa práticas de resistência (GIROUX, 1999b; ENGUITA, 1999) que se relacionam aos baixos resultados dos alunos das regiões Nordeste e Norte nos exames de leitura. A produção dos livros didáticos é centralizada nos grandes centros do Sudeste brasileiro e podemos sugerir que tendem a difundir a cultura do Sudeste urbano para o restante do Brasil.

O PNLD, no início, tinha a intenção de diminuir o poder de pressão das grandes editoras, aumentando a diversidade de editoras, dando possibilidade às produções regionalizadas de participarem mais efetivamente das vendas. Após o início das avaliações sistemáticas, a expectativa era a de que o número de editoras que participam do PNLD se ampliasse e que as vendas deixassem de ser centralizadas em pequeno número de editoras, responsáveis por dois terços a mais das vendas. O que se verificou, no entanto, foi distinto. A concentração das vendas para um número limitado de editoras se manteve, e os indicadores são de aumento dessa concentração. Edições regionais e alternativas, assim como produções ligadas a universidades e a Secretarias Estaduais de Educação, conseguem vender para o PNLD, mas em quantidade ínfima, de forma similar ao que acontece desde a década de 1980 (CASTRO, 1996). Produções alternativas como as vinculadas a movimentos negros e de mulheres dificilmente conseguem participar nas vendas ao PNLD. A lógica de organização do sistema, a burocracia para as inscrições dos livros, as exigências para a participação no processo, o grande detalhamento das especificações técnicas afastam as pequenas editoras, inclusive as experiências de produção dos movimentos sociais.

A gestão econômica do processo, envolvendo inscrição, avaliação, escolha, compra e distribuição, é complexa. Tentativa de descentralizar as compras, dando maior autonomia a Estados, aumentou o preço pago pelos livros (muitas vezes os mesmos) em relação às compras centralizadas e por isso foi considerada inviável (BATISTA, 2001). No entanto, as ações importantes vão além da simples normatização.

Por exemplo, o protocolo de intenções assinado entre a FAE e os movimentos negros (MELO; COELHO, 1988, p. 11-13) previa, entre outras ações, a coedição de obras didáticas e a compra, pela FAE, de textos que promovessem a "divulgação da real imagem do negro" (p. 12). Não obtivemos informação se foram editadas obras a partir de tal acordo, se ocorreu financiamento para tal. Ou seja, pouco se avançou, mesmo em ação que foi além da negociação para modificação de legislação. Aparentemente, sendo necessário aprofundar as questões previstas no referido protocolo de intenções, essas foram retomadas, recentemente, no Parecer 03/2004 do Conselho Nacional da Educação/CNE,[3] o qual propõe a edição de livros e material didático, para diferentes níveis e modalidades de ensino, que

> abordem a pluralidade cultural e a diversidade étnico-racial da nação brasileira, corrijam distorções e equívocos em obras já publicadas sobre a história, a cultura, a identidade dos afrodescendentes, sob o incentivo dos programas de difusão de livros educacionais do MEC – Programa Nacional do Livro Didático e Programa Nacional de Bibliotecas Escolares. (BRASIL/CONSELHO NACIONAL DE EDUCAÇÃO, 2004, p. 25)

Não temos avaliação de em que medida a prescrição legal vem sendo levada a termo ou quais recursos foram disponibilizados para cumpri-la. Dadas as condições dos programas referidos no parecer, PNLD e PNBE, não nos parece que possamos vislumbrar caminhada na direção dos objetivos propostos. Ou seja, a dinâmica de funcionamento dos programas não abre espaço para aquisição ou apoio à produção alternativa. Para realizar as propostas da legislação, os programas teriam que ser modificados. Temos a impressão de que o risco seja ocorrer processo similar ao que analisamos sobre a legislação (ROSEMBERG; BAZILLI; SILVA, 2003), ou seja, a ocorrência de diversas alusões ao racismo em livros didáticos que constam em constituições estaduais e em leis orgânicas municipais, mas praticamente não tiveram efeito, não definindo ações ou recursos voltados para o cumprimento das prescrições legais.

Além das modificações no polo da produção/transmissão, que nos dedicamos a analisar nesta pesquisa, é importante o polo da recepção/

---

[3] Sobre as Diretrizes Curriculares Nacionais para a Educação das Relações Étnico-Raciais e para o Ensino de História e Cultura Afro-Brasileira e Africana, aprovado em 10/03/2004, por unanimidade do Conselho Pleno.

apropriação. Nesse sentido, outra passagem do Parecer 03/2004 do CNE afirma a necessidade dos profissionais da educação de assumirem a crítica às representações dos negros (e outras minorias) nos textos e material didático e desenvolverem ações para corrigi-las. Mais uma vez chamamos a atenção para o fato de que a prescrição precisa ser seguida de ações e de orçamento compatível para sua implementação.

No que se refere à pesquisa, esse é um campo também pouco explorado pelos estudos brasileiros. Os estudos localizados foram dois: os estudos de Oliveira (1992) e Lopes (2002) chegaram a resultados semelhantes: relevada importância das mediações exercidas por professores[4] e, mesmo trabalhando a partir de textos com propostas antidiscriminatórias, a apropriação tendeu à **reificação** de desigualdades raciais e tratamento discriminatório do negro. E esse é um dos caminhos de continuidade que se abre.[5]

O finalizar da pesquisa, muito mais que tempo de conclusões, para este aprendiz de pesquisador que empreendeu o estudo, foi de continuidade e de início, para os quais se abrem novas perguntas e muitos desafios. O processo de "alfabetização da diáspora", de conhecer e reconhecer-me na história de espoliação do povo negro, que venho vivenciando nesses anos de estudos, é ponto de partida de um processo de contínua revisão dos significados de ser pesquisador negro, num país e num mundo que quero multirracial.

---

[4] O que reforça a necessidade de formação dos profissionais da educação descrita no Parecer 03/2004.

[5] Do ponto de vista da proposta de Thompson (1995), a análise do caráter ideológico das mensagens se completa com o estudo da recepção e apropriação das mensagens.

Referências

AJZENBERG, Bernardo. A imprensa e o racismo. In: RAMOS, Sílvia. *Mídia e racismo*. Rio de Janeiro: Pallas, 2002. p. 30-35.

ANDRADE, Leandro F. *Prostituição infantojuvenil na mídia: estigmatização e ideologia*. São Paulo: Editora da PUC-SP (EDUC), 2004.

ANDREWS, George R. *Negros e brancos em São Paulo (1888-1988)*. Tradução de Magda Lopes. Bauru: EDUSC, 1998.

APPLE, Michael. Cultura e Comércio do Livro Didático. In: APPLE, Michael. *Trabalho docente e textos: economia política das relações de classe e de gênero em educação*. Porto Alegre: Artes Médicas, 1995. p. 81-105.

APPLE, Michael. Consumindo o outro: branquidade, educação e batatas fritas baratas. In: COSTA, Marisa Vorraber (Org.). *Escola básica na virada do século: cultura, política e educação*. São Paulo: Cortez, 1996. p. 25-43.

ARAÚJO, Joel Zito. *A negação do Brasil: o negro na telenovela brasileira*. São Paulo: Senac, 2000a.

ARAÚJO, Joel Zito. Identidade racial e estereótipos sobre o negro na TV brasileira. In: GUIMARÃES, Antonio S. A; HUNTLEY, Lynn (Orgs.). *Tirando a máscara: ensaio sobre o racismo no Brasil*. São Paulo: Paz e Terra, 2000b. p.77-95.

ARTE no Brasil: cinco séculos de pintura, escultura, arquitetura e artes plásticas. São Paulo: Abril Cultural, 1979.

BALBO, Laura; MANCONI, Luigi. *Razzismi. Un vocabolario*. Milano: Feltrinelli, 1993.

BARCELOS, Luiz Cláudio. O(s) centenário(s) da abolição. *Estudos afro-asiáticos*. Rio de Janeiro, n. 20, p. 197-212, jun. 1991.

BARDIN, Laurence. *Análise de conteúdo*. Tradução de Luís Antero Reto e Augusto Pinheiro. Lisboa: Edições 70, 1985.

BASTIDE, Roger. Manifestações do preconceito de cor. In: BASTIDE, Roger; FERNANDES, Florestan. *Brancos e negros em São Paulo. Ensaio sociológico sobre aspectos da formação, manifestações atuais e efeitos do preconceito de cor na sociedade paulistana*. 3. ed. São Paulo: Nacional, 1971 [1955]. p. 147-188.

BATISTA, Antônio A. G. Um objeto variável e instável: textos, impressos e livros didáticos. In: ABREU, Márcia (Org.). *Leitura, história e história da leitura*. Campinas: Mercado das Letras: Associação de Leitura do Brasil: São Paulo: FAPESP, 2000. p. 529-575.

BATISTA, Antônio A. G. *Recomendações para uma política pública de livros didáticos*. Brasília: Ministério da Educação, Secretaria de Educação Fundamental, 2001.

BAZILLI, Chirley. *Discriminação contra personagens negros na literatura infantojuvenil brasileira contemporânea*. Dissertação (Mestrado em Psicologia Social), Pontifícia Universidade Católica de São Paulo, 1999.

BEISIEGEL, Celso. *Cultura e democracia*. Rio de Janeiro: Edições Fundo Nacional de Cultura, 2001.

BEM, Arim S. Educação e reprodução do racismo: as armadilhas dos modelos alternativos. *Educação e sociedade*, v. 14, n. 44, p. 96-110, abr. 1993.

BERND, Zilá. Negro, de personagem a autor. *Anais IV da Bienal Nestlé de Literatura*. São Paulo: 1988, p. 25-28.

BITTENCOURT, Circe M. F. *Livro didático e conhecimento histórico: uma história do saber escolar*. Tese (Doutorado em Educação), Universidade de São Paulo, 1993.

BLONDET, Maurizio. *I nuovi barbari*. Gli Skinheads parlano. Milano: Effedieffe, 1993.

BOURDIEU, Pierre. *Sociologia*. Tradução de Paula Montero e Alícia Auzmendi. 2. ed. São Paulo: Ática, 1994.

BRASIL/Câmara Brasileira do Livro. *Diagnóstico do Setor Editorial Brasileiro ano 2001*. São Paulo: Câmara Brasileira do Livro, 2001.

BRASIL/Fundação de Assistência ao Estudante-FAE. *Definição de critérios para avaliação dos livros didáticos*. Brasília: FAE, 1994.

BRASIL/Fundação João Pinheiro/Câmara Brasileira do Livro. *Diagnóstico do Setor Editorial Brasileiro*. Belo Horizonte: Fundação João Pinheiro, 1999.

BRASIL/Ministério da Educação. *Guia de Livros Didáticos. 1ª a 4ª séries. PNLD 1997*. Brasília: MEC, 1996.

BRASIL/Ministério da Educação. *Guia de Livros Didáticos. 1ª a 4ª séries. PNLD 1998*. Brasília: MEC, 1997.

BRASIL/Ministério da Educação. *Guia de Livros Didáticos. 1ª a 4ª séries. PNLD 2000/2001*. Brasília: MEC, 2000.

BRASIL/Ministério da Educação. *Guia de Livros Didáticos. 1ª a 4ª séries. PNLD 2004*. Vol. 1. Brasília: MEC, 2003.

BRASIL/Ministério da Justiça. *Programa Nacional dos Direitos Humanos*. 1996.

BRASIL/Ministério da Justiça. *Programa Nacional dos Direitos Humanos II*. 2002.

BRASIL/Presidência da República. *Construindo a Democracia Racial.* Grupo de Trabalho Interministerial para Valorização da População Negra. Brasília, 2004. Disponível em: <http://www.presidencia.gov.br/publi_04/COLECAO/RACIAL2.HTM> Acesso em: 29 jan. 2004.

BRASIL, Conselho Nacional de Educação (CNE). *Parecer 03/2004, de 10 de março do Conselho Pleno do CNE.* Brasília: MEC/SEPPIR, 2004.

BROOKSHAW, David. *Raça e cor na literatura brasileira.* Tradução de Marta Kirst. Porto Alegre: Mercado Aberto, 1983. Série Novas Perspectivas.

CALAZANS, Gabriela J. *O discurso acadêmico sobre gravidez na adolescência: uma produção ideológica?* Dissertação (Mestrado em Psicologia Social), Pontifícia Universidade Católica de São Paulo/PUC-SP, 2000.

CAMINO, Leôncio; SILVA, Patrícia da; MACHADO, Aline; PEREIRA, Cícero. A face oculta do racismo: uma análise psicossociológica. *Psicologia Política.* São Paulo: Sociedade Brasileira de Psicologia Política. V. 1, n. 1, p. 13-36, 2001.

CASTRO, Jorge A. *O processo de gasto público do Programa do Livro Didático.* Brasília: IPEA, 1996. Texto para discussão n° 406.

CASTRO, Jorge A. Avaliação do processo do gasto público do Fundo Nacional de Desenvolvimento da Educação (FNDE). *Planejamento e Políticas Públicas.* Brasília: IPEA, n. 24, p. 53-187, dez. 2001.

CAVALLEIRO, Eliane dos Santos. Identificando o racismo, o preconceito e a discriminação na escola. In: LIMA, Ivan C.; ROMÃO, Jeruse; SILVEIRA, Sônia M. (Orgs.). *Os negros e a escola brasileira.* Florianópolis: Núcleo de Estudos Negros/NEN, 1999, p. 47-60. Série Pensamento Negro em Educação, n° 6.

CHAGAS, Ana Mª R. *Gasto federal com crianças e adolescentes:* 1994 a 1997. Brasília: IPEA, 2001. Textos para discussão n° 778.

CHINELLATO, Thais M. *Crônica e ideologia* – contribuições para leituras possíveis. Tese (Doutorado em Linguística), Universidade de São Paulo, 1996.

COELHO, Nelly Novaes. *Dicionário Crítico de Literatura Infantil e Juvenil Brasileira: séculos XIX e XX.* 4. Ed. revista e ampliada. São Paulo: EDUSP, 1995.

COETZEE, J.M. *Le origini ideologiche dell'apartheid.* In: Saggi e Testi, Dipartimento de Anglística della Università de Verona, 1999.

CONCEIÇÃO, Fernando. Imprensa e racismo no Brasil. *A manutenção do 'status quo' do negro na Bahia.* Dissertação (Mestrado em Ciências da Comunicação), Universidade de São Paulo/USP, 1995.

CONCEIÇÃO, Fernando. *Mídia e etnicidades no Brasil e Estados Unidos.* Estudo comparativo do Projeto Folha de S.Paulo para os 300 anos da morte de Zumbi com o The New York Times. Tese (Doutorado em Ciências da Comunicação) Universidade de São Paulo/USP, 2001.

COSTA, Haroldo. O negro no teatro e na TV. *Estudos afro-asiáticos*. Rio de Janeiro, n. 15, p. 76-83, 1988.

COSTA PINTO, Luiz A. *O negro no Rio de Janeiro: relações de raças numa sociedade em mudança*. 2. ed. Rio de Janeiro: UFRJ, 1998 [1953].

COURTIS, Corina. *Construcciones de alteridad. Discursos cotidianos sobre la inmigración coreana en Buenos Aires*. Buenos Aires: Eudeba, 2000.

CRUZ, Mariléia dos S. *A história da disciplina Estudos Sociais a partir de representações sobre o negro no livro didático (período 1981-2000)*. Dissertação (Mestrado em Educação), Universidade Estadual Paulista, 2000.

D'ADESKY, Jacques. *Pluralismo étnico e multiculturalismo: racismo e antirracismos no Brasil*. Rio de Janeiro: Pallas, 2001.

DA MATTA, Roberto. Digressão: a fábula das três raças ou o problema do racismo à brasileira. In: DA MATA, Roberto. *Relativizando: uma introdução à antropologia social*. Petrópolis: Vozes, 1981. p. 58-85.

DAL LAGO, Alessandro. *Non-persone*. L'esclusione dei migranti in una società globale. Milano: Feltrinelli, 1999.

DAMASCENO, Caetana Mª. "Em casa de enforcado não se fala em corda": notas sobre a construção social da "boa" aparência no Brasil, In: GUIMARÃES, Antonio S. A.; HUNTLEY, Lynn (Orgs.). *Tirando a máscara: ensaios sobre o racismo no Brasil*. São Paulo: Paz e Terra, 2000. p. 165-199.

DATAFOLHA/Folha de S. Paulo. *Racismo cordial*. São Paulo: Ática, 1995.

DI LUZIO, Adolfo S. *L'appropriazione imperfetta*. Editori, biblioteche e libri per ragazzi durante il fascismo. Bologna: Il Mulino, 1996.

EAGLETON, Terry. *Ideologia*. Uma introdução. Tradução de Silvana Vieira e Luís Carlos Borges. São Paulo: UNESP – Boitempo, 1997.

ENGUITA, Mariano F. *Alumnos gitanos en la escuela paya*. Un estudio sobre las relaciones étnicas en el sistema educativo. Barcelona: Ariel, 1999.

ESCANFELLA, Célia Mª. *Construção social da infância e literatura infantojuvenil brasileira contemporânea*. Dissertação (Mestrado em Psicologia Social). Pontifícia Universidade Católica de São Paulo, 1999.

ESCOBAR, Roberto. *Metamorfosi della paura*. Bologna: Il Mulino, 1997.

ESCOBAR, Roberto. La battaglia della lega. *Il Mulino*. Bologna, n. 384, p. 661-670, luglio-agosto, 1999.

ESCOBAR, Roberto. *Il silenzio dei persecutori, ovvero Il coraggio di Shahrazad*. Bologna: Il Mulino, 2001.

FALOPPA, Federico. *Lessico e Alterità*. La formulazione del "diverso". Alessandria: dell'Orso, 2000.

FERNANDES, Florestan. *A integração do negro na sociedade de classes*. São Paulo: USP, 1964.

FERNANDES, Florestan. Cor e estrutura social em mudança. In: BASTIDE, Roger; FERNANDES, Florestan. *Brancos e negros em São Paulo*. Ensaio sociológico sobre aspectos da formação, manifestações atuais e efeitos do preconceito de cor na sociedade paulistana. São Paulo: Nacional. 3. ed., 1971 [1955]. p. 82-146.

FERREIRA, Aurélio B. H. *Novo Dicionário Aurélio da Língua Portuguesa*. 2. ed. revista e ampliada. Rio de Janeiro, Nova Fronteira, 1986.

FERREIRA, Ricardo A. *A representação do negro em jornais no centenário da Abolição da Escravatura no Brasil*. Dissertação (Mestrado em Ciências da Comunicação), Universidade de São Paulo/USP, 1993.

FIGUEIRA, Vera M. O preconceito racial na escola. In: *Estudos afro-asiáticos*, Rio de Janeiro, n.18, p. 63-72, 1990.

FONSECA, Dagoberto J. *A piada: o discurso sutil da exclusão. Um estudo do risível no "racismo à brasileira"*. Dissertação (Mestrado em Ciências Sociais), Pontifícia Universidade Católica de São Paulo, 1994.

FREITAS, Rosângela R. *O tema trabalho infantojuvenil na mídia: uma interpretação ideológica*. Tese (Doutorado em Psicologia Social), Pontifícia Universidade Católica de São Paulo, 2004.

FREITAG, Bárbara; MOTTA, Valéria R; COSTA, Wanderly F. 1989. *O livro didático em questão*. São Paulo: Cortez/Autores Associados, 1989. Coleção Educação Contemporânea.

FREYRE, Gilberto. *Casa grande e senzala*. Brasília: DF/UnB, 1963.

FRY, Peter. O que a Cinderela negra tem a dizer sobre a "Política racial" no Brasil. *Revista USP*. São Paulo, n. 28, p. 122-135, dez.-fev., 1995-1996.

FUNDAÇÃO Perseu Abramo. *Discriminação racial e preconceito de cor no Brasil*. Comunicação apresentada no Seminário Discriminação Racial e Políticas Afirmativas no Brasil, Brasília, 28 de novembro de 2003.

GATTI JUNIOR, Décio. *Livro Didático e Ensino de História: dos anos sessenta aos nossos dias*. Tese (Doutorado em Educação: História, Política e Sociedade). Pontifícia Universidade Católica de São Paulo, 1998.

GHIRELLI, Massimo. *Immigrati brava gente*. Milano: Sperling & Kupfer, 1993.

GIROUX, Henry, A. Por uma pedagogia e política da branquidade. *Cadernos de pesquisa*. São Paulo, n. 107, p. 97-132, jul. 1999a.

GIROUX, Henry, A. Redefinindo as fronteiras da raça e etnicidade: além da política do pluralismo. In: GIROUX, Henry, A. *Cruzando as fronteiras do discurso educacional*: novas políticas em educação. Tradução de Magda França Lopes. Porto Alegre: Artes Médicas Sul, 1999b. p. 133-172.

GOFFMAN, Erving. *Estigma: notas sobre a manipulação da identidade deteriorada.* 4. ed. Rio de Janeiro, LTC., 1988.

GOGLIA, Luigi. Le cartoline illustrate italiane della guerra 1935-1936: il negro nemico selvaggio e il trionfo della civiltà di Roma. In: CENTRO Furio Jesi. *La Menzogna della razza*: Documenti e immagini del razzismo e dell'antisemitismo fascista. Bologna: Grafis, 1994, p. 27-40.

GONÇALVES, Luiz A. O. Reflexão sobre a particularidade cultural na educação das crianças negras. *Cadernos de Pesquisa*, São Paulo, n. 63, p. 27-29, nov. 1987.

GONÇALVES, Luiz A. O. A discriminação racial na escola. In: MELO, Regina L. C; COELHO, Rita C. F. (Orgs.). *Educação e discriminação dos negros.* Belo Horizonte: IRHJP, 1988, p. 59-63.

GONÇALVES, Luiz A. O. Os movimentos negros no Brasil. Construindo atores sociopolíticos. *Revista Brasileira de Educação.* São Paulo, n. 9, p. 30-50, set.-dez. 1998.

GONÇALVES, Luiz A. O.; SILVA, Petronilha B. G. *O jogo das diferenças: o multiculturalismo e seus contextos.* Belo Horizonte: Autêntica, 1998.

GUARESCHI, Pedrinho A. Ideologia. In: JACQUES, Maria da G. C.; STREY, Marlene N. et al (Orgs.). *Psicologia social contemporânea.* 3. ed. Rio de Janeiro: Vozes, 1998, p. 89-103.

GUIMARÃES, Antonio S. A. 'Raça', racismo e grupos de cor no Brasil. *Estudos afro-asiáticos.* n. 27, p. 45-63, abr. 1995.

GUIMARÃES, Antonio S. A. O recente antirracismo brasileiro: o que dizem os jornais diários. *Revista USP.* São Paulo, n. 28, p. 84-95, dez.-fev, 1995-1996.

GUIMARÃES, Antonio S. A. Racismo e restrição de direitos individuais: a discriminação publicizada. *Estudos afro-asiáticos.* Rio de Janeiro, n. 51, p. 51-78, out. 1997.

GUIMARÃES, Antonio S. A. *Classes, raças e democracia.* São Paulo: Fundação de Apoio à Universidade de São Paulo; Ed. 34, 2002.

HANCHARD, Michael. Americanos, brasileiros e a cor da espécie humana. Uma resposta a Peter Fry. *Revista da USP.* São Paulo: Universidade de São Paulo/USP, n° 31, p. 164-175, 1996.

HASENBALG, Carlos A. *Discriminação e desigualdades raciais no Brasil.* Rio de Janeiro: Graal, 1979.

HASENBALG, Carlos A. Desigualdades sociais e oportunidade educacional: a produção do fracasso. *Cadernos de Pesquisa.* São Paulo, n. 63, p. 24-29, 1987.

HASENBALG, Carlos A. As imagens do negro na publicidade. In: HANSELBAG, Carlos e SILVA, Nelson do Valle. *Estrutura social, mobilidade e raça.* Rio de Janeiro, Vértice, 1988. p. 183-188.

HASENBALG, Carlos A. Discursos sobre a raça: pequena crônica de 1988. *Estudos afro-asiáticos.* Rio de Janeiro, n. 20, p. 187-195, jun. 1991.

HASENBALG, Carlos A.; SILVA, Nelson do Valle. Raça e oportunidades educacionais no Brasil. *Estudos afro-asiáticos.* Rio de Janeiro, n. 18, p. 73-91, 1990.

HOOKS, Bell. Racism and feminism. In: BACK, Les; SOLOMOS, John (eds.). *Theories of race and racism.* New York: Routledge, 2000. Chapter 25, p. 373-388.

IANNI, Octávio. Literatura e consciência. *Estudos afro-asiáticos.* Rio de Janeiro, n. 15, p. 209-217, 1988.

JACCOUD, Luciana de Barros; BEGHIN, Nathalie. *Desigualdades raciais no Brasil: um balanço da intervenção governamental.* Brasília: IPEA, 2002.

JOHLER, Reinhard. *Mir parlen italiano: la costruzione sociale del pregiudizio etnico: storia dei trentini nel Vorarlberg.* Trento: Museo storico, 1996.

LAJOLO, Marisa. Infância de papel e tinta. In: FREITAS, Marcos C. *História Social da infância no Brasil.* São Paulo: Cortez, 1997, p. 225-246.

LESLIE, Michael. The representation of blacks on commercial television in Brazil; some cultivation effects. INTERCOM – Revista Brasileira de Comunicação. São Paulo, v. 18, n. 1, p. 94-107, jan.-jun, 1995.

LIMA, Solange M. C. de. *Mulher e famílias negras:* realidade e representação na obra de Nina Rodrigues. 1984, 208 p. Tese (Doutorado em Comunicação e Artes), Universidade de São Paulo, São Paulo, 1984.

LOPES, Luiz P. da M. *Identidades fragmentadas:* a construção discursiva de raça, gênero e sexualidade em sala de aula. Campinas: Mercado Aberto, 2002.

MAIO, Marcos C. *A História do Projeto UNESCO:* Estudos Raciais e Ciências Sociais no Brasil. Tese (Doutorado em Ciência Política). Instituto Universitário de Pesquisa do Rio de Janeiro, 1997.

MANSOUBI, Max M. L'Islam nelle ilustrazione dei libri di texto. In: DONNE, Marcella D. (a cura di). *Relazioni etniche, stereotipi e pregiudizi. Fenomeno Migratorio ed exclusione sociale.* Roma, EDUP, 1998, p. 243-256.

MARTINS, Maria C. da S. *A personagem afrodescendente no espelho publicitário de imagem fixa.* Tese (Doutorado em Comunicação e Semiótica). Pontifícia Universidade Católica de São Paulo, 2000.

MCLAREN, Peter. Raça, classe e gênero: por que os estudantes não têm sucesso? In: MCLAREN, Peter. *A vida nas escolas: uma introdução à pedagogia crítica nos fundamentos da educação.* Tradução de Lucia Pellanda Zimmer. Porto Alegre: Artes Médicas, 1997. p. 232-243.

MELO, Regina L. C. de, COELHO; Rita de C. F. *Educação e discriminação dos negros.* Belo Horizonte: Instituto de Recursos Humanos João Pinheiro, 1988.

MELO, Ciro F. C. B. *Senhores da História: a construção do Brasil em dois manuais de História na segunda metade do século XIX.* Tese (Doutorado em Educação) Universidade de São Paulo, 1997.

MENEZES, Maria Edna de. *Reflexos negros*: a imagem social do negro através das metáforas. 1998. 93 p. Dissertação (Mestrado em Estudos Linguísticos), Universidade Federal de Minas Gerais, 1998.

MOURA, Carlos A.; BARRETO, Jônatas N. (Orgs.). *A Fundação Palmares na III Conferência Mundial de Combate ao Racismo, Discriminação Racial, Xenofobia e Intolerância Correlata*. Brasília: Fundação Cultural Palmares, 2002.

MOURA, Neide C. *Relações de gênero em livros didáticos de Língua Portuguesa: permanências e mudanças*, São Paulo, Tese (Doutorado em Psicologia Social). Pontifícia Universidade Católica de São Paulo, 2007.

MUNAKATA, Kazumi. *Produzindo livros didáticos e paradidáticos*. Tese (Doutorado em Educação: História, Política e Sociedade), Pontifícia Universidade Católica de São Paulo, 1997.

NEGRÃO, Esmeralda V. A discriminação racial em livros didáticos e infantojuvenis. *Cadernos de Pesquisa*, São Paulo, n. 63, p. 86-87, nov. 1987.

NEGRÃO, Esmeralda V. Preconceitos e discriminações raciais em livros didáticos. *Cadernos de Pesquisa*, São Paulo, n. 65, p. 52-65, maio 1988.

NEGRÃO, Esmeralda V.; PINTO, Regina P. *De olho no preconceito: um guia para professores sobre racismo em livros para crianças*. São Paulo: Fundação Carlos Chagas/ FCC – Departamento de Políticas Educacionais/DPE, 1990.

NOGUEIRA, Oracy. *Tanto preto quanto branco: estudos de relações raciais*. São Paulo: T. A. Queiroz, 1985.

NOGUEIRA, Oracy. *Preconceito de marca: as relações raciais em Itapetininga*. São Paulo: EDUSP, 1998.

NORVELL, John M. A brancura desconfortável das camadas médias brasileiras. In: REZENDE, Claudia B.; MAGGIE, Yvone (Orgs.). *Raça como retórica: a construção da diferença*. Rio de Janeiro: Civilização Brasileira, 2001. p. 245-267.

OLIVEIRA, Dennis de. Representações e estereótipos do negro na mídia. In:*1º Seminário Internacional Mídia e Etnia*. São Paulo: Universidade de São Paulo, 25-26 de maio de 2004. Comunicação em mesa-redonda.

OLIVEIRA FILHO, Pedro de. A justificação da desigualdade em discursos sobre a posição social do negro. *Revista Psicologia Política*, São Paulo, v. 2, n. 4, p. 267-295, jul./dez. 2002.

OLIVEIRA, Marco Antônio de. *O negro no ensino de história: temas e representações*. Dissertação (Mestrado em Educação), Universidade de São Paulo, 2000.

OLIVEIRA, Rachel de. *Relações raciais na escola: uma experiência de intervenção*. Dissertação (Mestrado em Educação: currículo), Pontifícia Universidade Católica de São Paulo, 1992.

OLIVEIRA, Teresinha S. de. *Olhares poderosos: o índio em livros didáticos e revistas*. Dissertação (Mestrado em Educação), Universidade Federal do Rio Grande do Sul, 2001.

OLIVIERI, Mabel. Emigrazione italiana fra stereotipi e pregiudizi. In: DONNE, Marcella D. (a cura di). *Relazioni etniche, stereotipi e pregiudizi. Fenomeno Migratorio ed exclusione sociale*. Roma: EDUP, 1998, p. 231-242.

ORLANDI, Eni P. *As formas do silêncio:* no movimento dos sentidos. Campinas: Editora da Unicamp, 1993.

PALLOTTINO, Paola. Origini dello stereotipo fisionômico dell'"ebreo" e sua permanenza nell'iconografia antisemita del Novecento. In: CENTRO Furio Jesi. *La Menzogna della razza*: Documenti e immagini del razzismo e dell'antisemitismo fascista. Bologna: Grafis, 1994. p. 17-26.

PIERUCCI, Antônio Flávio. *Ciladas da Diferença*. São Paulo: USP/Ed. 34, 1997.

PINHEIRO, Paulo S. Lançamento do PNDH II. Discurso do Secretário de Estado dos Direitos Humanos. Brasília, Secretaria Especial dos Direitos Humanos, 2002. Disponível em: <http://www.presidencia.gov.br/sedh/>. Acesso em: 04 nov. 2002.

PINTO, Regina P. *O livro didático e a democratização da escola*. Dissertação (Mestrado em Ciências Sociais), Universidade de São Paulo/USP, 1981.

PINTO, Regina P. A representação do negro em livros didáticos de leitura. *Cadernos de Pesquisa*, São Paulo, n. 63, p. 88-92, nov. 1987.

PINTO, Regina P. Raça e educação: uma articulação incipiente. *Cadernos de Pesquisa*, n. 80, p. 41-50, 1992.

PINTO, Regina P. Diferenças étnico-raciais e formação do professor. *Cadernos de Pesquisa*, n. 108, p. 199-231, nov. 1999.

PINTO, Regina P. et al. *Os problemas subjacentes ao processo da classificação de cor no Brasil*. Trabalho apresentado na XIX ANPOCS. S/d. Mimeo.

PIZA, Edith S. P. *O caminho das águas*: estereótipo de personagens femininas negras na obra para jovens de escritoras brancas. Tese (Doutorado em Psicologia Social) Pontifícia Universidade de São Paulo, 1995.

PONTE, M. C. Quando as crianças são notícia. In: *Proceedings of the Internacional Congress Childhood Social and Cultural Worlds*. Braga: Instituto de Estudos da Criança Universidade do Minho, v. II, p. 330-339, 2000.

PORTERA, Agostino. *L'educazione interculturale nella teoria e nella pratica: stereotipi, pregiudizi e pedagogia interculturale nei libri di testo della scuola elementare*. Padova: CEDAM, 2000.

PROENÇA FILHO, Domício. A trajetória do negro na literatura brasileira. In: *Estudos Avançados*, São Paulo, v. 18, n. 50, p. 161-193, abr. 2004.

RODRIGUES, João C. *O negro brasileiro e o cinema*. Rio de Janeiro: Globo – Fundação do Cinema Brasileiro-MINC, 1988.

ROSEMBERG, Fúlvia. Eu consumo, tu me consomes. *Cadernos de Pesquisa*. São Paulo, n. 31, p. 41-48, dez. 1979.

ROSEMBERG, Fúlvia. Da intimidade aos quiprocós: uma discussão em torno da análise de conteúdo. *Cadernos CERU.* São Paulo, n. 16, p. 69-80, 1981.

ROSEMBERG, Fúlvia. *Literatura infantil e ideologia.* São Paulo, Global, 1985.

ROSEMBERG, Fúlvia. Raça e desigualdade educacional no Brasil. In: AQUINO, Julio G. (Coord.). *Diferenças e preconceito na escola: alternativas teóricas e práticas.* São Paulo: Summus, 1998. p. 73- 91

ROSEMBERG, Fúlvia. Educação infantil, gênero e raça. In: GUIMARÃES, Antônio S.; HUNTLEY, Lynn (Orgs.). *Tirando a máscara: ensaios sobre o racismo no Brasil.* São Paulo: Paz e Terra, 2000. p. 127-264.

ROSEMBERG, Fúlvia et al. Debate - Livros didáticos: análises e propostas. *Cadernos de Pesquisa,* n. 63, p. 103-105, nov. 1987.

ROSEMBERG, Fúlvia; FREITAS, Rosangela R. Participação de crianças brasileiras na força de trabalho e educação. *Educação & Realidade,* v. 27, n. 1, p. 95-125, jan.-jun., 2002.

ROSEMBERG, Fúlvia; BAZILLI, Chirley; SILVA, Paulo Vinicius B. Racismo em livros didáticos brasileiros e seu combate: uma revisão da literatura. *Educação e Pesquisa.* São Paulo: v. 29, n. 1, p. 125-146, jan.-jun. 2003.

SANT'ANA, Luiz C. R. Humor negro. *Estudos afro-asiáticos.* Rio de Janeiro, n. 26, p. 81-98, set. 1994.

SCHWARCZ, Lilia M. *Retrato em branco e negro: jornais, escravos e cidadãos em São Paulo no final do século XIX.* São Paulo: Companhia das Letras, 1987

SHERIFF, Robin E. Como os senhores chamavam seus escravos: discursos sobre cor, raça e racismo num morro carioca. In: REZENDE, Claudia B.; MAGGIE, Yvone (Orgs.). *Raça como retórica: a construção da diferença.* Rio de Janeiro: Civilização Brasileira, 2001. p. 213-243.

SILVA, Ana Célia da. *O estereótipo e o preconceito em relação ao negro no livro de Comunicação e Expressão de primeiro grau, nível I.* Dissertação (Mestrado em Educação) Universidade Federal da Bahia, 1988.

SILVA, Ana Célia da. *As transformações da representação social do negro no livro didático e seus determinantes.* Tese (Doutorado em Educação), Universidade Federal da Bahia, 2001.

SILVA, Nelson do Valle. O preço da cor: diferenciais raciais na distribuição de renda no Brasil. *Pesquisa e Planejamento Econômico,* Rio de Janeiro, v. 10, n. 1, p. 21-44, 1980.

SILVA, Nelson do Valle. Cor e o processo de realização socioeconômica. In: HASENBALG, Carlos; SILVA, Nelson do V. (Orgs.). *Estrutura social, mobilidade e raça.* São Paulo: Vértice, Editora Revista dos Tribunais, 1988, p. 144-163.

SILVA, Nelson do Valle. Extensão e natureza das desigualdades raciais no Brasil. In: GUIMARÃES, Antonio S. A; HUNTLEY, Lynn (Orgs.). *Tirando a máscara: ensaios sobre o racismo no Brasil.* São Paulo: Paz e Terra, 2000, p. 33-51.

SILVA Jr., Hédio. *Discriminação racial nas escolas: entre a lei e as práticas sociais.* Brasília: UNESCO, 2002.

SILVA, Paulo V. B. *Relações raciais em livros didáticos brasileiros: uma síntese da literatura.* São Paulo: PUC/SP, 2002. Mimeo.

SKIDMORE, Thomas E. *Preto no branco: raça e nacionalidade no pensamento brasileiro.* Tradução de Raul de Sá Barbosa. Rio de janeiro: Paz e Terra, 1976. 2. ed.

SKIDMORE, Thomas E. Fato e mito: descobrindo um problema racial no Brasil. *Cadernos de Pesquisa.* São Paulo, n. 79, p. 5-16, nov. 1991.

SOUZA, Elisabeth Fernandes. Repercussões do discurso pedagógico sobre relações raciais nos PCNs. In: CAVALLEIRO, Eliane (Org.). *Racismo e antirracismo na educação.* São Paulo: Summus, 2001. p. 39-63.

SOUZA, Veríssimo; SOUZA, Lourenço. *Pontos de nossa História.* Curitiba: Livraria Moderna de Rocha & Velloso, 1912.

TELLES, Edward E. *Racismo à brasileira: uma nova perspectiva sociológica.* Tradução de Nadjeda Rodrigues Marques e Camila Olsen, Rio de Janeiro: Relumé Dumará/ Fundação Ford, 2003.

THOMPSON, John B. *Ideologia e cultura moderna:* teoria social crítica na era dos meios de comunicação de massa. Tradução do Grupo de Estudos sobre ideologia, comunicação e representações sociais da pós-graduação do Instituto de Psicologia da PUCRS. Petrópolis: Vozes, 1995.

TRIUMPHO, Vera R. S. O negro no livro didático e a prática dos agentes de pastoral negros. *Cadernos de Pesquisa,* n. 63, p. 93-95, nov. 1987.

TWINE, France W. *Racism in a racial democracy: the maintenence of white supremacy in Brazil.* New Jersey, Rutgers University Press, 1998.

VAN DIJK, Teun. *Elite discourse and racism.* London: Sage, 1993.

VAN DIJK, Teun. *Il discorso razzista: La riproduzione del pregiudizio nei discorsi quotidiani.* Messina, Rubbetino, 1994.

VAN DIJK, Teun; TING-TOOMEY, Stella; SMITHERMAN, Geneva; TRUTMAN, Denise. Discurso, filiación étnica, Cultura y racismo. IN: van DIJK, Teun (comp.). *El discurso como interacción social. Estudios sobre el discurso II: una introducción multidisciplinaria.* Barcelona: Gedisa, 2000. p. 213-262.

VISCONTI, Cristina. *L'immagine dell'altro nel discorso leghista.* Tesi di Laurea. Università degli Studi di Milano, Facoltà di Scienze Politiche, 2001.

WIEVIORKA, Michel. El espacio del racismo. Barcelona, Paidós, 1992.

WIEVIORKA, Michel. *Il razzismo.* Traduzione di Cristiana Maria Carbone. Roma- -Bari: Laterza, 2000.

ZAMBELLONI, Aldo. *Libri fascisti per la scuola. Il texto unico di Stato (1929-1943).* Mori: Associazione di iniziativa culturale "Perche non accada mai piu", 2000.

Conheça outros títulos da
Coleção Cultura Negra e Identidades

- **Afirmando direitos – Acesso e permanência de jovens negros na universidade**
Nilma Lino Gomes e Aracy Alves Martins
As políticas de Ações Afirmativas, dentro das quais se insere o Programa Ações Afirmativas na UFMG, apresentado e discutido neste livro, exigem uma mudança de postura do Estado, da universidade e da sociedade de um modo geral para com a situação de desigualdade social e racial vivida historicamente pelo segmento negro da população brasileira. A concretização da igualdade racial e da justiça social precisa deixar de fazer parte somente do discurso da nossa sociedade e se tornar, de fato, em iniciativas reais e concretas, aqui e agora.

- **Afrodescendência em *Cadernos Negros* e *Jornal do MNU***
Florentina da Silva Souza
A escolha de uma produção textual que se define como "negra", como objeto de estudo, evidencia a opção por lidar mais detidamente com uma outra parte da minha formação identitária, o afro, marcado pela cor da pele e pela necessidade de tornar patente a impossibilidade da transparência. Os textos de Sociologia, História, Antropologia, Estudos Culturais, Estudos Pós-coloniais e Black Studies se entrecruzam com debates, reflexões, aulas, seminários, leituras, discursos vários, dos quais me apropriei, atribuindo-lhes valores diferenciados – uma apropriação que faz adaptações, realça o que se configura pertinente para o estudo dos periódicos, explorando as possibilidades de remoldar e trair ou abandonar ideias e conceitos que não s enquadrem nas nuances por mim escolhidas.

- **Bantos, malês e identidade negra**
  Nei Braz Lopes
  Este livro reúne elementos históricos sobre a formação do Brasil em seu caráter étnico, identitário e cultural e mostra ao leitor as contribuições dos Bantos nesse processo. Além disso, Nei Lopes estabelece novos parâmetros sobre a relação entre islamismo e negritude. À guisa de seu envolvimento com a resistência cultural negra no Brasil e na África, apresenta ao leitor uma face da história ignorada por grande parte dos brasileiros. Sobre Nei Lopes, em *Épuras do social: como podem os intelectuais trabalhar para os pobres* (São Paulo: Global, 2004), escreveu o professor Joel Rufino dos Santos: "[...] Nei é um híbrido que ironiza (no sentido socrático de contraideologia) suas duas metades. É um aglutinador de pobres negros suburbanos e intelectuais propriamente ditos."

- **Comunidades quilombolas de Minas Gerais no séc. XXI – História e resistência**
  Centro de Documentação Eloy Ferreira da Silva – CEDEFES (Org.)
  Perseguidos, condenados, escondidos – essa foi a vida dos negros em nosso país. Para escaparem da escravidão e da marginalização subsequente, sofridas ao longo de cinco séculos, os negros do Brasil buscaram locais e formas próprias de sobrevivência, em uma sociedade em que quase tudo lhes era negado. Construíram – antes e depois da Lei Áurea – comunidades próprias onde viveram e, até hoje, vivem e reproduzem suas famílias, seus modos de ser e de fazer, além da religiosidade, da arte e da cultura que secularmente foram criando, recriando e passando às novas gerações. Com a Constituição de 1988, essas comunidades obtiveram o reconhecimento de seus direitos sobre o seu território e a sua cultura. Somente a partir desse momento os quilombolas começaram a sair da "invisibilidade" social a que foram relegados nesses 500 anos. Este livro é uma fonte básica de consulta para todos aqueles que querem conhecer o que foi e o que ainda representa essa extraordinária luta pela vida, pela dignidade, pela terra e pela alegria dos quilombolas em Minas Gerais.

- **Diversidade, espaço e relações étnico-raciais: o negro na Geografia do Brasil**
  Renato Emerson dos Santos (Org.)
  A produção de uma imagem de território que remete exclusivamente à colonização pela imigração europeia oculta a presença negra, apaga a

escravidão da história da região e assim autoriza violências diversas. Como solução para esse entendimento fragmentado, os autores desta coletânea apresentam artigos que mostram as múltiplas possibilidades de formação do conhecimento que a Geografia permite ao contemplar o Brasil em sua totalidade e diversidade de povos. Para isso, acenam com a importância do ensino da Geografia, que tem imensa responsabilidade social porque informa às pessoas sobre o país em que elas vivem e ajudam a construir.

- **Experiência étnico-culturais para a formação de professores**
  Nilma Lino Gomes e Petronilha Beatriz Gonçalves e Silva (Orgs.)

  Pesquisadores e pesquisadoras, nacionais e estrangeiros, projetam suas interpretações sobre uma questão que está no centro das atenções de grupos de militância, estudiosos, políticos: a diversidade étnico-cultural. Dirigido de maneira especial aos professores e à sua formação, este livro é indispensável para o debate sobre a educação e os processos de busca de identidade, nos quais estarão sempre presentes as tensões, os conflitos e as negociações entre os semelhantes e os diferentes.

- **Literaturas africanas e afro-brasileira na prática pedagógica**
  Iris Maria da Costa Amâncio, Nilma Lino Gomes, Miriam Lúcia dos Santos Jorge (Orgs.)

  Integrante da Coleção Cultura Negra e Identidades, este livro propõe ao docente uma postura pedagógica mais responsável, que privilegie o diálogo intercultural e supere preconceitos e estereótipos. Para isso, as autoras mostram ao professor e à professora as contribuições das Literaturas africanas e afro-brasileira na prática pedagógica. O universo literário africano como ferramenta para a efetivação da Lei nº 10.639/03 é o cerne deste livro que parte da necessidade de uma educação da diferença para apresentar aos leitores quais são as pesquisas que caminham nesse sentido no campo educacional e chamar a atenção para a importância de investir na educação como direito social. Até quando os cursos de Pedagogia e de licenciatura continuarão negando ou omitindo a inclusão do conteúdo da Lei nº 10.639/03 nos seus currículos? O que fazer diante das lacunas que comprometem a implantação dessa Lei? Essas são algumas das questões tratadas neste livro que busca analisar como têm sido os cursos de formação inicial de professores quando o assunto é a discussão sobre África e questão afro-brasileira.

- **O drama racial de crianças brasileiras –
Socialização entre pares e preconceito**
Rita de Cássia Fazzi

O tema central deste livro é o preconceito racial na infância. Entender como crianças, em suas relações entre si, constroem uma realidade preconceituosa é de fundamental importância para a compreensão da ordem racial desigual existente no Brasil. É este o objetivo deste trabalho: descobrir, em termos sociológicos, a teoria do preconceito racial, sugerida pela forma como as crianças observadas estão elaborando suas próprias experiências raciais. A conquista da igualdade racial passa pelo estudo dos mecanismos discriminatórios atuantes na sociedade brasileira.

- **Os filhos da África em Portugal – Antropologia,
multiculturalidade e educação**
Neusa Mari Mendes de Gusmão

Ao eleger crianças e jovens africanos e luso-africanos como sujeitos do olhar, esse livro assumiu, como tema central, a condição étnica decorrente da origem e da cor. A mesma razão tornou significativo o desvendar das estratégias de sobrevivência dos indivíduos e grupos frente a crises, dificuldades e rupturas que vivenciam como comunidade ou como membro de um grupo particular, no interior do qual os mecanismos de convivência étnica e racial são elaborados e transformados pelo contato com a sociedade nacional em que se inserem.

- **O jogo das diferenças – O multiculturalismo e seus contextos**
Luiz Alberto Oliveira Gonçalves e Petronilha Beatriz Gonçalves e Silva

Este livro, de Luiz Alberto Oliveira Gonçalves e Petronilha B. Gonçalves e Silva, fala sobre o direito à diferença e busca compreender, na cena social, os diversos significados de multiculturalismo. Os autores observam conceitos como "discriminação", "preconceito" e "politicamente correto" e constatam que as regras desse "jogo das diferenças" estão em constante mudança.

- **Rediscutindo a mestiçagem no Brasil –
Identidade nacional *versus* Identidade negra**
Kabengele Munanga

É à luz do discurso pluralista emergente (multiculturalismo, pluriculturalismo) que a presente obra recoloca em discussão os verdadeiros fundamentos da identidade nacional brasileira, convidando estudiosos da questão para rediscuti-la e melhor entender por que as chamadas minorias, que na realidade constituem maiorias silenciadas, não são capazes de construir identidades políticas verdadeiramente mobilizadoras. Essa discussão não pode ser sustentada sem colocar no bojo da questão o ideal do branqueamento materializado pela mestiçagem e seus fantasmas.

- **Sem perder a raiz: corpo e cabelo como símbolos da identidade negra**
Nilma Lino Gomes

O cabelo é analisado na obra da Profa. Nilma Lino Gomes, não apenas como fazendo parte do corpo individual e biológico, mas, sobretudo, como corpo social e linguagem; como veículo de expressão e símbolo de resistência cultural. É nesta direção que ela interpreta a ação e as atividades desenvolvidas nos salões étnicos de Belo Horizonte a partir da manipulação do cabelo crespo, baseando-se nos penteados de origem étnica africana, recriados e reinterpretados, como formas de expressão estética e identitária negra. A conscientização sobre as possibilidades positivas do seu cabelo oferece uma notável contribuição no processo de reabilitação do corpo negro e na reversão das representações negativas presentes no imaginário herdado de uma cultura racista. (Kabengele Munanga – Prof. Titular do Departamento de Antropologia da USP.)

- **Um olhar além das fronteiras: educação e relações raciais**
Nilma Lino Gomes (Org.)

O diálogo além das fronteiras realizado neste livro está alicerçado em um dos ensinamentos de Paulo Freire: de que uma das nossas brigas como seres humanos deva ser dada no sentido de diminuir as razões objetivas para a desesperança que nos imobiliza. Nesse sentido, a recusa ao fatalismo cínico e imobilizante pregado pelo contexto neoliberal, pela globalização capitalista, pela desigualdade social e racial deve se pautar em uma postura epistemológica e política criticamente esperançosa. É o que o leitor e a leitora encontrarão nas páginas deste livro.

Este livro foi composto com tipografia Times New Roman e impresso em papel Off Set 75 g/m² na Formato Artes Gráficas.